FARCES DU MOYEN AGE

FARCES DU MOYEN AGE

Dans la même collection

Anthologie poétique française du Moyen Age (2 vol.)
Aucassin et Nicolette

de LORRIS - de MEUN. *Le Roman de la Rose*
Le Roman de Renart. Texte original et traduction (à paraître). 2 vol.

VILLEHARDOUIN. *La Conquête de Constantinople*.

VILLON. *Œuvres poétiques*.

FARCES DU MOYEN AGE

Textes
choisis et transcrits en français moderne
par

André TISSIER
professeur à l'Université de Paris III

Publié avec le concours
du Centre National des Lettres

GF
FLAMMARION

à Dominique et à Thierry,
mes enfants des sept libertés cassées,
à Guillaume et au cadet Roussel.

INTRODUCTION

La farce a été le genre dramatique le plus vivant de la fin du Moyen Age, et il est le seul qui ait survécu au Moyen Age.

C'était à l'origine une petite pièce, incorporée à un spectacle édifiant pour détendre le spectateur. Mais, à la différence des épisodes comiques (diableries, scènes de brigands) qui dans le long développement d'un Mystère ou d'une Passion se sont maintenus à travers le temps pour apporter une note gaie sans rompre l'unité du spectacle, la farce est devenue un intermède ayant son autonomie, ce qui lui a permis de se constituer en genre dramatique indépendant.

De dimension réduite (d'une longueur moyenne de 350 à 450 vers), elle a pour but de servir de passe-temps récréatif, de terminer dans la joie un spectacle édifiant, ou d'amuser et d'attirer les badauds. On distinguait ainsi les farces que jouait une troupe à la fin d'une moralité ou d'un mystère, les farces de noces, les farces de collège destinées à un public d'écoliers et d'étudiants, et les farces d'« échafaud », parades jouées dans les foires et les marchés. Limitée par le temps, la farce développe une situation plus qu'une intrigue, et souvent même elle ne conclut pas. Elle n'offre donc qu'une succession de mouvements. Et, à la fin, les « joueurs » prennent congé du public par un adieu qui se termine en chanson.

Ses personnages (en moyenne, trois ou quatre) sont essentiellement des « types » de l'humble vie quotidienne. Même quand le texte leur donne des noms ou des prénoms, il s'agit du « mari », de l'« homme », de la

« femme », de l'« amoureux », ce qui cache le plus souvent le mari berné, l'homme vieux, la femme rusée, le prêtre paillard. Un personnage caractéristique de la farce : le badin. Ce faux niais ou naïf plaisant, enfant, valet et mari même, s'impose peu à peu comme « emploi » dans les troupes qui se constituent pour jouer lors de certaines fêtes. Il finira par désigner tout joueur de farces et tout bateleur. Défilent aussi des « types » de la vie sociale et professionnelle : le chaudronnier, le savetier, le pâtissier, le meunier, le maître d'école, le sergent, et bien d'autres encore.

La farce tirant la plupart de ses sujets de la vie quotidienne des petites gens ou adaptant des contes de la littérature narrative à la vie familiale des petites gens, un des thèmes favoris de la farce sera celui de l'autorité : à qui mari ou femme, maître ou valet reviendra le droit de commander ? Les autres thèmes relèvent des fonctions naturelles (on mange, on urine, et même on fait l'amour, comme on respire, par nécessité physique et hygiénique) ou relèvent des malformations physiques et intellectuelles : on se rit de ce qui n'est pas normal ou courant. Enfin et surtout on ruse ; car pour obtenir ce qu'on n'a pas (l'autorité, le manger, l'amour), pour réparer les erreurs de la nature ou pour parer aux ruses d'autrui, il faut ruser. Dans l'univers de nos farces, tout le monde cherche à tromper autrui.

La farce, dont l'origine remonte sans doute au XIVe siècle, eut son âge d'or, comme le théâtre comique médiéval, après la guerre de Cent Ans et jusqu'au début du XVIe siècle. Genre très souple et multiforme, allant de la simple parade à l'ébauche de la comédie de mœurs, elle a réussi à s'imposer comme divertissement essentiel. Si bien que les genres dramatiques voisins, sottie et moralité, se sont parfois agglutinés à elle. Déjà les confréries de sots, spécialisées dans la représentation des sotties, avaient échangé leur répertoire avec les confréries de badins, spécialisées dans la représentation des farces : Basochiens et Enfants sans souci s'habillaient en sots (habit vert et jaune, bonnet d'âne, marotte) ou, pour jouer la farce, s'enfarinaient le visage, selon les besoins et les circonstances. De même que de nos jours les termes de « comédie » et de « drame » ont fini par désigner toutes sortes de pièces de théâtre avant d'aboutir à la « comédie dramatique », la farce, à l'exemple du « type » du badin, a peu à peu perdu de sa spécificité au profit d'un genre hybride. La farce est devenue farce-monologue, farce-sottie, farce morale ou moralisée, et quelquefois farce-moralité-sottie : le célèbre monologue du *Franc-Archer de Bagnolet* prend ainsi, dans l'édition de Nicolas Chrestien, le nom de « farce » ; la sottie des *Cris de Paris* est présentée comme « farce » ; une édition de la moralité de *Folle Bombance* la dit « farce » ; enfin on verra ici avec *Les Gens nouveaux* un exemple d'une farce moralisée qu'on peut classer parmi les sotties.

Plus de deux cents textes nous ont été conservés, qui se réclament du genre de la « farce ».

Ces textes appartiennent principalement aujourd'hui à quatre recueils d'œuvres dramatiques de la fin du Moyen Age :

1. Recueil du British Museum, recueil factice de 64 pièces (monologues et sermons joyeux, farces, sotties, moralités), imprimées en caractères gothiques à Paris, Lyon ou Rouen entre 1532 et 1559. Il fut découvert en Allemagne en 1840 et acquis par le British Museum en 1845.

2. Recueil Trepperel, qui regroupe 35 pièces (dont cinq farces) imprimées au début du XVIe siècle à Paris dans l'atelier de Trepperel. Découvert en 1928 en Italie, il appartient depuis peu à la Bibliothèque nationale de Paris.

3. Recueil Cohen, recueil factice de 53 pièces imprimées et toutes intitulées « farces ». Les originaux, découverts en 1928 avec le recueil Trepperel, avaient été copiés à la hâte par Gustave Cohen ; celui-ci les publia en 1949 dans une édition peu soignée. Depuis, les originaux ont de nouveau disparu, ce qui rend impossible toute édition critique de ces textes.

4. Recueil La Vallière, manuscrit de copiste qui date-

rait de la seconde partie du XVIe siècle et qui regroupe 74 pièces appartenant vraisemblablement au répertoire de la société joyeuse des Conards de Rouen. Ce manuscrit, en écriture gothique, est depuis 1784 à la Bibliothèque nationale. Quand une de ses pièces se retrouve dans le recueil imprimé du British Museum et que l'on compare les textes, on constate que la copie contient çà et là des ajouts de « joueurs » et des corrections qui prétendent améliorer la versification mais qui sont faites pour la plupart en dépit du bon sens.

Certains textes nous ont été transmis hors de ces recueils par des éditions séparées, comme *Pathelin,* ou dans un manuscrit regroupant les pièces jouées pour un spectacle, comme celui qui fut donné à Seurre en 1496 à l'occasion de la fête de saint Martin.

Plusieurs de ces textes ont été réimprimés ou retranscrits au XIXe siècle, mais avec des corrections peu conformes aux règles de la philologie moderne, ou avec de très nombreuses fautes de lecture et de transcription, ce qui s'explique par la difficulté qu'il y avait à déchiffrer de vieux textes imprimés ou écrits en lettres gothiques, et à en établir des copies exactes. Citons les tomes I-II-III de l'*Ancien théâtre français,* Paris 1854 (bibliothèque elzévirienne), dus à Anatole de Montaiglon, et qui reproduisent les textes du British Museum ; les quatre volumes du *Recueil de farces, moralités et sermons joyeux,* Paris 1837, dus à Leroux de Lincy et Francisque Michel, et qui reproduisent les textes du recueil La Vallière ; enfin, le livre d'Edouard Fournier, *Le Théâtre français avant la Renaissance,* publié en 1872 et qui reproduit, agrémentées de corrections, 29 farces tirées des deux éditions précédentes.

En 1974, en fonction de mon enseignement à la Sorbonne dans le cadre des études théâtrales, reconnues désormais pour leur spécificité, et à la faveur d'un goût nouveau du public pour la civilisation du Moyen Age, j'ai commencé à constituer un recueil de farces, traditionnel si l'on se réfère à des textes déjà connus, original pour ce qui touche leur établissement et leur présentation. Il s'agissait de faire connaître des œuvres actuellement inaccessibles hors des bibliothèques spécialisées et d'en donner un texte établi sur les originaux, avec des commentaires historiques, linguistiques et dramaturgiques. Il fallait s'efforcer de rendre vie à ces farces en les situant dans le contexte historique et scénique de leur représentation.

Trois séries indépendantes ont été ainsi préparées, comprenant chacune douze farces suivies d'un glossaire. Dans chaque série, les farces étaient choisies pour présenter un échantillon mettant en relief les traits caractéristiques du genre.

La première série de ce recueil a paru en 1976 à la Société d'édition d'enseignement supérieur (SEDES), en deux volumes et sous le titre : *La Farce en France de 1450 à 1550.*

Le lecteur trouvera ici la transcription, en français moderne, des farces contenues dans cette première série.

A la demande de l'éditeur, j'ai présenté cette transcription en l'accompagnant du texte médiéval recopié sur les originaux. Ce texte est reproduit suivant les règles traditionnelles, c'est-à-dire que plusieurs éléments ont été ajoutés : numérotation des vers ; ponctuation ; trait d'union devant le sujet pronom inversé ; accentuation de la syllabe finale en *é,* de la préposition *à,* de l'adverbe *là* et de *où ;* apostrophes et cédilles. Lorsqu'il est nécessaire de rétablir un mot manquant ou de corriger un mot, j'ai signalé la correction en la mettant entre crochets. Quand un ajout est manifeste, je le mets entre parenthèses. Mais, ailleurs, j'ai proscrit toute interprétation personnelle, préférant un vers incomplet à une conjecture hasardeuse qui n'engagerait que moi.

De propos délibéré, le texte est nu, comme au spectacle où aucun professeur ne vient fournir des explications ni faire ses commentaires. En revanche, au théâtre, le metteur en scène, qui donne vie au texte, s'exprime par ses interprètes et par la décoration ; et l'intonation, les jeux de physionomie, le geste permettent au public un accès direct et signifiant au texte écrit pour être dit et joué. Le livre nous prive évidemment de cette vision et de cet éclairage scéniques. Aussi, dans ma transcription en français moderne et bien qu'au Moyen Age le « joueur » de farces ait été le seul responsable de son jeu et de la représentation, je me suis fait en quelque sorte metteur en scène en imaginant et en rétablissant par touches discrètes les conditions matérielles de la représentation au Moyen Age. Pour faciliter la lecture et la transposition d'un univers de fiction à un réel vivant, du livre aux tréteaux, j'ai procédé à quelques aménagements hors du texte parlé : j'ai opéré une séparation entre les scènes (on devrait plutôt dire les mouvements) par un numéro, alors que les reparties dans l'original se suivent sans coupure ; et j'ai donné quelques brèves indications qui aideront, autant qu'on peut le faire, à revivre la représentation des farces à la fin du XVe siècle et au début du XVIe. Pour éviter toute confusion, les indications ajoutées seront imprimées en italique, et les indications scéniques originales — elles sont très rares — en romain, comme le texte parlé. Pour les notes, je me suis de même volontairement limité à quelques explications, et uniquement quand la transcription en français moderne posait quelque problème*.

Le moyen français, langue des XIVe-XVIe siècles, nécessite le plus souvent moins une traduction proprement dite qu'une transcription, et il se prête facilement aux adaptations. Tout dépend du but qu'on s'est fixé. On pourra ainsi récrire le texte en octosyllabes dans un fran-

* Si le lecteur, mis en appétit, tient à en savoir davantage et plus que ne lui en dit le texte, qu'il se reporte à mon recueil d'éditions critiques publiées par la SEDES. Il y trouvera, autant que l'érudition actuelle le permet, de quoi satisfaire sa curiosité; notamment sur l'origine et l'établissement des textes, sur la date, les sources, les thèmes, la dramaturgie, sur la « mise en scène » historique, avec parfois la relation d'une représentation comme celle du *Meunier*, enfin sur la langue et la versification. Les deux éditions se complètent. Je renvoie aussi au tome I de l'édition de la SEDES pour la bibliographie générale. Et je ne citerai ici sur la farce que l'excellent et récent petit livre de Jean-Claude Aubailly : *Le Théâtre médiéval, profane et comique*, paru en 1975 chez Larousse dans la collection « thèmes et textes ».

çais moderne (G. Gassies des Brulies, *Anthologie du théâtre français au Moyen Age. Théâtre comique,* 1925), ou en donner dans le rythme d'un octosyllabe non rimé une version en français moderne (R. Mortier, *Farces du Moyen Age,* 1937). On pourra aussi plier l'octosyllabe à la prose en le désarticulant dans une transposition littérale (L. Robert-Busquet, *Farces du Moyen Age,* 1942). Faut-il faire œuvre d'érudit, œuvre de poète ou œuvre d'auteur dramatique ? faut-il repenser le texte ancien pour les esprits d'aujourd'hui ? J'ai préféré une voie intermédiaire. Pour ceux qui auront sous les yeux mon recueil d'éditions critiques, il fallait une version littérale, dans le sens strict de l'expression (et je pense aux étudiants de lettres modernes comme aux étrangers qui abordent avec difficulté notre ancienne langue). Pour ceux qui s'intéressent au théâtre en tant qu'art spécifique de l'expression et de la communication, il fallait une transcription qui respectât les données du texte mais permît de recréer — bien modestement ! — une version scénique. Pour le grand public enfin, le texte transcrit devait se suffire à lui-même ; une présentation où chaque ligne de prose correspondît à un vers, devenait même purement conventionnelle et sans objet.

Le texte des farces n'appartient pas à la littérature écrite ; il n'est pas « littéraire ». Il relève de la littérature orale et populaire de la fin du XVe siècle et du début du XVIe. Les distractions étaient alors peu nombreuses et peu variées. Ceux qui se retrouvaient devant ou autour des tréteaux n'étaient exclusivement ni une élite ni des initiés ni ceux que les Romains appelaient la plèbe, mais un public global, pour employer notre jargon de théâtre, des gens de toute classe sociale mis en disponibilité physique et matérielle de se rassembler en un lieu de fête ou de passage pour se distraire d'une vie quotidienne difficile ou monotone, pour le moins qu'on en puisse dire. Les auteurs de farces écrivaient pour les uns et pour les autres. Rabelais aura spécifiquement cet art. Qu'on ne s'étonne donc pas en lisant les farces (quand on a le temps de s'attarder sur tel ou tel passage, sur tel ou tel mot) d'entendre les personnages s'exprimer dans un langage familier et populaire, moulé dans une versification très souple, et de voir traités des thèmes qui font éclater le gros rire et même le rire gras. Mais qu'on ne s'étonne pas non plus, puisque ces textes dramatiques ont été écrits par des mains expertes : écrivains, clercs, membres de l'Université, de l'Église et du Parlement, que les situations se développent, compte tenu des « lois » du genre, dans une structure très élaborée. Des petits riens certes, mais, même s'ils sentent un peu le rustre, des textes finement ciselés.

Dans la mesure du possible, j'ai gardé dans la transcription de ces textes le style oral et familier, vulgaire parfois, respectant même certaines plates répétitions de mots.

Pour rester fidèle au contenu, je n'ai pu maintenir constamment le rythme de l'octosyllabe, mètre de nos anciens textes dramatiques, ni, à plus forte raison, le système des rimes : il eût fallu tricher, adapter et inventer. J'ai gardé toutefois ce qui pouvait être maintenu et partout où il pouvait l'être, comme par exemple les triolets (couplets de huit vers sur deux rimes, où le premier vers est répété après le troisième, et les deux premiers vers après le sixième), qui marquent souvent l'entrée d'un personnage ou un changement de ton. J'ai essayé aussi de suivre un certain rythme, ne me souciant guère de la nature du mètre, et qu'il y ait rime pauvre, assonance ou absence de rime. Je conseille donc au lecteur de lire à haute voix le texte de la transcription en français moderne, élidant (même devant consonne, comme dans le langage familier : je n'suis pas l'fils de ma mère), ou n'élidant pas, ajoutant même, comme le faisaient les auteurs des farces (le magistèr-e, donc-que). Bref, la règle d'or sera de retourner au théâtre de la rue et de se départir de toutes les habitudes acquises depuis Ronsard, Malherbe et Boileau.

Une transposition en français moderne ne peut donner, comme toute traduction, qu'une pauvre idée de l'original. Mais il y a des degrés dans les « infidélités » et les « trahisons ». J'ai ainsi tenu à garder certains termes, dits « vieillis », à la seule condition qu'ils soient sensibles à une oreille moderne et qu'ils figurent encore dans le *Dictionnaire général de la langue française*, d'Hatzfeld et Darmesteter (7e édition consultée, 1924). Je n'ai pas cherché non plus à édulcorer ni à respecter les tabous qui, naguère, proscrivaient du vocabulaire tout mot relevant de la scatologie et de la sexualité. Si, au cours du XIXe siècle, époque où ces textes ont été découverts, le rire de nos ancêtres a pu paraître aux érudits, aux bourgeois et aux moralisateurs grossier, plat, obscène, nous n'y trouvons aujourd'hui, nous à qui on en a tant dit et fait voir, que l'expression gaie d'une robuste santé morale, à la Rabelais. Reste que nombre de termes, de jeux de mots et d'expressions métaphoriques ou à équivoque ne se retrouvent pas littéralement ou n'ont pas d'équivalent dans la langue d'aujourd'hui. De là, dans la transcription, un certain à-peu-près dont je suis tout à fait conscient. Deux exemples : comment transcrire l'appellation affective « mon joli con », dont un amoureux gratifie sa maîtresse (VIII) ? J'ai adopté : « mon beau lapin », moins pour trouver une rime à « bon vin » (texte : vin bon) que parce que « lapin » se disait au Moyen Age « connin » et que « connin » pouvait comme « con » désigner les parties sexuelles de la femme et être employé pour une femme comme terme affectif. Dans la farce des *Gens nouveaux* (XII), l'auteur, qui use en plusieurs passages de l'adverbe « pis », oppose « mal », adjectif, à « pire », et il en fait deux lieux distincts où est successivement conduit le Monde. Mais « mal » n'est plus employé aujourd'hui qu'adverbialement; il eût donc fallu transcrire partout : « de mal en pis » ou « de mauvais en pire ». J'ai préféré faire une entorse à la langue moderne académique et, pour rendre compte de l'allégorie et du jeu de mots, garder « mal » comme adjectif (nous avons d'ailleurs encore : bon gré mal gré, malheur, malchance). Subtilité d'érudit, certes; mais qui dit mieux ?

La farce n'avait pour but que de faire rire. Sur d'étroits tréteaux, sans décor — un rideau de fond, le plus souvent, et quelques objets — les « joueurs » (seulement des hommes) s'ébattaient au gré de la fantaisie verbale du texte et des situations d'un quotidien volontairement schématisé. Le temps et le lieu éclatent comme dans tout théâtre populaire pour se plier au temps et au lieu scéniques. Les personnages ne s'embarrassent pas de sentiments, de psychologie. Pantins ou Italiens de la commedia dell'arte ? on n'en est encore ni aux uns ni aux autres. Il fallait faire rire. Et on rit. Mais on rit de mots (qui nous ont été restitués) et de gestes (qu'on ne peut qu'imaginer et deviner). On ne saura jamais comment ces textes n'étaient souvent qu'un support aux gestes qui s'exprimaient dans une liberté calculée ou désordonnée, selon qu'on se trouvait à un spectacle de fête ou sur les tréteaux d'une foire. Le lecteur devra faire preuve d'imagination et d'ingéniosité pour éclairer parfois les mots du texte d'un geste plus significatif que le mot même. C'est aussi la règle du « jeu ».

Place au jeu donc, dans une ambiance de saine gaieté, avec l'esprit libéré des temps de carnaval et des fêtes populaires, où nobles et notables s'encanaillaient à bon compte et où le petit peuple s'amusait à se retrouver dans un univers de clowns (badins, fols et sots), même si la satire aiguisait malicieusement ses traits. Encore une fois, il s'agissait de faire rire et non d'édifier. La « morale » n'est ici qu'une morale de constatation et non une morale réformatrice, du La Fontaine avant la lettre.

Cela dit, et j'en ai trop dit, lecteurs, maintenant oyez, voyez !

Oyez, oyez, mes bonnes gens,
Quelques farces du bon vieux temps !
Fi des soucis, fi des tourments,
Oyez, oyez, mes bonnes gens !
Notables, bourgeois, paysans,
Ecoliers, badauds et mendiants,
Jeunes et vieux, petits et grands,
Oyez, oyez, mes bonnes gens,
Quelques farces du bon vieux temps !

Des grimoires aux signes rebutants,
Des vieux manuscrits pâlissants,

S'échappe la farce, en chantant :
Voyez, voyez, mes bonnes gens !
Voyez sur les tréteaux branlants,
Sans décor, par enchantement
Venir les badins, les galants
Pour votre libre ébattement.

Fi des soucis, fi des tourments,
Oyez, voyez, mes bonnes gens !
Faites revivre, en les lisant,
Quelques farces du bon vieux temps !

André TISSIER.

FARCES
DU MOYEN AGE

I

LE CUVIER

Le Cuvier est après *Pathelin* la farce la plus connue. Elle fut encore jouée à Paris, à l'Odéon, en 1897, dans une version moderne d'Eugène et Edouard Adenis ; au Théâtre du Vieux Paris, en 1900 lors de l'Exposition universelle, dans un arrangement de Gassies des Brulies ; et on a pu la voir récemment, en août 1981, au Carreau du Temple, interprétée par la Compagnie Françoise Le Bail.

Le plus ancien texte qui nous en soit parvenu, inclus dans le recueil du British Museum, est sorti des presses de Jehan Cantarel, ancienne librairie de Barnabé Chaussard, à Lyon, entre 1532 et 1550. Il reproduit la copie défectueuse d'un manuscrit original qui devait dater de la seconde partie du XVe siècle.

On ignore qui fut l'auteur du *Cuvier*. Tout au plus, peut-on déceler dans le texte une origine picarde.

L'idée d'un contrat passé entre mari et femme ou entre maître et valet pour l'observation de leurs devoirs respectifs dans la vie quotidienne, ne semble pas avoir été très originale. Plusieurs fabliaux et contes en témoignent. Aussi le côté plaisant du *Cuvier* est-il moins le contrat juridique dressé unilatéralement pour imposer à Jacquinot ses devoirs, que la mise en situation d'une lutte d'autorité autour d'un cuvier, l'ancêtre de nos lessiveuses, sorte de baquet assez vaste pour contenir le linge familial d'un mois d'usage, et même souvent de plusieurs mois.

Jacquinot a accepté bon gré mal gré pendant les premiers mois de son mariage les devoirs que lui imposait sa femme pour faciliter la vie du ménage. Mais le temps passe ; un enfant est né ; et les choses ne s'arrangent guère. Pis, il y a là la belle-mère qui surveille, impose et gronde. Et les deux femmes, pour asseoir leur autorité, finissent par se liguer contre lui. Jacquinot se lasse ; et il n'attend qu'une occasion pour retourner la situation en sa faveur. Le cuvier va être l'instrument occasionnel de ce retournement, et le rôlet sur lequel il a inscrit ses devoirs, l'élément efficient.

Bien sûr, qui dit farce dit jeu. Ne prenons donc pas à la lettre les propos vengeurs de Jacquinot contre sa femme. En fait, il règle ses comptes avec sa belle-mère par personne interposée : sa femme. Après avoir joué le niais, il s'amuse à créer une situation qu'il va exploiter et qui lui permettra d'avoir le dernier mot.

Jacquinot est un homme paisible, que seule l'exaspération a rendu malveillant, et malveillant en paroles plus qu'en actes. Il réussira à gagner. Mais quel que soit le mot de la fin, on voit bien que, tant que belle-maman continuera de chaperonner sa fille et d'intervenir dans le ménage, Jacquinot, avec rôlet ou sans rôlet, aura du mal à vivre en paix chez lui.

La moralité serait : chacun chez soi, et à chacun sa tâche.

LE CUVIER

Farce nouvelle tresbonne et fort joyeuse
du CUVIER
à troys personnaiges; c'est assavoir:
Jaquinot, sa femme et la mere de sa femme.

JAQUINOT commence.

Le grant dyable me mena bien
Quant je me mis en mariage.
Ce n'est que tempeste et oraige;
On n'a que soulcy et peine.
Tousjours ma femme se demaine
Comme ung saillant; et puis sa mere
Afferme tousjours la matiere.
Je n'ay repos, heurt ne arrest;
Je suis peloté et tourmenté
De gros cailloux sur ma servelle.
L'une crye, l'autre grumelle;
L'une mauldit, l'autre tempeste.
Soit jour ouvrier ou jour de feste,
Je n'ay point d'aultre passetemps.
Je suis au renc des mal contens,
Car de rien ne fais mon proffit.
Mais, par le sang que Dieu me fist,
Je seray maistre en ma maison.
Se m'y maitz!...

LA FEMME.

Dea, que de plaictz!
Taisez-vous; si ferez que saige.

LA MERE.

Qu'i a-il?

Farce nouvelle, très bonne et fort joyeuse
du CUVIER
à trois personnages, c'est assavoir : Jacquinot, sa femme
et la mère de sa femme.

Chez Jacquinot. Une salle commune. Le milieu ou l'une des extrémités du rideau de fond sert de porte ou de sortie sur la rue. Sur un trépied, un cuvier de grande dimension. Autour du cuvier, deux tabourets. Sur une petite table, une écritoire avec des feuillets de papier.

1

JACQUINOT commence. — Le grand diable m'inspira bien quand je me mis en ménage ! Ce n'est que tempête et orage ; et je n'ai que souci et peine. Toujours ma femme se démène, comme un danseur ; et puis sa mère veut toujours avoir son mot sur la matière. Je n'ai plus repos ni loisir ; je suis frappé et torturé de gros cailloux jetés sur ma cervelle. L'une crie, l'autre grommelle ; l'une maudit, l'autre tempête. Jour de travail ou jour de fête, je n'ai pas d'autre passe-temps. Je suis au rang des mécontents, car je ne fais mon profit de rien. *(Haussant le ton)* Mais, par le sang qui coule en moi, je serai maître en ma maison, si je m'y mets !...

2

LA FEMME *de Jacquinot entre, suivie de près par sa mère.* — Diable ! que de paroles ! Taisez-vous ! ce sera plus sage.

LA MÈRE, *à sa fille.* — Qu'y a-t-il ?

LA FEMME.

Quoy! et que sçay-je?
Il y a tousjours à refaire;
Et ne pense pas à l'affaire
De ce qu'il fault à la maison.

LA MERE.

Dea, il n'y a point de raison
Ne de propos: par Nostre Dame,
Il fault obeyr à sa femme,
Ainsy que doibt ung bon mary.
Se elle vous bat aulcunesfois,
Quant vous fauldrez...

JAQUINOT.

Hon, hon! toutesfois
Ce ne souffriray-je de ma vie.

LA MERE.

Non? pourquoy? [Par] saincte Marie,
Pensez-vous, se elle vous chastie
Et corrige en temps et en lieu,
Que se soit par mal? Non, par bieu,
Ce n'est que signe d'amourette.

JAQUINOT.

C'est tresbien dit, ma mere Jaquette;
Mais ce n'est rien dit à propos
De faire ainsi tant d'agios.
Qu'entendez-vous? voyla la glose.

LA MERE.

J'entens bien; mais je propose
Que ce n'est rien du premier an.
Entendez-vous, mon amy Jehan?

JAQUINOT.

Jehan! vertu sainct Pol, qu'est-ce à dire?
Vous me acoustrez bien en sire,

LA FEMME.— Quoi ? et que sais-je ? Il y a toujours tant à faire ! et il ne pense pas au nécessaire indispensable à la maison.

LA MÈRE, *à son gendre.* — Oui, il n'y a pas là raison ni matière à discuter. Par Notre-Dame ! il faut obéir à sa femme, comme le doit faire un bon mari. Si même un jour elle vous bat, quand vous ferez ce qu'il ne faut pas…

JACQUINOT. — Oh, oh ! sachez bien que je ne le souffrirai de ma vie.

LA MÈRE. — Et pourquoi ? Par sainte Marie ! pensez-vous que, si elle vous châtie et vous corrige en temps et lieu, cela soit par méchanceté ? Non, parbleu ! ce n'est qu'une preuve d'amour.

JACQUINOT. — C'est bien dit, ma mère Jacquette. Mais ce n'est rien dire à propos que de parler si peu franchement. Qu'entendez-vous par là ? je vous demande explication.

LA MÈRE. — J'entends bien. Je veux dire que la première année de mariage une querelle, cela n'est rien. Entendez-vous, mon gros bêta ?

JACQUINOT. — Bêta ! vertu saint Paul, mais qu'est-ce à dire ? Vous m'accoutrez en beau messire que de me

D'estre si tost Jehan devenu.
J'ay nom Jaquinot, mon droit nom :
L'ygnorez-vous ?

LA MERE.

(Non,) mon amy, non !
Mais vous estes Jehan marié.

JAQUINOT.

Par bieu, j'en suis plus harié.

LA MERE.

Certes, Jaquinot, mon amy,
Vous estes homme abonny.

JAQUINOT.

Abonny ! vertu sainct George !
J'aymeroys mieulx qu'on me coupast (la) gorge.
Abonny ! benoiste Dame !

LA FEMME.

Il fault faire au gré de sa femme ;
C'est cela, s'on le vous commande.

JAQUINOT.

Ha ! sainct Jehan ! elle me commande
Trop de negoces en effaict.

LA MERE.

Pour vous mieulx souvenir du faict,
Il vous convient faire ung roullet
Et mettre tout en ung fueillet
Ce qu'elle vous commandera.

JAQUINOT.

A [moy] cela point ne tiendra :
Commencer m'en voys à escripre.

LA FEMME.

Or escripvez, qu'on le puisse lire.
Prenez que vous me obeyrez,

faire si vite devenir bêta ! J'ai nom Jacquinot, mon vrai nom : l'ignorez-vous ?

LA MÈRE. — Non, mon ami, non ! mais vous êtes néanmoins un bêta marié.

JACQUINOT. — Parbleu ! je n'en suis que trop fâché !

LA MÈRE. — Certes, Jacquinot, mon ami ; mais vous êtes homme maîtrisé [1].

JACQUINOT. — Maîtrisé ! vertu saint Georges ! J'aimerais mieux qu'on me coupât la gorge ! Maîtrisé ! bénie soit Notre-Dame !

LA FEMME. — Il faut agir au gré de sa femme ; oui, vraiment, quand elle vous le commande.

JACQUINOT, *comme à lui-même.* — Ah ! saint Jean ! elle me commande bien trop d'affaires en vérité.

LA MÈRE. — Eh bien ! pour mieux vous en souvenir, il vous faudra prendre un rôlet et inscrire sur un feuillet tout ce qu'elle vous commandera.

JACQUINOT. — Qu'à cela ne tienne ! cela sera. Je vais commencer à écrire. *(Il va à la table, s'assied, prend un rouleau de papier et une plume d'oie.)*

LA FEMME. — Écrivez donc, pour qu'on puisse lire. Mettez que vous m'obéirez, que jamais vous ne refuserez de faire tout ce que moi, je voudrai.

Ne jamais me desobeyrez
De faire le vouloir mien.

JAQUINOT.

Le corps bieu, je n'en feray rien,
Sinon que chose de raison.

LA FEMME.

Or mettez là, sans long blason,
Pour eviter de me grever,
Qu'il vous fauldra tousjours lever
Premier pour faire la besongne.

JAQUINOT.

Par Nostre Dame de Boulongne,
A cest article je m'oppose.
Lever premier! et pour quelle chose?

LA FEMME.

Pour chauffer au feu ma chemise.

JAQUINOT.

Me dictes-vous que c'est la guise?

LA FEMME.

C'est la guise, aussi la façon.
Apprendre vous fault la leçon.

LA MERE.

Escripvez.

LA FEMME.

Mettez, Jaquinot.

JAQUINOT.

Je suis encor au premier mot;
Vous me hastez tant que merveille.

LA MERE.

De nuyt, se l'enfant se resveille,

JACQUINOT, *prêt à jeter sa plume*. — Ah ! corbleu, je n'en ferai rien, sauf si c'est chose raisonnable.

LA FEMME. — Mettez donc là, pour abréger et éviter de me fatiguer, qu'il faudra toujours vous lever le premier pour faire la besogne.

JACQUINOT. — Par Notre-Dame de Boulogne, à cet article je m'oppose. Lever le premier ! et pour quelle chose ?

LA FEMME. — Pour chauffer au feu ma chemise.

JACQUINOT. — Me direz-vous que c'est l'usage ?

LA FEMME. — C'est l'usage, et la bonne façon. Retenez bien cette leçon.

LA MÈRE. — Écrivez !

LA FEMME. — Mettez, Jacquinot !

JACQUINOT. — J'en suis encore au premier mot ! Vous me pressez de façon sans pareille.

LA MÈRE. — La nuit, si l'enfant se réveille, il vous faudra, comme on le fait un peu partout, prendre la peine

Ainsi qu'[on] faict en plusieurs lieux,
Il vous fauldra estre songneux
De vous lever pour le bercer,
Pourmener, porter, apprester
Parmy la chambre, et fust minuict!

JAQUINOT.

Je ne sçauroye prendre deduit,
Car il n'y a point d'aparence.

LA FEMME.

Escripvez.

JAQUINOT.

Par ma conscience,
Il est tout plain jusques à la rive.
Mais que voulez-vous que j'escripve?

LA FEMME.

Mettez! ou vous serez frotté.

JAQUINOT.

Ce sera pour l'autre costé.

LA MERE.

Après, Jaquinot, il vous faut
Boulenger, fournier et buer.

LA FEMME.

Bluter, laver, essanger.

LA MERE.

Aller, venir, trotter, courir,
Peine avoir comme Lucifer.

LA FEMME.

Faire le pain, chauffer le four.

LA MERE.

Mener la mousture au moulin.

de vous lever pour le bercer, le promener dans la chambre, le porter, l'apprêter, fût-il minuit !

JACQUINOT. — Alors, plus de plaisir au lit ! apparemment c'est ce qui m'attend.

LA FEMME. — Écrivez !

JACQUINOT. — En conscience, ma page est remplie jusqu'en bas. Que voulez-vous donc que j'écrive ?

LA FEMME, *menaçante.* — Mettez ! ou vous serez frotté.

JACQUINOT. — Ce sera pour l'autre côté. *(Et il retourne le feuillet.)*

LA MÈRE. — Ensuite, Jacquinot, il vous faut pétrir, cuire le pain, lessiver...

LA FEMME. — Tamiser, laver, décrasser...

LA MÈRE. — Aller, venir, trotter, courir, et vous démener comme un diable.

LA FEMME. — Faire le pain, chauffer le four...

LA MÈRE. — Mener la mouture au moulin...

LA FEMME.

Faire le lict au plus matin,
Sur peine d'estre bien bastu.

LA MERE.

Et puis mettre le pot au feu
Et tenir la cuisine nette.

JAQUINOT.

Si fault que tout cela se mette,
Il fauldra dire mot à mot.

LA MERE.

Or escripvez donc, Jaquinot :
Boulenger.

LA FEMME.

Fournier.

JAQUINOT.

Buer.

LA FEMME.

Bluter.

LA MERE.

Laver.

LA FEMME.

[Essanger.]

JAQUINOT.

Laver quoy ?

LA MERE.

Les potz et les platz.

JAQUINOT.

Attendez, ne vous hastez pas :
Les potz (et) les platz.

LA FEMME. — Faire le lit de bon matin, sous peine d'être bien battu.

LA MÈRE. — Et puis mettre le pot au feu et tenir la cuisine nette.

JACQUINOT, *n'écrivant plus assez vite.* — Si je dois mettre tout cela, il faut le dire mot à mot.

LA MÈRE. — Bon! écrivez donc, Jacquinot: pétrir...

LA FEMME. — Cuire le pain...

JACQUINOT, *vérifiant ce qu'il a déjà écrit.* — Lessiver.

LA FEMME. — Tamiser...

LA MÈRE. — Laver...

LA FEMME — Décrasser...

JACQUINOT, *feignant de ne plus suivre.* — Laver quoi?

LA MÈRE. — Les pots et les plats.

JACQUINOT. — Attendez, ne vous hâtez pas. *(Écrivant)* Les pots, les plats...

LA FEMME.

Et les escuelles.

JAQUINOT.

Et, par le sang bieu, sans cervelle,
Je ne sçaurois cela retenir.

LA FEMME.

Mettez (le), pour vous en souvenir;
Entendez-vous ? car je le veulx.

JAQUINOT.

Bien. Laver les…

LA FEMME.

Drapeaulx breneux
De nostre enfant en la riviere.

JAQUINOT.

Je regny goy ! la matiere
Ne les motz ne sont point honnestes.

LA FEMME.

Mettez [donc] ! Hay ! sotte beste,
Avez-vous honte de cela ?

JAQUINOT.

Par le corps bieu, rien n'en sera;
Et mentirez, puis que j'en jure.

LA FEMME.

Il fault que je vous face injure;
Je vous battray plus que plastre.

JAQUINOT.

Helas ! plus n'en veulx debatre.
Il y sera, n'en parlez plus.

LA FEMME. — Et les écuelles.

JACQUINOT. — Palsambleu ! moi qui suis sans cervelle, je ne saurais tout retenir.

LA FEMME. — Aussi, écrivez pour vous en souvenir. Entendez-vous ? car je le veux.

JACQUINOT. — Bien. Laver les...

LA FEMME. — Langes merdeux de notre enfant à la rivière.

JACQUINOT. — A Dieu ne plaise ! La matière et les mots ne sont pas honnêtes.

LA FEMME. — Écrivez donc ! Allez, sotte bête ! Avez-vous honte de cela ?

JACQUINOT. — Corbleu ! moi, je n'en ferai rien. Mensonge, si vous le croyez : je ne l'écrirai pas, je le jure.

LA FEMME, *de nouveau menaçante*. — Il faut que je vous fasse injure. Je vais vous battre plus que plâtre.

JACQUINOT. — Eh bien ! je n'en veux plus débattre. Je vais l'écrire, n'en parlez plus.

LA FEMME.

Il ne reste, pour le surplus,
Que le mesnaige mettre en ordre;
Que present me ayderez à tordre
La lessive auprès du cuvier,
Habille comme ung esprevier.
[Escripvez.]

JAQUINOT.

Il y est, hola!

LA MERE.

Et puis faire aussi cela
Aulcunesfois à l'eschappée.

JAQUINOT.

Vous en aurez une gouppée
En quinze jours ou en ung moys.

LA FEMME.

Mais tous les jours cinq ou six fois;
Je l'entens ainsi pour le moins.

JAQUINOT.

Rien n'en sera, par le bon Saulveur!
Cinq ou six fois! vertu sainct George!
Cinq ou six fois! Ne deux ne trois;
Par le corps bieu, rien n'en sera.

LA FEMME.

Qu'on ait du villain malle joye!
Rien ne vault ce lasche paillart.

JAQUINOT.

Corbieu! je suis bien coquillart
D'estre ainsi durement mené.
Il n'est ce jourd'huy homme nay
Qui sceut icy prendre [deduit].
Raison pourquoy? car jour et nuict
Me fault ma leçon recorder.

LA FEMME. — Il ne restera, au surplus, que le ménage à mettre en ordre ; et maintenant, à m'aider à tordre la lessive auprès du cuvier, vif et prompt comme un épervier. Écrivez !

JACQUINOT. — Ça y est : fini !

LA MÈRE, *avec un air entendu*. — Et puis aussi..., vous savez quoi ? faire à ma fille la bonne chose quelquefois, à la dérobée.

JACQUINOT, *à sa femme*. — Vous n'en aurez qu'une giclée par quinzaine ou même par mois.

LA FEMME. — Plutôt par jour cinq ou six fois ! C'est ce que je veux, et pour le moins [2].

JACQUINOT. — Il n'en sera rien, par le Dieu sauveur ! Cinq ou six fois, vertu saint Georges ! Cinq ou six fois ! Ni deux ni trois ; corbleu, non, il n'en sera rien [3].

LA FEMME. — Puisse-t-on n'avoir du rustre que mauvaise joie ! Ce paillard impuissant n'a plus rien qui vaille.

JACQUINOT. — Corbleu ! je suis bien sot et niais de me laisser ainsi durement mener. Il n'est pas d'homme au monde aujourd'hui, qui pourrait prendre plaisir ici. Pour quelle raison ? c'est que jour et nuit je devrai me rappeler ma leçon.

LA MERE.

Il y sera, puis qu'il me plaist.
Despechez-vous et le signez.

JAQUINOT.

Le voila signé; or tenez!
Gardez bien qu'il ne soit perdu.
Si je debvois estre pendu,
Dès à ceste heure je propose
Que je ne feray aultre chose
Que ce qui est à mon rolet.

LA MERE.

Or le gardez bien tel qu'il est.

LA FEMME.

Allez, je vous commande à Dieu.

En parlant à Jaquinot.

Or sus, tenez là, de par Dieu;
Et prenez ung peu la suée
Pour bien tendre nostre buée:
C'est ung des pointz de nostre affaire.

JAQUINOT.

Point je n'entens que voulez faire.
Mais qu'esse qu'elle me commande?

LA FEMME.

Jouée te bailleray si grande!
Je parle du lever, follet!

JAQUINOT.

Cela n'est point à mon rollet.

LA FEMME.

Si est, vrayement.

JAQUINOT.

Jehan, non est.

LA MÈRE. — Ce sera écrit, puisqu'il me plaît. Dépêchez-vous, et puis signez.

JACQUINOT. — Le voilà signé. Tenez ! *(Il pose le rôlet sur la table ; puis il s'adresse aux deux femmes.)* Prenez garde qu'il ne soit perdu. Car, en devrais-je être pendu, dès cet instant je me propose de ne jamais faire autre chose que ce qui est dans mon rôlet.

LA MÈRE, *à son gendre en s'en allant.* — Observez-le bien, tel qu'il est.

LA FEMME, *à sa mère.* — Allez ! je vous recommande à Dieu.

3

LA FEMME, en parlant à Jacquinot *et en se dirigeant vers le cuvier.* — Allons ! tenez là, sacrebleu ! Faites un effort, suez un peu pour bien tendre notre lessive : c'est un des points de notre affaire.

JACQUINOT. — Je ne sais ce que vous voulez faire. *(En aparté)* Mais qu'est-ce qu'elle me commande ?

LA FEMME. — Quelle bonne gifle tu vas recevoir ! Je parle de lever le linge, farfadet !

JACQUINOT. — Cela n'est pas dans mon rôlet. *(Il reprend son feuillet et fait mine de chercher.)*

LA FEMME. — Si, il y est, vraiment !

JACQUINOT. — Non, saint Jean, il n'y est pas !

LA FEMME.

Non est? Si est, s'il te plaist.
Le voyla, qui te puisse ardre!

JAQUINOT.

Hola, hola, je le veulx bien;
C'est raison, vous avez dit vray.
Une aultre foys je y penseray.

LA FEMME.

Tenez ce bout là; tirez (et tirez) fort!

JAQUINOT.

Sang bieu, que ce linge est ort!
Il fleure bien le mux de couche.

LA FEMME.

Mais ung estronc en vostre bouche!
Faictes comme moy gentillement.

JAQUINOT.

La merde y est, par mon serment.
Voicy ung trespiteux mesnage!

LA FEMME.

Je vous ruray tout au visage;
Ne cuidez pas que ce soit fable.

JAQUINOT.

Non ferez, non, de par le dyable!

LA FEMME.

Or sentez, maistre quoquart.

JAQUINOT.

Dame, le grant dyable y ait part!
Vous m'avez gasté (tous) mes habis.

LA FEMME. — Il n'y est pas ? Si, il y est, s'il te plaît *(et elle le gifle)*. Le voilà, il t'en cuira de le nier !

JACQUINOT. — Holà, holà ! je le veux bien ; vous avez raison, vous avez dit vrai. Une autre fois, j'y penserai.

(Jacquinot et sa femme prennent position autour du cuvier, l'un en face de l'autre, debout sur un tabouret. La femme tire du cuvier un petit drap d'enfant.)

LA FEMME. — Tenez ce bout-là ; tirez fort !

JACQUINOT. — Palsambleu ! que ce linge est sale ! Il sent bien la chiasse du lit.

LA FEMME. — Plutôt un étron dans votre bouche ! Allons ! faites comme moi sagement.

JACQUINOT. — La merde y est, je vous le jure. Que voilà un piteux ménage !

LA FEMME. — Je vous jetterai tout au visage. Ne croyez pas que je plaisante.

JACQUINOT. — Par le diable, vous n'en ferez rien.

LA FEMME, *lui jetant le linge au visage*. — Eh bien ! sentez donc, maître sot.

JACQUINOT. — Bonne Vierge ! c'est le diable que voilà ! Vous m'avez souillé mes habits.

LA FEMME.

Fault-il tant d'alibis,
Quant convient faire la besongne ?
Retenez ! Que malle rongne
Vous puisse tenir par le co[rps] !

Elle chet en la cuve.

LA FEMME.

Mon Dieu, soyez de moy records !
Ayez pitié de ma pouvre ame !
Aydez moy à sortir dehors,
Ou je mourray par grant diffame.
Jaquinot, secourez vostre femme ;
Tirez la hors de ce bacquet.

JAQUINOT.

Cela n'est pas à mon rolet.

LA FEMME.

Tant ce tonneau me presse,
J'en ay grant destresse ;
Mon cueur est en presse.
Las, pour Dieu, que je soye ostée !

JAQUINOT.

La vieille vesse,
Tu n'es que une yvresse,
Retourne ta fesse
De l'aultre costé.

LA FEMME.

Mon bon mary, saulvez ma vie !
Je suis ja toute esvanouye.
Baillez la main ung tantinet.

JAQUINOT.

Cela n'est point à mon rollet ;
Car en enfer il descendra.

LA FEMME. — Faut-il chercher tant d'alibis [4], quand il convient de travailler. *(Elle tire du cuvier un drap et lui en tend une des extrémités.)* Tenez bien le linge vers vous ! *(Jacquinot tire sec, ce qui déséquilibre la femme en lui faisant lâcher prise.)* Que la gale puisse te ravager le corps ! (Elle tombe dans la cuve.) Mon Dieu ! souvenez-vous de moi ! Ayez pitié de ma pauvre âme ! *(A Jacquinot, empêtrée qu'elle est dans le cuvier avec ses vêtements pleins d'eau)* Aidez-moi à sortir de là, ou je mourrai en grande honte. Jacquinot, secourez votre femme ; tirez-la hors de ce baquet.

JACQUINOT. — Cela n'est pas dans mon rôlet.

LA FEMME, *sur un air plaintif :*

Que ce tonneau me presse !
J'en ai grande détresse.
Mon cœur est en presse.
Las ! pour l'amour de Dieu, ôtez-moi de là.

JACQUINOT *chantonne à son tour.*

Oh ! la vieille vesse,
Tu n'es qu'ivrognesse.
Retourne ta fesse
De l'autre côté !

LA FEMME. — Mon bon mari, sauvez-moi la vie ! Je suis déjà tout évanouie. Donnez la main, un tantinet.

JACQUINOT. — Cela n'est pas dans mon rôlet. Qui prétend le contraire, descendra en enfer.

LA FEMME.

Helas! qui à moy n'attendra,
La mort me viendra enlever.

Jaquinot lyt son rollet.

JAQUINOT.

Boulenger, fournier et buer,
Bluter, laver [,essanger].

LA FEMME.

Le sang m'est desja tout mué;
Je suis sur le point de mourir.

JAQUINOT.

Baiser, acoller et fourbir.

LA FEMME.

Tost pensez de me secourir.

JAQUINOT.

Aller, venir, trotter, courir.

LA FEMME.

Jamais n'en passeray ce jour.

JAQUINOT.

Faire le pain, chauffer le four.

LA FEMME.

Sà, la main; je tire à la fin.

JAQUINOT.

Mener la mousture au moulin.

LA FEMME.

Vous estes pis que chien mastin.

JAQUINOT.

Faire le lict au plus matin.

LA FEMME. — Hélas ! si l'on ne s'occupe de moi, la mort viendra m'enlever.

JACQUINOT lit son rôlet. — « Pétrir, cuire le pain, lessiver ». « Tamiser, laver, décrasser ».

LA FEMME. — Le sang m'est déjà tout tourné. Je suis sur le point de mourir.

JACQUINOT. — « Baiser, accoler, frotter sans mollir ».

LA FEMME. — Pensez vite à me secourir.

JACQUINOT. — « Allez, venir, trotter, courir ».

LA FEMME. — Jamais je ne dépasserai ce jour.

JACQUINOT. — « Faire le pain, chauffer le four ».

LA FEMME. — Çà, la main ! je touche à ma fin.

JACQUINOT. — « Mener la mouture au moulin ».

LA FEMME. — Vous êtes pire qu'un chien mâtin.

JACQUINOT. — « Faire le lit de bon matin ».

LA FEMME.

Las ! il vous semble que soit jeu.

JAQUINOT.

Et puis mettre le pot au feu.

LA FEMME.

Las ! où est ma mere Jacquette ?

JAQUINOT.

Et tenir la cuisine nette.

LA FEMME.

Allez moy querir le curé.

JAQUINOT.

Tout mon papier est escuré ;
Mais je vous prometz, sans long plet,
Que cela n'est point à mon rolet.

LA FEMME.

Et pourquoy n'y est-il escript ?

JAQUINOT.

Pource que ne l'avez pas dit.
Saulvez-vous comme vous vouldrez ;
Car, de par moy, vous demourrez.

LA FEMME.

Cherchez doncques si vous voirrez
En la rue quelque varlet.

JAQUINOT.

Cela n'est point à mon roulet.

LA FEMME.

Et sà, la main, mon doulx amy ;
Car de me lever ne suis forte.

LA FEMME. — Las ! il vous semble que c'est un jeu.

JACQUINOT. — « Et puis, mettre le pot au feu ».

LA FEMME. — Las ! où est ma mère Jacquette ?

JACQUINOT. — « Et tenir la cuisine nette ».

LA FEMME, *faisant comme si elle allait mourir*. — Allez me quérir le curé.

JACQUINOT. — J'ai achevé tout mon papier ; et, sans plus de discours, je vous assure que ce n'est pas dans mon rôlet.

LA FEMME. — Et pourquoi n'est-ce pas écrit ?

JACQUINOT. — Parce que vous ne l'avez pas dit. Sauvez-vous comme vous voudrez ; car, s'il ne tient qu'à moi, vous y resterez.

LA FEMME. — Regardez donc si vous voyez passer dans la rue un valet.

JACQUINOT. — Cela n'est pas dans mon rôlet.

LA FEMME. — Eh ! çà, la main, mon doux ami ! car, pour me lever seule, je ne suis pas assez forte.

JAQUINOT.

Amy? mais ton grant ennemy!
Je te vouldroye avoir baisé morte.

LA MERE.

Hola, hau!

JAQUINOT,

Qui heurte à la porte?

LA MERE.

Ce sont vos grans amys, par Dieu!
Je suis arrivée en ce lieu
Pour sçavoir comme tout se porte.

JAQUINOT.

Tresbien, puis que ma femme est morte.
Tout mon souhait est advenu;
J'en suis plus riche devenu.

LA MERE.

Et est ma fille tuée?

JAQUINOT.

Noyée est en la buée.

LA MERE.

Faulx meurdrier, qu'esse que tu dis?

JAQUINOT.

Je prie à Dieu de paradis,
Et (à) monsieur sainct Denys de France,
Que le dyable luy casse la pance
Avant que l'ame soit passée.

LA MERE.

Helas! est ma fille trespassée?

JACQUINOT. — Moi, ton ami ! dis plutôt ton grand ennemi. Je voudrais déjà te porter morte !

4

LA MÈRE, *derrière le rideau.* — Holà, ho !

JACQUINOT. — Qui frappe à la porte ?

LA MÈRE. — Ce sont de vos amis, par Dieu ! *(Jacquinot la fait entrer.)* Je suis arrivée en ce lieu pour savoir comment tout se porte.

JACQUINOT. — Très bien, depuis que ma femme est morte. Tous mes vœux sont réalisés ; et j'en suis devenu plus riche.

LA MÈRE. — Et quoi ! ma fille est-elle tuée ?

JACQUINOT. — Dans la lessive elle s'est noyée.

LA MÈRE. — Perfide, assassin, qu'est-ce que tu dis ?

JACQUINOT. — Je prie le Dieu du paradis et monsieur saint Denis de France, que le diable lui casse la panse, avant que son âme soit passée.

LA MÈRE. — Hélas ! ma fille est trépassée ?

JAQUINOT.

En teurdant, elle c'est baissée;
Puis la pongnée est eschapée,
Et à l'envers est cheute là.

LA FEMME.

Mere, je suis morte, voyla,
Se ne secourez vostre fille.

LA MERE.

En ce cas [ne] seray habille:
Jaquinot, la main, s'il vous plaist.

JAQUINOT.

Cela n'est point à mon roulet.

LA MERE.

Vous avez grant tort en effaict.

LA FEMME.

Las! aydez moy.

LA MERE.

Meschant infa[ict],
La laisserez-vous mourir là?

JAQUINOT.

De par moy, elle y demourra.
Plus ne vueil estre son varlet.

LA FEMME.

Aydez moy.

JAQUINOT.

Point n'est au rollet;
Impossible est de le trouver.

LA MERE.

Dea, Jaquinot, sans plus resver,
Ayde moy à lever ta femme.

JACQUINOT. — En tordant le linge, elle s'est baissée; puis, ce qu'elle tenait en main s'est échappé, et tête en bas la voilà tombée.

LA FEMME, *sortant la tête du cuvier.* — Mère, je suis morte, voyez, si vous ne secourez votre fille.

LA MÈRE. — Seule, je ne suis pas assez habile. Jacquinot, la main, s'il vous plaît.

JACQUINOT. — Cela n'est pas dans mon rôlet.

LA MÈRE. — Vous avez tort qu'il n'y soit pas.

LA FEMME. — Las! aidez-moi.

LA MÈRE. — Méchant, puant! la laisserez-vous mourir là?

JACQUINOT. — S'il ne tient qu'à moi, elle y restera. Je ne veux plus être son valet.

LA FEMME. — Aidez-moi.

JACQUINOT. — Pas dans le rôlet. Impossible de l'y trouver.

LA MÈRE. — Va, Jacquinot, sans plus tarder, aide-moi à lever ta femme.

JAQUINOT.

Ce ne feray-je, sur mon ame,
Se premier il n'est promis
Que en possession seray mis
Desormais d'estre le maistre.

LA FEMME.

Si hors d'icy me voulez mettre,
Je le promectz de bon couraige.

JAQUINOT.

Et si ferez?

LA FEMME.

Tout le mesnaige,
Sans jamais rien vous demander
Ne quelque chose commander,
Se par grant besoing ne le fault.

JAQUINOT.

Or sus doncques, lever la fault;
Mais, par tous les sainctz de la messe,
Je veulx que me tenez promesse,
Tout ainsi que [vous] l'avez dit.

LA FEMME.

Jamais n'y mettray contredit;
Mon amy, je le vous prometz.

JAQUINOT.

Je seray doncques desormais
Maistre, puis que ma femme l'accorde.

LA MERE.

Si en mesnaige y a discorde,
On ne sçauroit fructifier.

JAQUINOT.

Aussi je veulx certifier
Que le cas est à femme laict

JACQUINOT. — Je ne le ferai pas, sur mon âme, avant qu'il ne me soit promis que désormais je serai mis en mesure d'être le maître.

LA FEMME. — Si hors d'ici vous voulez me mettre, je vous le promets de bon cœur.

JACQUINOT. — Et vous le ferez ?

LA FEMME. — Je m'occuperai du ménage, sans jamais rien vous demander, sans jamais rien vous commander, sauf s'il y a nécessité.

JACQUINOT. — Eh bien ! donc, il faut la lever. Mais, par tous les saints de la messe, je veux que vous teniez promesse, tout à fait comme vous l'avez dit.

LA FEMME. — Jamais je n'y mettrai contredit ; mon ami, je vous le promets. *(Et Jacquinot tire sa femme du cuvier.)*

JACQUINOT. — Je serai donc le maître désormais, puisque ma femme enfin l'accorde.

LA MÈRE. — Si en ménage il y a discorde, personne n'en peut tirer profit.

JACQUINOT. — Aussi je veux certifier qu'il est honteux

Faire de son maistre son varlet,
Tant soit [-il] sot ou mal aprins.

LA FEMME.

Aussi m'en est-il mal prins,
Comme on a veu cy en presence.
Mais desormais en diligence
Tout le mesnaige je feray;
Aussi la servante je seray,
Comme par droict il appartient.

JAQUINOT.

Heureux seray, se le marché tient;
Car je vivray sans soucy.

LA FEMME.

Je le vous tiendray sans [nul sy];
Je le vous prometz, c'est raison.
Maistre serez en la maison,
Maintenant bien consideré.

JAQUINOT.

Par cela doncques je feray
Que plus ne vous seray divers.
Car retenez à motz couvers
Que par indicible follye
J'avoys le sens mis à l'envers.
Mais mesdisans sont recouvers,
Quant ma femme si est rallie,
Qui a voulu en fantasie
Me mettre en [sa] subjection.
Adieu : c'est pour conclusion.

Cy fine la farce du Cuvier,
Imprimé nouvellement.

pour une femme de faire de son maître un valet, si sot et mal appris qu'il soit.

LA FEMME. — Et c'est pourquoi bien mal m'en prit, comme on vient de le voir ici. Mais désormais, diligente, j'assurerai tout le ménage. C'est moi qui serai la servante, comme c'est de droit mon devoir.

JACQUINOT. — Je serai heureux si le marché tient, car je vivrai sans nul besoin.

LA FEMME. — C'est sûr, je vous tiendrai parole [5]. Je vous le promets, c'est raison. Vous serez maître en la maison maintenant, c'est bien réfléchi.

JACQUINOT. — Pour cela donc je veillerai à ne plus être cruel avec vous.

Adresse au public.

JACQUINOT. — Retenez donc, à mots couverts, que par indicible folie j'avais le sens tout à l'envers. Mais ceux qui de moi ont médit, sont maintenant de mon avis, quand ils voient que ma femme à ma cause se rallie, elle qui avait voulu, folle imagination, m'imposer sa domination. Adieu ! telle est ma conclusion.

II

LE CHAUDRONNIER

Le texte de cette farce appartient aussi au recueil du British Museum. L'édition en est attribuée à l'imprimeur parisien Nicolas Chrestien, qui exerça entre 1547 et 1557 dans les anciens locaux de Jehan Trepperel. Là encore, l'édition semble fort postérieure au texte d'origine, et l'imprimeur ne s'est guère soucié du mauvais état de la copie qu'il imprimait.

Le sujet traité : le pari du silence, ou qui parlera le premier ? devait depuis longtemps appartenir à la littérature narrative. A défaut de texte antérieur à notre farce, on peut avoir une idée du contenu narratif par un des contes des *Facétieuses Nuits,* de Straparole, recueil paru à Venise en 1550-1553 (traduit en français en 1560-1573) et qui vulgarisait des thèmes recueillis à des sources diverses.

Dans le conte, un galant d'occasion profite de la gageure et de l'immobilité silencieuse d'un mari pour aller se coucher auprès de sa femme et pour satisfaire ses désirs. L'auteur de la farce n'a pas poussé les choses jusque-là : dès que le chaudronnier devient trop entreprenant, le mari fait cesser une plaisanterie qui n'a que trop duré ; et la farce, qui avait commencé avec une traditionnelle querelle de ménage, se termine dans la bonne humeur, autour de « deux pots de vin ».

Plus qu'ailleurs peut-être, le jeu ici est essentiel : les gestes, la mimique et les intonations importent plus que les mots. Un comique de mascarade, qui fera toujours rire.

Farce nouvelle tresbonne et fort joyeuse
à troys personnages
d'un CHAULDRONNIER
c'est assavoir : l'homme, la femme et le chauldronnier

L'HOMME commence.

Il estoit un homme
Qui charioit fagotz.

LA FEMME.

Cestuy sà ! este-vous, par sainct Cosme,
Le plus sot des plus sotz ?

L'HOMME.

A ! ma femme, à ce que je voy,
Vous me voulez suppediter.

LA FEMME.

Et, par mon ame, Jehan du Bos,
Argent n'avez [...] ;
Et se voulez tousjours chanter.

L'HOMME.

Ne vault-il point mieulx de chanter
Que d'engendrer melencolye ?

LA FEMME.

Il se vauldroit mieulx consoler
A rabobeliner voz soulliers
Que de penser à leur follye.

L'HOMME.

Et vous voyla bien empeschye !

Farce nouvelle, très bonne et fort joyeuse d'un CHAUDRONNIER à trois personnages, c'est assavoir : l'homme, la femme et le chaudronnier.

1

L'intérieur d'une maison, ouvert sur la rue. L'homme « entre », alors que la femme vaque à ses occupations.

L'HOMME commence, *en chantant :*

Il était un homme
Qui portait fagots.

LA FEMME. — Hé, là ! êtes-vous, par saint Côme, le plus sot des sots ?

L'HOMME. — Ah ! ma femme, à ce que je vois, vous voudriez me régenter.

LA FEMME. — Par mon âme, monsieur le fagoteur, il n'y a plus d'argent chez vous [6], et vous voulez toujours chanter !

L'HOMME. — Mais ne vaut-il pas mieux chanter que d'engendrer mélancolie ?

LA FEMME. — Il vaudrait mieux vous consoler en raboblinant vos souliers que de chanter choses insensées ?

L'HOMME. — Et voilà qui bien vous ennuie !

LA FEMME.

Et se suis mon, sainct Coquilbault!

L'HOMME.

Noz truye!

LA FEMME.

Ma[u]becq!

L'HOMME.

En...

LA FEMME.

Bren!

L'HOMME.

A voz menton!
Mais avez ouy l'orderon,
Comment elle est bien gracieuse?

LA FEMME.

Mais avez ouy l'oyson,
Comment d'une chanson
Nous fait la notte melodieuse?

L'HOMME.

Ma foy, je cuide qu'elle est envyeuse,
Quand elle me oyt si bien chanter.

LA FEMME.

Mais envyeuse
De ouyr vostre teste glorieuse
Comme un asne ricanner!
Quand noz truye veult porceler
Et qu'elle grongne en son estable,
Sa chanson est aussi notable
Que la vostre, ny peu ny main.

L'HOMME.

A! c'est bien dit, Hannin.

LA FEMME. — Et oui, par saint Couille-le-Beau !

L'HOMME. — Vieille truie !

LA FEMME. — Maudit bec !

L'HOMME. — Pleine de...

LA FEMME. — Merde !

L'HOMME. — A ton menton ! Avez-vous entendu l'ordure, comme elle est avec moi aimable ?

LA FEMME. — Avez-vous entendu l'oison, comme avec sa chanson il nous fait douce sérénade ?

L'HOMME. — Ma foi, je crois qu'elle est jalouse, quand elle m'entend si bien chanter.

LA FEMME. — Moi ! jalouse d'entendre votre tête glorieuse braire aussi bien qu'un âne ! Quand notre truie veut cochonner et qu'elle grogne dans l'étable, sa chanson est aussi notable que la vôtre, ni plus ni moins.

L'HOMME. — Ah ! c'est bien dit, madame Anne.

LA FEMME.

Et c'est bien dit, Guillemin.

L'HOMME.

Avant, frappez! ne vous faindez point.

LA FEMME.

Nostre Dame, non!

L'HOMME.

Si j'empoigne un baston,
Je vous feray parler plus bas.

LA FEMME.

Qui? toy, poupon?
Je te crain bien, pauvre chappon,
Ou chia brena au pourpoint gras.

L'HOMME.

Pourpoint gras! et vous, dame orda,
On vous appelle Girofflée.

LA FEMME.

Et vous, Galiffre de banda.

L'HOMME.

Vous faictes tout le muglia.

LA FEMME.

Et vous la saulce moustarda.

L'HOMME.

Nico!

LA FEMME.

Mignon!

L'HOMME.

Notrée!

LA FEMME. — Eh ! c'est bien dit, monsieur Guillaume. *(Et elle va prendre un bâton.)*

L'HOMME. — Allez ! frappez, n'hésitez pas.

LA FEMME. — Notre-Dame ! je n'hésiterai pas.

L'HOMME. — Si jamais j'empoigne un bâton, je vous ferai parler plus bas. *(Et, à son tour, il prend un bâton.)*

LA FEMME. — Qui ? toi, poupon ? Je te crains bien, pauvre chapon, merde foireuse à pourpoint gras !

L'HOMME. — A pourpoint gras ! et vous, dame ordure, on vous appelle clou de girofle [7].

LA FEMME. — Et vous, le géant débandé.

L'HOMME. — Vous vous parfumez de musc.

LA FEMME. — Et vous de sauce à la moutarde.

L'HOMME. — Pauvre folle !

LA FEMME. — Petit mignon !

L'HOMME. — L'affriolante !

LA FEMME, en frappant.

Gros menton !

L'HOMME.

M'as-tu frappé, vieille dantée ?
Tien, ceste testée !

LA FEMME.

Happe ce baston.

L'HOMME.

Et se bourdon.
Me vouldroit-elle suppediter ?
Rendz toy !

LA FEMME.

Non feray, pour y mourir !

L'HOMME.

Sainct Mort, voicy dure passion.
Par sainct Copin, je suis tanné.

LA FEMME.

Victoire et domination,
Et bonnet aux femmes soit donné !

L'HOMME.

Quel blasme !
Encores est-il plus infame
Qui se joue à ton caquet.

LA FEMME.

Victoire aux femmes, et dehet !

L'HOMME.

Non pas en tout.

LA FEMME.

Et à quoy donc ?
Sera-ce à caquetter ou (à) mal dire ?

LA FEMME, en frappant. — Tiens ! gros menton.

L'HOMME. — Tu m'as frappé, vieille dent ? Tiens ! *(en frappant)* prends ça sur la tête.

LA FEMME. — Happe ce bâton !

L'HOMME. — Et celui-là ! Voudrait-elle me régenter ? Rends-toi !

LA FEMME. — Non, plutôt mourir !

L'HOMME, *se frottant les côtes*. — Saint Maur, quelle dure souffrance ! Saint Copin, j'ai la peau tannée !

LA FEMME. — Victoire et domination ! Que maintenant le pouvoir soit aux femmes donné !

L'HOMME. — Quel blâme ! Mais encore plus infâme, qui perd son temps à ton caquet !

LA FEMME. — Victoire aux femmes, et pour vous malédiction !

L'HOMME. — Pas en tout.

LA FEMME. — Et en quoi donc ? Serait-ce pour caqueter ou pour médire ? Par mon âme, va aux autres le dire ! Je

Par l'ame de moy, va li dire :
Je ne crain femme de la ville
A caqueter ny à playdier.

L'HOMME.

De cela je ne m'y myré.
Femme le gaignera à caqueter.
Vous verriez plustost Lucifer
Devenir ange salutaire
Que une femme eust un peu de repos,
Et soy taire ou tenir maniere.

LA FEMME.

Voire, par bieu, teste d'osiere !

L'HOMME.

Quoy ! sans remouvoir la testiere ?

LA FEMME.

Ny lebvre ny paupiere.

L'HOMME.

Je gaige deux patars.
Et moy mesme je deviseray.

LA FEMME.

Sainct Mort, non feray ;
Car tousjours maistresse seray.

L'HOMME.

Dictes donques.

LA FEMME.

En cest estre
Vous demourrez assis
Sans parler à clerc ny à prebstre,
Non plus que faict ung crucifix.
Et moy qui me tais bien envys,
Je tiendray mieulx en paix
Que ung chinotoire.

ne crains aucune femme en ville qui soit autant que moi habile à caqueter et à jaser.

L'HOMME. — Il n'y a pas de quoi s'en étonner. Une femme gagne toujours à caqueter. Vous verriez plutôt Lucifer devenir ange salutaire qu'une femme rester en repos et se taire, ou vouloir le faire.

LA FEMME. — Oui, parbleu, grosse boule !

L'HOMME. — Tu le ferais, sans remuer la tête ?

LA FEMME. — Sans bouger lèvre ni paupière.

L'HOMME. — Je parie deux sous. Et ce pari, c'est moi qui le réglerai.

LA FEMME. — Par saint Maur, jamais je ne bougerai ; je resterai toujours maîtresse de moi-même.

L'HOMME. — Eh bien ! dites ce qu'il faut faire.

LA FEMME. — A cette place restez assis, sans parler à qui que ce soit, ni à un clerc ni à un prêtre, silencieux comme un crucifix. Et moi, qui me tais malgré moi, je serai plus paisible qu'un bouddha.

L'HOMME.

Vela beaulx dictz.
Qui perdera, dame cervelle,
Il paye à la soupe payelle.

LA FEMME.

Mot sans cill[ier].

LE CHAUDRONNIER.

Chaudronnier! chaudron, chaudronnier!
Qui veult ses poesles reffaire?
Il est heure d'aler crier:
Chaudron, chaudronnier!
Seigneurs, je suis si bon ouvrier
Que pour un trou je sçay deulx faire.
Où esse que je me dois retraire?
Qu'esse icy? voicy ung ouvrier.
Hau là, hau!
N'y a-il nully ceans?
A! si a, dea, en voicy deux.
Dieu gard! Damoyselle,
N'avez-[vous] chaudron à reffaire?
M'entendez-vous?
Hau! damoyselle,
Parlez à nous.
Est-elle sourde,
Ou s'elle est lourde,
Me regardant entre deux yeulx?
Hau! damoyselle. Semidieux,
Je cuide qu'elle soit incensée.
Et vous aussi, doulce pensée,
Maistre, n'avez-[vous] chaudron
A rabobeliner? Hau! patron,
Estes-vous sourt, muet ou sot?
Par la char bieu, il ne dit mot
Et se m'escoulte entre deux yeulx.
Mais je regnie mes oustieulx
Se je [ne] luy ouvre la bouche.
Hau! Jenin, conque[s]ti[stes-vous] mouche?
Faictes-vous cy du president?

L'HOMME. — Que voilà bien dit ! Celui qui perdra, dame au grand esprit, devra, au surplus, payer une bonne soupe [8].

LA FEMME. — Paix ! ne bronchons plus !

2

Tandis que le mari et la femme restent, immobiles, assis près de ce qu'il faut imaginer être leur porte, on entend, derrière le rideau, le « cri » d'un chaudronnier. Puis sur un des côtés, supposé la rue, le chaudronnier paraît, portant tous ses ustensiles.

LE CHAUDRONNIER. — Chaudronnier ! chaudrons, chaudronnier ! Qui veut ses poêles refaire ? C'est le moment d'aller crier : Chaudrons ! chaudronnier ! *(Au public)* Messieurs, je suis un si bon ouvrier que pour un trou j'en sais deux faire. Où dois-je aller ? Qui est-ce là ? c'est moi l'ouvrier. Holà ho ! N'y a-t-il personne céans ?

3

LE CHAUDRONNIER, *s'approchant du mari et de la femme.* — Ah ! mais si, diable ! en voici deux. Dieu vous garde ! *(S'adressant à la femme)* Jeune dame, n'avez-vous pas de chaudron à refaire ? M'entendez-vous ? Ho ! jeune dame, parlez-moi. Est-elle sourde ? est-elle sotte, à me regarder entre les deux yeux ? Ho ! jeune dame. Dieu nous aide ! je crois qu'elle a perdu l'esprit. *(Se tournant vers le mari)* Et vous aussi, douce pensée, maître, n'avez-vous pas de chaudron à rabobliner ? Ho ! patron, êtes-vous sourd, muet ou sot ? Corbleu ! il ne dit mot, et pourtant il me fixe entre les deux yeux. Je renie mes outils, si je ne lui fais ouvrir la bouche. Ho ! le sot, avez-vous conquis une mouche, que vous tenez entre vos

Il ne remue lebvre ne dent.
Se semble, à veoir, un ymage,
Un sainct Nicolas de village.
Nous en ferons, ou un sainct Cosme.
Ha! vous serez sainct Pere de Rome.
Vous aurez la barbe de fain,
Et puis quelque chose en voz main.
Et si, voicy voz deadesme,
Et pour une croce de mesme
Ceste belle cueillere aurez.
Et en l'autre main porterez
Au lieu d'un livre un pot pissoir.
Mon Dieu, qui le fera beau veoir!
Car c'est un tresgracieulx sire.
Benoist sainct, gardez-vous de rire:
Le miracle seroit gasté.
Affin qui soit mieulx regardé,
Paindre luy veulx de mes deux pattes,
Qui sont (si) douilletz et delicates,
Son doulx et precieulx museau.
A! mon Dieu, qu'il sera beau!
Sainct Coquibault, je vous adore.
Mais que dyable ont-il en la gorge?
Il ne se remuoit point un grain.
Hau! damoyselle de Haudin,
Qui estes icy si propette,
Dieu vous y sache, ma brunette!
Et je vous prie, ma godinette,
Que un petit parlez à my,
Et si m'appellez vostre amy,
En souriant. Heu! voici fier!
La chair bieu, je vous feray parler
L'un ou l'autre, comme il me semble.
A! par mon ame, elle ressemble
A Venus, deesse d'amour!
Quel musequin! Dieu, quel recour!
M'amye, que je vous flatte;
Vous avez la chere delicate,
Et si estes patiente et doulce.
Elle souffre que je la touche

dents ? Jouez-vous à monsieur le président ? Il ne remue lèvre ni dent. On dirait, à le voir, une statue d'un saint Nicolas de village. Va pour saint Nicolas, ou bien saint Côme [9]. Mieux, vous serez saint Pierre de Rome. *(Il va utiliser tout ce qu'il a à portée de main, ce qui lui sert dans son métier : foin pour récurer, balai..., ou ce qu'il transporte pour le vendre : petit chaudron, cuiller à pot, pot à pisser...)* Vous aurez une barbe de foin, et puis quelque chose à la main. Ainsi voici pour diadème *(il le coiffe d'un chaudron) ;* et pour crosse, faisons de même, cette belle cuiller vous aurez. En l'autre main vous porterez, au lieu d'un livre, ce pot-pissoir. Dieu ! que vous serez beau à voir ! Car vous êtes un aimable sire. *(Il s'incline devant lui.)* Saint de Dieu, gardez-vous de rire : le miracle serait gâté. Afin qu'il soit mieux regardé, je veux lui peindre, de mes deux pattes, qui sont douillettes et délicates, son doux et précieux museau *(et il lui barbouille le visage de suie).* Ah ! mon Dieu, qu'il va être beau ! *(Il s'agenouille devant lui.)* Saint Couille-le-Beau, je vous adore. *(Il se relève.)* Mais que diable ont-ils dans la gorge, qu'ils ne se remuent pas d'un grain ? *(Il se tourne vers la femme.)* Ho ! jeune dame de Hesdin [10], qui êtes ici si proprette *(et il lui noircit à son tour le visage),* que Dieu sache vous y tenir, ma brunette ! Hé ! je vous en prie, mignonnette, parlez-moi donc un petit peu ; appelez-moi votre bon ami, et souriez. *(Aucun résultat.)* Voilà qui est fort ! Corbleu, je vous ferai parler l'un ou l'autre, comme il me semble. Ah ! par mon âme, elle ressemble à Vénus, déesse d'amour. Quel petit minois ! mais Dieu ! quelle bravoure ! M'amie, laissez que je vous flatte. *(Il commence par lui caresser le visage.)* Vous avez la peau délicate. *(Après un temps.)* Et vous êtes patiente et douce. *(Il met son visage sur le sien.)* Elle supporte que je la touche plaisamment partout de mon nez. Parbleu ! mon minois coquet, je veux vous baiser, accoler.

Plaisamment du tout à mon nez.
Par bieu, mon musequin parez,
Baiser vous vueil et acoller.

L'HOMME.

Le dyable te puist emporter,
Truant paillart!

LE CHAUDRONNIER.

A my, ma teste!
Il m'a tué.

L'HOMME.

Sainct Jehan, j'en ay grand feste.
Encores en auras-tu!

LA FEMME.

Nostre Dame, vous avez perdu:
Je suis demourée maistresse!

L'HOMME.

Et viens çà, viens, larronnesse!
Pourquoy te laisses-tu baiser
D'un tel truant paillard?

LA FEMME.

Et pour gaigner la gajeure!
Eussay-je par impatience perdu la gajeure?
C'est bien dit.

L'HOMME.

Il est vray. Allons boire.

LA FEMME.

Allons!
Mais j'ordonne comme regent
Que le chaudronnier y viendra.

L'HOMME.

Par l'ame de moy, non fera.

4

L'HOMME *rompt le silence et frappe furieusement le chaudronnier avec la cuiller à pot que celui-ci lui avait remise en guise de crosse.* — Le diable puisse-t-il t'emporter, truand paillard !

LE CHAUDRONNIER. — A moi ! ma tête ! il m'a tué.

L'HOMME. — J'en suis heureux. Saint Jean, encore en auras-tu !

LA FEMME *à son mari.* — Notre-Dame, vous avez perdu : de moi j'ai su rester maîtresse.

L'HOMME. — Allons ! viens là, larronnesse ! Pourquoi te laisses-tu baiser par un tel truand paillard ?

LA FEMME. — Eh ! pour gagner la gageure ! Il fallait que patiemment j'endure pour ne pas perdre. Voilà qui est dit.

L'HOMME. — C'est vrai. Eh bien ! allons boire.

LA FEMME. — Allons ! Mais puisque j'ai gagné, j'ordonne que le chaudronnier vienne avec nous.

L'HOMME. — Par mon âme, il n'y viendra pas.

LA FEMME.

Par l'ame de moy, si fera,
Quelque jaloux que vous soyez.

L'HOMME.

Puis qu'ainsi est, venez !
Mais du baiser vous attenez.

LE CHAUDRONNIER.

J'ay tout eu mes os fouldroyez.
Mes bonnes gens, qui nous voyez,
Venez de la gajeure boire ;
Et annoncez et retenez
Que les femmes que vous sçavez
Ont gaigné le pris.

LA FEMME.

Dame ! voire.

L'HOMME.

Allons jouer de la machouere
Et à l'hostel croquer la pye.
Venez y tous, je vous emprie ;
Et [vous] partirez sus et jus
Deux potz de vin qui seront beuz.
Et prenez-en gré sus et jus.

FIN.

LA FEMME. — Et, par mon âme, il y viendra, quelque jaloux que vous soyez.

L'HOMME *au chaudronnier.* — Puisqu'il en est ainsi, venez ! Mais attention, plus de baiser !

LE CHAUDRONNIER. — J'ai eu tous mes os éclatés.

Adresse au public.

LE CHAUDRONNIER. — Mes bonnes gens, qui nous voyez, à la gageure venez tous boire. Et annoncez et retenez que les femmes que vous savez, ont remporté belle victoire.

LA FEMME. — Oui, bien sûr.

L'HOMME. — Allons jouer des mâchoires, et à la taverne boire. Venez-y tous, je vous en prie. Et vous *(faisant un geste vers le public des gradins et celui du « parterre »),* gens d'en haut et d'en bas, partagez-vous deux pots de vin. Buvez-en tous, je vous en prie. Sachez-nous gré de nos ébats, et gens d'en haut et gens d'en bas.

III

LE SAVETIER CALBAIN

Cette farce semble dater du dernier tiers du XVe siècle. La plus ancienne édition connue a été imprimée à Lyon en 1548 ; elle appartient aujourd'hui au British Museum.

Les savetiers ont été fréquemment mis sur les tréteaux de nos farces, peut-être parce que, réputés pour travailler en chantant, ils étaient par définition des personnages joyeux. Le savetier Calbain chante donc. Et il chante des chansons à la mode... de son temps, qui sont ou sans rapport avec le texte parlé ou choisies en fonction du contexte. Mais il lui arrive aussi d'improviser sur des airs connus des paroles appropriées à la situation. Certaines des chansons populaires contenues dans cette farce sont parvenues jusqu'à nous. D'autres ont disparu. Peu importe ! L'intérêt est de trouver ici une ébauche de ce que seront nos opéras-comiques, où le chant se mêle intimement au parlé.

La farce du *Savetier Calbain* n'en est pas moins typiquement « farcesque » : une querelle de ménage accompagnée d'injures et de coups de bâton, la ruse de la femme, la présence d'un « galant », et un retournement de situation : le savetier passe outre les revendications de sa femme en chantant ; la femme passera outre les réclamations de son mari en chantant à son tour. Elle ira même jusqu'au chantage du lit : si tu veux partager ma couche, cède ! Et il cédera, tout étourdi du tour qu'on lui a joué.

Une réalité schématisée à l'excès, sans aucun doute ; mais aussi une farce qui, pour illustrer le dicton qu'on retrouvera maintes fois repris : à trompeur trompeur et demi, a réussi à être originale en mettant pour notre plaisir la ruse en bonne humeur et en chansons.

Farce nouvelle
d'ung SAVETIER NOMMÉ CALBAIN
fort joyeuse
lequel se maria à une savetiere
à troys personnages; c'est assavoir:
Calbain, la femme et le galland.

LA FEMME commence.

On doit tenir femme pour sotte,
Qui mary prent sans le congnoistre,
Et qui de son servant s'assotte
Pour en faire son privé maistre.
Quant je seroys femme d'ung prebstre,
Plus jolye seroys et apoinct.
De chansons il me veult repaistre;
N'esse pas ung dur contrepoint?
Si je demande à avoir robe,
Il semble à veoir que (je) le desrobe.
Je n'ay pas ung povre corset.
Nul ne congnoist quel discord [c'] est!
C'est son deduyct que de chanter.
Helas! je n'oseroye hanter
Vers mes voysines en quelque place.
Pour ses chansons qu'il me vient presenter,
Il semble d'une droicte farce.
Je ne sçay plus que je face.
Je suis tousjours la plus dolente.
Helas! je n'estoys pas contente
D'ung tant bon et jolys ouvrier,
Qui estoit de nostre mestier:
C'estoit le meilleur, je me vante,
Qu'on treuve à faire bobelin;
Mais cestuy cy sans cesser chante
Et ne respond n'à Pernet n'à Colin.

Farce nouvelle, fort joyeuse
d'UN SAVETIER NOMMÉ CALBAIN
qui se maria à une savetière
à trois personnages, c'est assavoir : Calbain, la femme et le galant.

1

Chez Calbain. Celui-ci travaille sur le côté de la scène. Sa femme paraît, revenant de chez sa commère, et fait comme si son mari n'était pas là.

LA FEMME commence. — On doit tenir pour sotte la femme qui prend mari sans le connaître, et qui s'éprend d'un serviteur si sottement qu'elle en fait chez elle son maître. Si je vivais avec un prêtre [11], j'aurais tout ce qu'il faut et serais mieux parée. Mon mari veut me repaître de chansons ; n'est-ce pas là de cruels répons ? Quand je lui demande une robe, on dirait que je le dérobe. Je n'ai pas le moindre corsage. Nul ne peut savoir quel tapage, quelle discorde c'est entre nous ! Son seul plaisir est de chanter. Hélas ! je n'oserais plus aller avec mes voisines quelque part. Avec ses chansons qu'il me vient chanter, il semble que c'est une vraie farce. J'ignore ce qu'il faut que je fasse. Je reste la plus malheureuse. Hélas ! je n'ai pas su me contenter d'un bon et brave ouvrier, qui était de notre métier : on n'en trouvait pas, je l'affirme, de meilleur pour faire un brodequin. Mais maintenant *(avisant et montrant son mari)* il ne fait que chanter, et ne répond ni à Pierre ni à Colin.

CALBAIN, *en chantant.*

En revenant du moulin,
La turelure,
En revenant du moulin
L'autre matin,
J'atachay mon asne à l'huis,
Regarday par le pertuys,
La turelurelure.
Je regarday par le pertuys,
L'aultre matin.
Je veulx aprendre à parler latin
Affin de mauldire ma femme.
Car, quant elle vient à sa game,
Bien fault rabesser l'avertin.

LA FEMME.

Calbain!

CALBAIN.

Hau!

LA FEMME.

Et, Calbain, hau!

CALBAIN, *en chantant.*

Par bieu, je ne sçay qu'il me fault;
J'enrage tout vif que ne chante.
Adieu vous dis, les bourgeoises de Nantes!
Voz chambrieres sont bien de vous contentes.
Sà, des poys; sà, des febves!
Sà, des poys; sà, des poys!

LA FEMME.

Calbain, mon amy, parlez à moy.

CALBAIN, *en chantant.*

Jolys moys de may, quant reviendras-tu?

LA FEMME.

Et, Calbain, hau! parleras-tu?

2

CALBAIN, *toujours à l'écart, et tandis que sa femme vaque en silence à ses occupations;* en chantant [12] :

« En revenant du moulin,
La turelure,
En revenant du moulin
L'autre matin,
J'attachai l'âne à la clôture
Et regardai par la serrure,
La turelurelure.
Je regardai par la serrure
L'autre matin. »

(A part.) Je veux apprendre à parler latin, afin de mieux injurier ma femme. Car, quand elle pousse furieusement sa gamme, il faut faire taire son baratin.

3

LA FEMME, *se retournant et s'adressant à son mari.* — Calbain!

CALBAIN. — Ho!

LA FEMME. — Hé! Calbain, ho!

CALBAIN. — Parbleu! je ne sais plus ce qu'il me faut. Je deviens fou quand je ne chante pas. (En chantant :)

« Adieu je vous dis, bourgeoises de Nantes!
Vos servantes sont de vous bien contentes.
Çà, des petits pois; çà, des fèves!
Çà, des petits pois, des petits pois! »

LA FEMME. — Calbain, mon ami, parlez-moi.

CALBAIN, en chantant :

« Joli mois de mai, quand reviendras-tu? »

LA FEMME. — Hé! Calbain, ho! parleras-tu?

CALBAIN.

Et la beaulté de vous, la gentil fillette.

LA FEMME.

Las ! c'est ta femme Collette.

CALBAIN.

Et, vray Dieu, que vous estes esmeue !
D'où venez-vous ?

LA FEMME.

De ceste rue,
De veoir ma commere Jacquette
Qui a la robbe la mieulx faicte
Et si la porte à tous les jours.

CALBAIN.

A-elle les poignetz de velours,
De satin ou de taffetas ?

LA FEMME.

Ouy, et œuvre par le bas,
Qui est à la robbe propice.

CALBAIN.

Et de quoy sont-ilz ?

LA FEMME.

De letisse ;
Et la fourrure, de jennette.

CALBAIN, en chantant.

Allegez moy, doulce, plaisant brunette,
Allegez moy !
Allegez moy de toutes mes douleurs ;
Vostre beaulté me tient en amourettes,
Allegez moy !

CALBAIN, *toujours chantant :*

« Que vous êtes jolie, ma gentille fillette ! »

LA FEMME. — Malheureux ! c'est ta femme Colette.

CALBAIN. — Eh, vrai Dieu ! que d'agitation ! D'où venez-vous ?

LA FEMME. — De cette rue, où j'ai vu ma commère Jacquette. Elle a la robe la mieux faite ; pourtant elle la met tous les jours.

CALBAIN. — Ses poignets sont-ils de velours, de satin ou de taffetas ?

LA FEMME. — Oui, et puis elle ouvre par le bas, ce qui convient fort à la robe.

CALBAIN. — Et l'entre-deux, de quoi est-il ?

LA FEMME. — D'étoffe grise ; et la fourrure, de genette [13].

CALBAIN, en chantant :

« Allégez-moi, douce et belle brunette,
Allégez-moi !
Allégez-moi de toutes mes douleurs !
Votre beauté a captivé mon cœur :
Allégez-moi ! »

LA FEMME.

Et, mon amy, parlez à moy,
Et laissez ceste chanterie.

CALBAIN.

Boutez la nappe, bon gré ma vie;
Par le sang bieu, j'enrage de fain.

LA FEMME.

Auray-je une robbe demain,
Faicte à la mode qui court?

CALBAIN, en chantant.

Ilz sont à Sainct Jehan des Choulx,
Les gens, les gens, les gensdarmes,
Ilz sont à Sainct Jehan des Choulx,
Les gensdarmes de Poytou.

LA FEMME.

Je croy, moy, que cest homme est fou.
Donnez moy robe, car c'est raison.

CALBAIN, en chantant.

Endure, en destringue en noz maison,
  En destringole Marion.

LA FEMME.

Allon, et plus ne varion
Pour aller une robe achepter,
Mon amy; et pour vous Dieu priray.

CALBAIN.

Mon pourpoint est tout deschiré,
Et ma robbe; la fievre te tienne!

LA FEMME.

Mais regardez ung peu la mienne.

LA FEMME. — Hé ! mon ami, répondez-moi, et laissez toutes vos chansons.

CALBAIN. — Mettez la nappe, nom de nom ! Palsambleu, je meurs de faim.

LA FEMME. — Aurai-je une robe demain, faite à la mode de ce jour ?

CALBAIN, en chantant :

« Ils sont à Saint-Jean-des-Choux [14],
Les gens, les gens, les gendarmes,
Ils sont à Saint-Jean-des-Choux,
Les gendarmes du Poitou. »

LA FEMME. — Je crois, moi, que cet homme est fou. Donnez-moi une robe, car ce n'est que raison.

CALBAIN, en chantant :

« Endure, en destringue en maison,
En destringole Marion. »

LA FEMME. — Allons, et n'hésitons plus pour aller m'acheter une robe, mon ami ; et je prierai Dieu pour vous.

CALBAIN. — Et moi, mon pourpoint est tout déchiré, ainsi que ma robe. Que la fièvre te tienne !

LA FEMME. — Mais regardez plutôt la mienne !

CALBAIN, en chantant.

Bergerotte savoysienne,
Qui gardez les moutons aux boys,
Voulez-vous estre ma mignonne,
Et je vous donray des soulliers;
Et je vous donray des soulliers,
Et ung joly chaperon, etc.

LA FEMME.

Mon amy, je ne demande sinon
Qu'une belle et petite robette.

CALBAIN, en chantant.

M'amour et m'amyette,
Souvent je t'y regrette.
Hé, par la vertu sainct Gris!

LA FEMME.

Je suis contente qu'elle soit de gris,
Mon amy, ou telle qu'il vous plaira.

CALBAIN.

Et tout toureloura,
La lire lire.

LA FEMME.

Helas! je n'ay pas fain de rire.
Je suis bien pouvre desolée.

CALBAIN, en chantant.

Et voila le tour de la maumariée!
Toutes les nuictz il m'y recorde.

LA FEMME.

Mon amy, par ma foy je m'accorde
A faire tout ce que me commanderez,
Par tel sy que me donnerez
Une robe grise ou blanche.

CALBAIN, en chantant :

« Bergerette savoisienne,
Qui gardez les moutons aux bois,
Ne voulez-vous pas être mienne ?
Et je vous donnerai des souliers ;
Et je vous donnerai des souliers,
Ainsi qu'un joli chaperon » ; etc.

LA FEMME. — Mon ami, je ne demande rien sinon qu'une belle et petite robe.

CALBAIN, en chantant :

« M'amour, ma mignonnette,
Souvent je te regrette. »
Hé ! vertu saint Gris [15] !

LA FEMME. — Je veux bien, mon ami, qu'elle soit fourrée de petit-gris, ou qu'elle soit comme il vous plaira.

CALBAIN, *en chantant :*

« Et tout toureloura,
La lire lire. »

LA FEMME. — Hélas ! je n'ai pas envie de rire. Je suis une pauvre abandonnée.

CALBAIN, en chantant :

« Voilà le refrain de la mal mariée !
Toutes les nuits il m'en souvient. »

LA FEMME. — Ma foi, mon ami, je veux bien faire tout ce que vous me commanderez, mais aussi vous me donnerez une robe grise ou blanche.

CALBAIN, en chantant.

Et vive France et son alliance!
Vive France et le roy aussi.

LA FEMME.

Helas!

CALBAIN.

Pouac! vous avez vessy.
Vertu, qu'elle est puante!

LA FEMME.

Par Nostre Dame, je me vante
Que j'ay reffusé de la ville
Des compaignons des plus habille
Qu'on ne trouveroit aux faulxbours.

CALBAIN.

Par ma foy, tout au rebours
De ce que vous dictes, m'amye.

LA FEMME.

Helas! vray Dieu, tant il m'ennuye!

CALBAIN.

Bon gré ma vie, ma doulce amye,
De vous je n'ay aulcun confort.

LA FEMME.

Et, vray Dieu, que vous estes fort
A avoir par amour ou priere!

CALBAIN.

Et tricque devant, et tricque derriere,
Tricque devant, tricque derriere.

LA FEMME.

Mon amy, parlez; et vrayement
Vous aurez tantost à boire.

CALBAIN, en chantant :

« Vive la France et son alliance,
Vive la France, vive le Roi ! »

LA FEMME. — Hélas !

CALBAIN, *continuant de chanter :*

« Pouah ! vous avez pété.
Mon Dieu, qu'elle sent mauvais ! »

LA FEMME. — Par Notre-Dame, j'affirme que j'ai refusé, venant de la ville, des compagnons bien plus habiles que ceux qu'on voit dans nos faubourgs.

CALBAIN. — Par ma foi, tout s'est passé à rebours de ce que vous dites, m'amie.

LA FEMME. — Hélas ! vrai Dieu, comme il me contrarie !

CALBAIN, *toujours chantant :*

« Ah ! sur ma vie, ma douce amie,
De vous je n'ai nul réconfort. »

LA FEMME. — Eh ! vrai Dieu, qu'il est difficile d'obtenir de vous quelque chose, soit par amour ou par prière !

CALBAIN, *chante encore :*

« Et trique devant, et trique derrière,
Trique devant, trique derrière. »

LA FEMME. — Mon ami, ne chantez plus, parlez ; et, croyez-moi, vous aurez aussitôt à boire.

CALBAIN.

Paix, paix! je m'en vois à la foire,
Achepter du cuyr, par mon ame, de vache.
Ma femme tousjours sans cesse agache
Son pouvre mary Calbain.
Mais je n'en compte pas ung patain;
Aussi ne fais-je pas ung oygnon.

LE GALLAND.

Et puis, que dit-on et que faict-on?
Chose qui vaille,
Chose qui ne vault pas la maille,
Non, par mon ame, ung festu!
On demande: et que fais-tu?
On respond: c'est vostre grace.
S'on demande benedicite,
Par ma foy, on va dire grace.
Je ne sçauroys dire qu'on face.
Si le maistre demande ung baston,
Le serviteur aporte de la paille.
Et que dit-on et que faict-on?
Chose qui vaille!

LA FEMME.

Non, par ma foy, des truandailles
A assez; mais non aultre chose.
Aprochez-vous!

LE GALLAND.

Helas! je n'ose,
De paour des mesdisans,
Qui vont par mesdisans
Des sages, et ne sont que bestes.

LA FEMME.

Il est vray, car j'ay la teste
Toute rompue et esservellée
De crier et mener tempeste
Pour avoir robe! mais je suis desolée
De mon mary, qui chante ainsi.

CALBAIN *s'en va par la gauche, en chantant :*

«Paix, paix ! je m'en vais à la foire
Acheter du cuir, par mon âme, de vache.
Ma femme toujours sans cesse agace
Son malheureux mari Calbain.
Mais je ne lui en donne pas un rond,
Rien du tout, pas même un oignon.»

(Et il sort, tandis que, du côté opposé, dans un lieu supposé la rue, fait son entrée le voisin Thomelin, le «galant».)

4

LE GALANT. — Eh bien ! que dit-on ? que fait-on ? chose qui vaille ou chose qui ne vaut pas maille, et, par mon âme, chose qui ne vaut pas un fétu de paille ! Si l'on demande : «Et que fais-tu ?» on répondra : «Bien grand merci». A peine a-t-on dit le «bénédicité» que l'on va à Dieu rendre «grâce [16]». Je ne sais dire ce qu'il faut qu'on fasse. Si le maître demande un bâton, le valet lui donne de la paille. Et que dit-on et que fait-on ? Rien qui vaille !

5

Sur le pas de la «porte», puis chez Calbain.

LA FEMME, *à part et désignant du geste l'endroit par où est sorti son mari.* — Ce ne sont que des truandailles ! j'en ai assez. *(Apercevant son voisin)* Mais je n'ai pas assez d'autre chose. Approchez donc !

LE GALANT. — Hélas ! je n'ose, de peur des médisants qui vont disant du mal des sages, et qui ne sont que bêtes.

LA FEMME. — Il est vrai. Et moi, j'ai la tête toute rompue et vide, à force de crier et de tempêter pour avoir une robe. Malheureuse je suis d'avoir un tel mari qui chante ainsi !

LE GALLAND.

Vivray-je tousjours en soucy
Pour vous, ma tresloyalle amye?
Non dea, je ne vivray mye.
Fy de soucy, pour abreger.

LA FEMME.

Je vous pry de venir heberger
Et m'y donner vostre conseil.

LE GALLAND.

Je suis prest pour cas pareil
Faire ce que me commanderez.

LA FEMME.

Respondez à ce que diray,
Et à vous me tiendray tenue.
Premierement, je suis toute nue,
Vous le voyez; et mon mary
Qui est d'yvrongnerie pourry,
Me despend tout mon vaillant.
Par quoy, homme de cueur vaillant,
Vous veulx requerir d'une chose.

LE GALLAND.

C'est vostre dit, faictes la prose.
Escoutez mes parolles aussi.
J'entens cest affaire icy
Mieulx que ne sçauriez declarer.
Allons vers luy, et vous serez,
Se je puis, bien revestue.

LA FEMME.

Je seray donc à vous tenue.
Vous sçavez bien pateliner;
Mais, pour mieulx l'enjobeliner,
Dictes luy ce qu'il ne fut onc.

LE GALANT. — Vivrai-je toujours en grand souci pour vous, ma très loyale amie? Non vraiment, je ne vivrai plus ainsi. Et, pour tout dire, fi des soucis! *(Et il se décide à entrer.)*

LA FEMME. — Je vous prie, entrez donc ici et venez me donner conseil.

LE GALANT. — Je suis prêt, pour cas pareil, à faire ce que vous me commanderez.

LA FEMME. — Répondez à ce que je dirai, et à vous je me tiendrai tenue. D'abord voyez, je suis toute nue; et mon mari, qui est pourri d'ivrognerie, me dépense tout mon argent. C'est pourquoi, homme au cœur vaillant, je veux vous demander de défendre ma cause.

LE GALANT. — Vous avez parlé et fait bonne prose. Maintenant, écoutez mes paroles aussi. Je comprends cette affaire-ci mieux que vous ne sauriez dire. Allons le trouver et vous serez, si je le puis, fort bien vêtue.

LA FEMME. — Je vous en serai reconnaissante. Vous savez bien pateliner; mais pour mieux l'embobeliner, dites-lui quelques flatteries.

LE GALLAND.

Je feray le cas tout au long.
Calbain !

CALBAIN.

Je viens du marché vendre mes poullettes,
Mes poullettes et mon cochet, nique nyquettes.

LA FEMME.

Mais parlez ! estes-vous fol ?
Cest homme de bien vous demande.

CALBAIN.

Je suis allemande, friscande, gallande.
Je suis allemande, fille d'ung Allemand.

LE GALLAND.

Calbain, mon amy, comment !
Estes-vous fol ? Qu'esse qu'il vous fault ?

CALBAIN.

La semelle de cuyr vault
Troys solz parisis et demy.

LA FEMME.

Parlez à luy. Hau ! mon amy,
Il fault reffaire ses houseaulx.

CALBAIN.

Voila le meilleur cuyr de veaulx
Que jamais puissez-vous veoir.

LA FEMME.

Il est fol ! Il est bon à veoir,
De luy n'aurez aultre parolle.

CALBAIN.

Troys solz, tout à une parolle,
Vous cousteront, par mon serment.

LE GALANT. — Je ferai tout comme vous avez dit. *(Apercevant Calbain, qui revient gaiement)* Calbain !

6

CALBAIN, *en chantant :*

« Je viens du marché vendre mes poulettes,
Mes poulettes et mon cochet, nique niquettes. »

LA FEMME, *à Calbain.* — Mais parlez donc ! êtes-vous fou ? Cet homme de bien vous demande.

CALBAIN *chante encore :*

« Je suis allemande, fringante et gaillarde,
Je suis allemande, fille d'un Allemand. »

LE GALANT. — Calbain, mon ami, qu'y a-t-il ? Êtes-vous fou ? Que vous faut-il ?

CALBAIN, *continuant son jeu :*

« La semelle de cuir vaut
Trois sous et demi de Paris. »

LA FEMME, *à Calbain.* — Mais parlez-lui. Mon ami, il faut lui refaire ses bottes. Ho ! *(Elle le secoue.)*

CALBAIN, *même jeu.*

« Voilà le meilleur cuir de veau
Que jamais vous puissiez voir. »

LA FEMME, *au galant.* — Il est fou ! On le voit bien, de lui vous n'aurez pas d'autre parole.

CALBAIN, *même jeu.*

« Trois sous, oui, sur ma parole,
Il vous en coûtera, je le jure. »

LE GALLAND.

Calbain, mon amy, comment!
Ne cognoissez-vous plus personne?

CALBAIN.

Croyez qu'elle sera bonne,
Je vous asseure, et bien cousue.

LE GALLAND.

Quoy! vostre femme est toute nue.
Que ne luy donnez-vous par amour
Une robbe de quelque drap gros?

CALBAIN.

Collette, sà, du chief gros;
Aporte vistement, tost depesche.

LE GALLAND.

Calbain, sus, qu'on depesche!
Je suis vostre amy Thomelin.

CALBAIN.

Où dyable est mon bobelin,
Mon alaisne? Ha! la voicy.

LA FEMME.

Ma foy, se nous estions icy
Jusques à demain, nous n'aurions autre chose.

LE GALLAND.

Or escoutez ung peu ma prose.
Venez ung petit en secret:
Je voys bien qu'il n'est discret.
Sçavez-vous qu'il vous fauldra faire?
Pour mieulx parachever vostre affaire,
Vers luy vous vous retirerez,
Et derechief bien luy prirez
Comme devant pour avoir robbe.

LE GALANT. — Calbain, mon ami, voyons! Ne reconnaissez-vous plus personne?

CALBAIN, *même jeu.*
«Croyez-moi, elle sera bonne,
Je vous assure, et bien cousue.»

LE GALANT. — Quoi! votre femme est toute nue. Que ne lui donnez-vous, par amour, une robe de quelque bon drap?

CALBAIN, *même jeu.*
«Colette, passe-moi du chégros [17]!
Apporte vite, dépêche-toi!»

LE GALANT. — Calbain, allons! qu'on en finisse! Je suis votre ami Thomelin.

CALBAIN, *même jeu.*
«Où diable est mon bobelin,
Mon alêne? Ah! la voici.»

LA FEMME. — Ma foi, si nous restions ici jusqu'à demain, nous n'obtiendrions autre chose.

LE GALANT, *prenant à part la femme.* — Écoutez ce que je vous propose. Mais venez un peu à l'écart, car je vois bien qu'il n'est pas bon de parler ainsi devant lui. Savez-vous ce qu'il faudra faire? Pour mieux achever votre affaire, vers lui vous vous retirerez, et de nouveau vous le prierez, comme avant, pour avoir une robe.

CALBAIN.

Voila comment je me desrobe.
Par chanter je la tiens en lesse.

LE GALLAND.

La nappe mettez, puis qu'il ne cesse,
Et le priez de desjeuner.
Ne le laissez pas trop jeusner,
Que tost ne luy donnez à boire;
Et puis luy [en] donnez encoire.
De ceste pouldre y mettez
Tant qu'enyvrer le verrez
Et que de brief s'endormira.
Prenez sa bource et ce qu'il y aura
Dedans. Puis allez achepter
Une robbe; sans plus quaqueter,
C'est le conseil que je vous donne.

LA FEMME.

Vostre parolle sera tresbonne;
Je vous remercie humblement.

CALBAIN.

Je ne sçay pas comment
En mon entendement
Plus fort je vous aymasse.

LA FEMME.

Si fault-il, quoy que je face,
Faire le conseil qu'on m'a dit.
J'auray une robe mardy
Ou mercredy tout au plus tard.
Calbain, mon amy, Dieu vous gard!
Comment se porte la santé?

CALBAIN.

M'amye, je ne veulx plus chanter;
Mais donnez moy doncques à boire.

CALBAIN, *à part*. — Voilà comment je me dérobe. En chantant, je la tiens en laisse.

LE GALANT. — Mettez la nappe, puisqu'il ne cesse ; et priez-le de déjeuner. Ne le laissez pas trop jeûner, et vite donnez-lui à boire. Et puis versez-lui-en encore. Vous lui mettrez de cette poudre, jusqu'à ce que vous le voyiez enivré et qu'il soit vite endormi. Alors prenez sa bourse et ce qu'il y aura mis. Puis allez acheter une robe. Sans en dire plus, c'est le conseil que je vous donne.

LA FEMME. — Votre parole me sera très bonne. Je vous remercie humblement. *(Le galant s'en va.)*

7

CALBAIN *chante :*

> « Je ne sais pas comment,
> En mon for intérieur,
> Je vous aimerais plus fort. »

LA FEMME, *à part*. — Il me faut, quoi que je veuille, suivre le conseil que l'on m'a dit. J'aurai une robe mardi, ou mercredi tout au plus tard. *(A Calbain)* Calbain, mon ami, Dieu vous garde ! et comment va votre santé ?

CALBAIN. — M'amie, je ne chanterai plus ; mais donnez-moi donc à boire.

LA FEMME.

Je m'y en voys sans accessoire;
Vous en aurez tout maintenant.

CALBAIN.

J'en auray à boire, vrayement?

LA FEMME.

Or vous seez donc à la table,
Et desjeunez gratieusement.

CALBAIN.

Il est bon, par mon serment.

LA FEMME.

Buvez, mengez, faictes grand chere.

CALBAIN.

Donnez moy donc encores à boire.
Il est bon. Terraminus minatores
Alabastra pillatores.
Je suis saoul de vin, m'amye.
Je suis auprès de vous, m'amye.
Je vous pry, couvrez moy le dos,
Car, par ma foy, je veulx dodos.
Couvrez moy bien.

LA FEMME.

Ma foy, s'il y demeure rien
A la bource, je veulx qu'on me pende.
Ha! je vous tiens, galande.
J'en ay des escus, des ducatz!
Or allons achepter des draps
Maintenant pour me faire une robe.
Et dea! il fault que je vous desrobe
Quant je vous ay de vin mouillé.

CALBAIN, *en se resveillant.*

Ha! je suis tout enquenouillé,
Et de mon bon sens fatrouillé.

LA FEMME. — Je vais le faire sans tarder; vous en aurez là, maintenant.

CALBAIN. — J'aurai de quoi boire, vraiment?

LA FEMME. — Asseyez-vous donc à la table, et déjeunez tout gentiment.

CALBAIN, *s'asseyant et buvant.* — Ce vin est bon, par mon serment.

LA FEMME. — Buvez, mangez, faites bonne chère.

CALBAIN. — Donnez-moi donc encore à boire. *(Il boit.)* Il est bon! *(La tête déjà lui tourne.)* Terraminus minatorès, alabastra pillatorès! Je suis saoul de ce vin, m'amie. *(Il chante :)*

«Je suis auprès de vous, m'amie.»

Je vous prie, couvrez-moi le dos, car, par ma foi, je veux faire dodo. Couvrez-moi bien. *(Et il s'endort.)*

LA FEMME, *en le couvrant, lui subtilise la bourse.* — Ma foi, s'il reste quelque chose dans la bourse, je veux bien qu'on me pende. Ah! je vous tiens, gaillarde! J'ai des écus, j'ai des ducats! Or allons acheter du drap maintenant pour m'en faire une robe. *(A son mari, qui dort)* Vraiment, il est juste que je vous dérobe, quand je vous ai de vin bien mouillé. *(Elle s'éloigne.)*

8

CALBAIN, en se réveillant. — Ah! je suis tout enfenouillé; mon esprit est tout embrouillé. Parbleu! il va falloir que

Par bieu, a peu que ne me course.
Et Dieu ! où est ma bource ?
Et qui a ma bource robée ?
Et m'amye, ma rosée,
Rendez ma bource, je vous prie.

LA FEMME.

Il entre en sa folye.
Dieu sçait quel maintien il tiendra !

CALBAIN.

Je t'en donneray une de drap,
Ouy vrayement, et une cotte.
S'a esté quant tu m'as couvert.

LA FEMME, en chantant.

Ung ruban vert, tout vert, tout vert,
Ung ruban vert qu'il m'y donna.

CALBAIN.

Mauldit soit Calbain, qui ne donna
A sa femme une robe grise;
Car elle n'eust point sa main mise
Dessus ma bource pour la rober.
Mais, m'amye, pour abreger,
Rendez ma bource, m'amyette.

LA FEMME, en chantant.

En cueillant la violette,
Mes aygneaulx y sont demeurez.

CALBAIN.

Je croy que de moy [vous] raillez.
Laissez là vostre chanterie.
Rendez (moy) ma bource, je vous prie,
Ou, par bieu, il y aura noyse.

LA FEMME.

Où voulez-vous que je m'en voyse ?
Jamais je ne vous sceu complaire.

je me courrouce. Mais Dieu ! où est passée ma bourse ? Qui a dérobé ma bourse ? *(Appelant sa femme)* Eh ! m'amie, ma rosée, rendez-moi ma bourse, je vous prie.

LA FEMME, *à part en revenant.* — Le revoilà dans sa folie. Dieu sait quel maintien il aura !

CALBAIN. — Je t'en donnerai une de drap, oui vraiment, et une tunique. Ç'a été quand tu m'as couvert.

LA FEMME, en chantant :

« Un ruban vert, tout vert, tout vert,
Un ruban vert qu'il m'a donné. »

CALBAIN. — Maudit soit Calbain qui n'a pas donné à sa femme une robe grise ! car sa main ne se fût pas mise sur ma bourse pour la dérober. Mais, m'amie, pour abréger, rendez-moi ma bourse, m'amiette.

LA FEMME, en chantant :

« Quand je cueillais la violette,
Mes agneaux y sont demeurés. »

CALBAIN. — Je crois que vous vous moquez. Laissez là toutes vos chansons. Rendez-moi ma bourse, je vous prie, ou, parbleu ! il y aura bataille.

LA FEMME. — Où voulez-vous que je m'en aille ? Je

Dieu sache qu'il y a affaire
A gouverner cest homme icy!

CALBAIN.

Par bieu, vous l'avez prinse icy.
Le diable y ayt, fault-il tout dire!

LA FEMME, en chantant.

Vous m'y faictes tant rire, rire, etc.

CALBAIN.

Par bieu, je n'y treuve que rire!
Me veulx-tu point rendre ma bourse?
Sainct Jehan, s'il fault que je me cource,
Je te la feray bien rendre.

LA FEMME.

Vous ne pensez point d'aller vendre
Voz vieulx soulliers parmy la ville?
Vrayement, si n'estoit que je fille
A chascune fois ung tantinet,
Vous mourriez de fain, marmouset.

CALBAIN.

Ha, ha! et n'en auray-je aultre chose?

[LA FEMME.]

Quant vous vous coursez, je n'ose
Aulcunesfois ung seul mot dire.

CALBAIN.

Par bieu, voicy qui n'est pas pire.
Viens çà: tandis que je dormoye,
Puis que tu fais tant la ruzée,
M'as-tu pas osté ma monnoye?
Regardez qu'elle est affaictée!
Respondras-tu, hau! becquerelle?

LA FEMME.

A' vous point veu la Peronnelle
Que les gensdarmes ont emmené?

n'ai jamais su vous complaire. Dieu sait s'il y a fort à faire à gouverner cet homme-ci !

CALBAIN. — Parbleu ! vous l'avez prise ici. Le diable était de la partie, pour tout dire !

LA FEMME, en chantant :

« Vous me faites tant rire, rire » ; etc.

CALBAIN. — Parbleu ! je n'y trouve pas de quoi rire. Ne veux-tu pas me rendre ma bourse ? Saint Jean, s'il faut que je me courrouce, je te forcerai bien à la rendre.

LA FEMME. — Pensez plutôt à aller vendre vos vieux souliers de par la ville. Vraiment, sans la laine que je file par-ci par-là un tantinet, vous mourriez de faim, marmouset.

CALBAIN. — Ah ! n'en pourrai-je tirer autre chose ?

LA FEMME. — Quand vous vous courroucez, je n'ose jamais le moindre mot vous dire.

CALBAIN. — Parbleu ! il n'y a rien de pire. Viens là ; tandis que je dormais, puisque tu fais tant la rusée, ne m'as-tu pas pris ma monnaie ? Regardez la dissimulée ! Répondras-tu, ho ! la bon-bec ?

LA FEMME *chante :*

« Avez-vous vu la péronnelle
Que les gens d'armes ont emmenée ?

Ilz l'ont habillée comme ung page;
C'est pour passer le Daulphiné.

CALBAIN.

Vrayement, je suis bien arrivé.
Par bieu, je vous galleray bien!

LA FEMME.

Mauldit soit le petit chien
Qui aboye, aboye, aboye,
Qui aboye et ne veoit rien!

CALBAIN.

Je voys bien qu'il me fault courser.
Par la chair bieu, vieille dampnée,
Je vous feray des coups chier!
Je sçay bien, tu me l'as ostée,
Ma bourse; j'en ay belle lettre.

LA FEMME.

Si m'y touchez, je vous feray mettre
A la prison du chasteau,
Nicque, nicque, nocque,
A la prison du chasteau,
Nicque, nocqueau.

CALBAIN.

Sainct Jehan, me voyla bien et beau!
Tu sçais qu'il me fault achepter
Des souliers. Fault-il tant prescher?
Rendz moy ma bourse, si tu veulx.

LA FEMME.

Et que tant vous estes fascheux!
Cherchez vostre bourse aultre part.

CALBAIN.

Le grant dyable y puisse avoir part!
Rendez vistement; depeschez.

Ils l'ont habillée comme un page;
C'est pour passer le Dauphiné [18]. »

CALBAIN. — Vraiment, je suis bien malmené. Parbleu ! je vous rosserai bien.

LA FEMME, *même jeu.*

« Maudit soit le petit chien,
Qui aboie, aboie, aboie,
Qui aboie et ne voit rien ! »

CALBAIN. — Je vois bien qu'il faut me fâcher. Palsambleu, vieille damnée, je vais vous faire pleuvoir des coups ! Je sais bien, tu me l'as ôtée, ma bourse; j'en suis assuré.

LA FEMME. — Si vous me touchez, je vous ferai mettre *(elle chante :)*

« A la prison du château,
Nique, nique, noque,
A la prison du château,
Nique, noqueau. »

CALBAIN. — Par saint Jean, me voilà bien beau ! Tu sais qu'il me faut acheter des souliers. Faut-il tant parler ? Rends-moi ma bourse, s'il te plaît.

LA FEMME. — Eh ! que vous êtes contrariant ! Cherchez votre bourse autre part.

CALBAIN. — Qu'à cela Lucifer ait part ! Rendez vite; dépêchez-vous.

LA FEMME.

Cest homme icy faict des pechez
Assez pour confondre ung aultre.

CALBAIN.

Je te batray comme peaultre,
Si vistement ne me rendz ma bourse!

LA FEMME.

Mercy Dieu, s'il fault que me course!
Que dyable esse qu'il vous fault?

CALBAIN.

Vous en aurez tout de plain sault.
Çà, rendez ma bourse vistement.

LA FEMME.

Au meurtre! Tu m'as vilainement
Meurdrie, vieil coqu joquessu.

CALBAIN.

Mais seray-je tousjours deceu
De ceste vieille becquerelle?
C'est la plus dangereuse femelle
Que je vis oncques de l'année.
Mais, par ma foy, vieille dampnée,
Je monstreray que je suis maistre!
Voluntiers me feroys paistre.
Non ferez.

LA FEMME.

Par le jour qui luyt,
Plus ne coucheray à ton lict.
Voire jamais ne te feis tort.
Penses-tu que c'est beau rapport,
Que tu m'appelles larronnesse?
Je faictz à Dieu veu et promesse
Que je te renonce à jamais.

LA FEMME. — En jurant, cet homme-ci fait des péchés à couvrir tout autre de honte.

CALBAIN. — Je vais te battre comme plâtre, si tu ne me rends aussitôt ma bourse !

LA FEMME. — Que Dieu me pardonne, s'il faut que je me courrouce ! Que diable vous faut-il ?

CALBAIN, *la battant.* — Vous en aurez, et tout de suite. Rendez-moi ma bourse aussitôt.

LA FEMME. — Au meurtre ! Tu m'as, rustre, meurtrie, vieux cocu, roi des sots.

CALBAIN. — Mais serai-je toujours trompé par cette vieille caqueteuse ? C'est la femelle la plus dangereuse que j'ai jamais vue de l'année. Mais, sur ma foi, vieille damnée, je montrerai que je suis le maître ! Volontiers tu m'enverrais paître. Mais tu n'y arriveras pas.

LA FEMME. — Par le jour qui luit, je ne coucherai plus dans ton lit. Vraiment, je ne t'ai jamais fait tort. Penses-tu que c'est bel apport que de m'appeler larronnesse ? Je fais à Dieu vœu et promesse que je te renie à jamais. *(Et elle fait mine de partir.)*

CALBAIN.

Ha ! taisez-vous, m'amye ; paix, paix !
Je cognois bien que c'est ma faulte.
Mais j'ay la teste ung peu trop chaulde ;
Suportez mes conditions.
Mais, sans plus de temptations,
Qui l'a prinse ? Vous ne l'avez pas ?
Mais, quant je regarde à mon cas,
Où la pourray-je bien avoir mise ?
Elle l'a, non a ; elle l'a prinse ;
Au fort, elle l'eust cogneu.
Ce cas me sera incogneu.
Au grant dyable puist aller la bource !
Mais pourquoy l'a-elle prinse ? Pour ce,
Elle ne l'a pas prinse ; sy a.
Non a, sy a ; non a, sy a.
Mais que grant dyable pourray-je faire,
Je ne sçay, pour le bien parfaire ?
Je puisse estre envers Dieu infame,
Se jamais je me fie à femme ;
Car ce n'est qu'altercation.
Or, pour toute conclusion,
Tel trompe au loing, qui est trompé.
Trompeurs sont de trompes trompez ;
Trompant trompetez au trompé :
L'homme est trompé.
Adieu, trompeurs ; adieu, messieurs.
Excusez le trompeur et sa femme.

FINIS.

Cy finist la farce de Calbain
nouvellement imprimée à
Lyon, en la maison de feu
Barnabé Chaussard
près Nostre Dame
de Confort.
M.D.
xlviii.

CALBAIN, *calmé, la retient.* — Ah ! taisez-vous, m'amie. Paix, paix ! Je reconnais que c'est ma faute. Oui, j'ai la tête un peu trop chaude. Supportez-moi comme je suis. Mais, sans plus d'enquête, dites-moi qui l'a prise. Vous ne l'avez pas ? Mais quand j'examine mon cas, où pourrais-je bien l'avoir mise ? Elle l'a ; elle ne l'a pas. Elle l'a prise ; mais alors elle le saurait. Et moi, je ne le saurai jamais. Au diable puisse aller la bourse ! Mais pourquoi l'a-t-elle prise ? Aussi, elle ne l'a pas prise ; si, elle l'a. Non, elle ne l'a pas ; si, elle l'a. Non, elle ne l'a pas ; si, elle l'a. Mais que diable pourrais-je faire, je ne sais, pour bien terminer cela ? Que je sois envers Dieu infâme, si jamais je me fie à femme ! en elle il n'est qu'altercation.

Adresse au public.

CALBAIN. — Or, pour toute conclusion, tel sonne de la trompe au loin, qui est trompé. Trompeurs sont par tromperies trompés. Trompant, trompettez au trompé : l'homme est trompé. Adieu, trompeurs ; adieu, messieurs. Excusez le trompeur et sa femme.

IV

LE PÂTÉ ET LA TARTE

La farce du *Pâté et la Tarte* a été imprimée à Paris par Nicolas Chestien aux environs de 1550. Le texte, conservé dans le recueil du British Museum, offre un certain nombre de formes dialectales (comme *my, ty* pour *moy, toy*) qui indiquent une origine picarde.

De la réimpression de Fournier en 1872 jusqu'à la Seconde Guerre mondiale, cette farce a particulièrement retenu l'attention des adaptateurs. Elle a ainsi revécu une dizaine de fois sur nos scènes, le plus souvent, il est vrai, en adaptation très libre. C'est que la farce du *Pâté et la Tarte* avait cet avantage de ne faire rire d'aucune « grossièreté », d'aucune « obscénité » : de quoi rassurer le public bourgeois ; un texte relativement court, une situation simple et plaisamment développée, des mouvements scéniques judicieusement ordonnés mais n'exigeant qu'un jeu spontané : de quoi plaire aux troupes d'amateurs et de jeunes.

Quatre personnages. Un pâtissier, ce mot désignant alors celui qui préparait des mets composés de pâte : le sucré (gâteaux ; ici la tarte) et le salé (que se réservent aujourd'hui les charcutiers ; ici un pâté d'anguille) ; sa femme, et deux mendiants (on les appelait gueux ou coquins).

Nous avons là un petit tableau de la vie médiévale, au temps où la mendicité faisait partie de l'organisation sociale ; l'Église n'avait-elle pas elle-même ses ordres mendiants ?

Si la ruse, là encore, est le moteur de l'« action », elle n'a pour raison que le manger ; et le thème du manger s'inscrira tout au long de la farce. Non seulement les deux coquins sont prêts à tout risquer pour se nourrir, mais le pâtissier lui-même n'agit qu'en fonction du manger : c'est parce que, invité à déjeuner, il décide de fournir ses amis de ce qu'il prépare professionnellement : un pâté et une tarte, qu'il va être berné ; et c'est parce qu'il ne retrouve pas son pâté qu'il se prend d'une colère rageuse : « J'ai faim, et je n'ai pas de quoi manger ».

Des coups de bâton aussi, bien sûr : le pâtissier rossera sa femme qui s'est laissé voler ; et il rossera l'un après l'autre ses voleurs. Ceux-ci s'en consoleront à la pensée du bon repas qu'ils ont fait gratis et de ce qu'ils ont gardé en réserve : ventre satisfait n'a pas de prix !

LE PÂTÉ ET LA TARTE

Farce nouvelle
du PASTÉ et de la TARTE
à quatre personnages; c'est assavoir : deux coquins, le paticier et la femme.

LE PREMIER COQUIN commence.

Ou[y]che !

LE SECOND COQUIN.

Qu'as-tu ?

LE PREMIER.

Si froyt que tremble;
Et si n'ay tissu ne fillé.

LE SECOND.

Sainct Jehan, nous sommes bons ensemble.
Ouyche !

LE PREMIER.

Qu'as-tu ?

LE SECOND.

Si froit que tremble.

LE PREMIER.

Pauvres bribeurs, comme il me semble,
Ont bien pour ce jourd'huy vellé.
Ouyche !

LE SECOND.

Qu'as-tu ?

Farce nouvelle
du PÂTÉ et de la TARTE
à quatre personnages, c'est assavoir : deux coquins,
le pâtissier et la femme.

Une place. A droite, on suppose une rue, où se tiendront le plus souvent les deux coquins. A gauche, l'étal du pâtissier ; seule, une enseigne peinte sur le rideau de fond indique que ce lieu scénique est celui d'une boutique de pâtissier.

1

Dans la rue, au coin de la place.

LE PREMIER COQUIN commence. — Ouiche !

LE SECOND COQUIN. — Qu'as-tu ?

LE PREMIER. — Si froid que je tremble ; et je n'ai chemise ni tricot.

LE SECOND. — Saint Jean ! nous faisons bien la paire ensemble. Ouiche !

LE PREMIER. — Qu'as-tu ?

LE SECOND. — Si froid que je tremble.

LE PREMIER. — Pauvres mendiants, comme il me semble, nous avons pour ce jour bien trimé. Ouiche !

LE SECOND. — Qu'as-tu ?

LE PREMIER.

Si froit que tremble;
Et si n'ay tissu ne fillé.
Par ma foy, je suis bien pelé.

LE SECOND.

Mais moy!

LE PREMIER.

Mais moy encore plus;
Car je suis de fain tout velus;
Et si n'ay forme de monnoye.

LE SECOND.

Ne sçaurions-nous trouver la voye
Que nous eussions à menger?

LE PREMIER.

Aller nous fault, pour abreger,
Briber d'huys en huys quelque part.

LE SECOND.

Voire, mais ferions-nous à part
Tous deux?

LE PREMIER.

Et ouy, se tu veulx.
Soit de chair, pain, beurre ou d'œufz,
Chascun en aura la moytié.
Le veulx-tu bien?

LE SECOND.

Ouy, magnié.
Il ne reste qu'à commencer.

LE PATICIER.

Marion!

LA FEMME.

Que vous plaist, Gautier?

LE PREMIER. — Si froid que je tremble; et je n'ai chemise ni tricot. Sur ma foi, je suis tout pelé.

LE SECOND. — Et moi?

LE PREMIER. — Mais moi encore plus; car je meurs d'une faim de loup et n'ai pour monnaie pas un sou.

LE SECOND. — Ne saurions-nous trouver moyen d'avoir quelque chose à manger?

LE PREMIER. — Nous devons aller, pour abréger, de porte en porte quémander.

LE SECOND. — Oui, mais partagerons-nous tous deux?

LE PREMIER. — Bien sûr, si tu le veux. Viande, pain, beurre et œufs, chacun en aura la moitié. Es-tu d'accord?

LE SECOND. — Oui, compagnon. Il ne reste qu'à commencer. *(Ils se mettent en route, mais sans quitter les tréteaux.)*

2

L'étal du pâtissier.
LE PATISSIER. — Marion!
LA FEMME. — Que voulez-vous, Gautier?

LE PATICIER.

Je m'en voys disner à la ville.
Je vous laisse un pasté d'anguille,
Que je vueil que vous m'envoyez
Se je le vous mande.

LA FEMME.

Soyez
Tout certain qu'il vous sera fait.

LE PREMIER.

Commençons cy; c'est nostre fait.

LE SECOND.

Il n'y en fault que l'un du plus,
Et je m'y en voys; au surplus,
Va veoir se tu gaigneras rien
Comment cela.

LE PREMIER.

Je le veulx bien.
En l'honneur de sainct Ernou,
De sainct Anthoine et sainct Marcou,
Vueillez me donner une aulmosne.

LA FEMME.

Mon amy, il n'y a personne
Pour te bien faire maintenant.
Reviens une autre fois.

LE PATICIER.

En tant
Qui me souvient de ce paté,
Ne le faicte point apporté
A personne, si n'a enseigne
Certaine.

LA FEMME.

J'en auroye engaigne.

LE PATISSIER. — Je m'en vais déjeuner en ville. Je vous laisse un pâté d'anguille que je veux que vous m'envoyiez, si je vous le fais demander.

LA FEMME. — Soyez assuré que cela vous sera fait. *(Le pâtissier rentre dans sa boutique — derrière le rideau; elle reste à l'étal.)*

3

LE PREMIER COQUIN. — Commençons par ici. Il y a quelque chose à faire.

LE SECOND. — Un seul suffit à cette affaire. Moi, je m'en vais. Mais toi, va voir si tu ne gagneras rien de ce côté. *(Il s'éloigne.)*

LE PREMIER. — D'accord, j'y vais. *(Et il se dirige vers l'étal, tandis que le second coquin « sort ».)*

4

LE PREMIER COQUIN, *à la femme.* — En l'honneur de saint Arnoul, de saint Antoine et de saint Maclou, veuillez me donner une aumône.

LA FEMME. — Mon ami, il n'y a personne qui puisse te donner maintenant. Reviens une autre fois. *(Le coquin s'éloigne de quelques pas.)*

5

LE PATISSIER, *de nouveau à son étal, et sans voir le coquin.* — Pendant que j'en suis à ce pâté, ne le faites porter à personne, s'il n'a un signe convenu.

LA FEMME. — J'aurais chagrin de vous déplaire. Aussi, envoyez un messager sûr, ou bien je ne donnerai rien.

Envoyez moy aussi seur message,
Ou point ne l'aurez.

LE PATICIER.

Voicy rage!
A tel enseigne comme on doyt,
Mais que vous preigne par le doigt.
M'avez-vous entendu?

LA FEMME.

Oy.

LE PREMIER.

J'ay voulenté ce mot oy;
Je l'ay entendu plainnement.
Helas! bonne dame, comment
N'aurez-vous point pitié de my?
Il y a deux jours et demy
Que de pain je ne mengay goute.

LA FEMME.

Dieu vous vueille ayder!

LE PREMIER.

Que la goute
De sainct Mor et de sainct Guylain
Vous puist trebucher à plain,
Ainsi que les enragés font!

LE SECOND.

De fain tout le cueur me morfont.
Mon compagnon ne revient point:
Y me verroit trop mal apoint
Si me chyfroit de son gaignage.
Le voicy. Comment va?

LE PREMIER.

J'enrage!
Je n'ay rien gagné, par ma foy.
Et toy, comment?

LE PATISSIER. — Très bien ! Pour preuve, comme il se doit, il devra vous prendre par le doigt. M'avez-vous compris ?

LA FEMME. — Oui. *(Le pâtissier s'en va.)*

6

LE PREMIER COQUIN, *à l'écart.* — J'ai avec plaisir entendu ce mot ; je l'ai compris parfaitement. *(Il revient vers l'étal.)* Hélas ! bonne dame, comment n'auriez-vous pas pitié de moi ? Il y a deux jours et demi que de pain je n'ai mangé mie.

LA FEMME. — Dieu veuille vous aider ! *(Et, sans rien lui donner, elle rentre dans la boutique, tandis que l'autre la maudit.)*

LE PREMIER. — Que la goutte de saint Maur et le mal de saint Ghislain puissent vous terrasser en plein [19] ; soyez comme des enragés ! *(Il s'éloigne de l'étal.)*

7

LE SECOND COQUIN, *revenant et se tenant d'abord à l'écart.* — De faim, tout le cœur me morfond. Mon compagnon ne revient pas. Il me verrait très mal en point, s'il allait me priver de son gain. Ah ! le voici. Comment va ?

LE PREMIER. — J'enrage ! Je n'ai rien gagné, par ma foi. Et toi, qu'as-tu fait ?

LE SECOND.

Foy que je doy
A sainct Damien et sainct Cosme,
Je ne trouvay aujourd'huy homme
Qui me donnast un seul nicquet.

LE PREMIER.

Sainct Jehan, c'est un povre conquest
Pour faire aujourd'huy bonne chere.

LE SECOND.

Ne sçaurois-tu trouver maniere
Ne tour, pour avoir à mouller?

LE PREMIER.

Si feray, se tu veulx aller
Où te diray.

LE SECOND.

Mon amy cher,
Où esse?

LE PREMIER.

A ce paticier,
Droit là; et demande un pasté
D'anguille; et sois affronté,
M'entends-tu bien, ainsi qu'on doit.
Si prens la femme par le doigt,
Et luy dy: « Vo(stre) mary m'a dit
Que me baillé, sans contredit,
Ce pasté d'anguille. » Voy-tu?

LE SECOND.

Et s'il estoit ja revenu,
Que diray-je pour mon honneur?

LE PREMIER.

Il ne l'est point; j'en suis tout seur;
Car il s'en va tout maintenant.

LE SECOND. — Foi que je dois à saint Damien et à saint Côme, je n'ai trouvé aujourd'hui homme qui me donnât le moindre sou [20].

LE PREMIER. — Saint Jean, c'est un maigre butin pour faire aujourd'hui bonne chère.

LE SECOND. — Ne saurais-tu trouver manière ou tour pour avoir quelque chose à se mettre sous la dent ?

LE PREMIER. — Je l'aurai, si tu veux aller où je te dirai.

LE SECOND. — Mon cher ami, où est-ce ?

LE PREMIER. — Chez ce pâtissier, là en face, et demande un pâté d'anguille. Sois effronté, m'entends-tu bien, comme l'on doit. Tu prends la femme par le doigt, et tu lui dis : « Votre mari m'a dit que vous me donniez, sans que vous vous y opposiez, ce pâté d'anguille. » Comprends-tu ?

LE SECOND. — Mais s'il était déjà revenu, que dirai-je pour sauver l'honneur ?

LE PREMIER. — Il ne l'est pas, je le garantis ; car il vient de partir maintenant.

LE SECOND.

Si feray doncq la main tenant.
Je m'en voys.

LE PREMIER.

Va tost, gros [testu].

LE SECOND.

Sang bieu! je crains d'estre batu,
Et qu'il n'y soit, m'entens-tu bien?

LE PREMIER.

Qui ne s'aventure, il n'a rien.

LE SECOND.

Tu dy vray; je y voys sans songier.
Madame, vueillez envoyer
Ce pasté à vostre mary
D'anguille; oyez-vous?

LA FEMME.

Mon amy,
A quelle enseigne?

LE SECOND.

Il m'a dit
Que vous preigne, sans contredit,
Pour bonne enseigne, par le doigt.
Çà, vo main.

LA FEMME.

C'est ainsi qu'on doit
Bailler l'enseigne. Or, porté luy;
Tenez le.

LE SECOND.

Par le bon jourd'huy,
Porter le voys sans point doubter.
Maintenant me puis-je venter

LE SECOND. — Je le ferai donc sur-le-champ. Je m'en vais.

LE PREMIER. — Va vite, gros têtu.

LE SECOND. — Palsambleu! je crains d'être battu et qu'il n'y soit, m'entends-tu bien?

LE PREMIER. — Qui ne s'aventure, n'a rien.

LE SECOND. — Tu dis vrai; j'y vais sans tarder.

8

LE SECOND COQUIN, *devant l'étal du pâtissier.* — Madame! *(La femme sort de la boutique.)* Veuillez envoyer ce pâté à votre mari, d'anguille, entendez-vous?

LA FEMME. — Mon ami, quelle en est la preuve?

LE SECOND. — Il m'a dit que je vous prenne, sans que vous vous y opposiez et pour bonne preuve, par le doigt. Çà, votre main!

LA FEMME. — C'est ainsi qu'on doit me donner la preuve. Eh bien! portez-lui. Le voici.

LE SECOND. — Par ce bon jour d'aujourd'hui, je vais le porter sans tarder. *(Il s'éloigne, tandis que la femme rentre chez elle.)* Maintenant je puis me vanter que je suis un maître parfait.

Que je suis un maistre parfait.
Je l'ay, je l'ay, il en est fait!
Regarde cy.

LE PREMIER.

Es-tu fourny?

LE SECOND.

Si je le suis? Ouy, ouy!
Qu'en dy-tu?

LE PREMIER.

Tu es un droit maistre.
Voicy assez pour nous repaistre
Quand nous serions encores trois.

LE PATICIER.

Je m'apperchois bien, par cest croix,
Que mes gens m'ont joué d'abus;
Et je suis bien un coquibus
De si longuement sejourner.
Sainct Jehan, je m'en revoys disner
De mon pasté avecq ma femme.
Car je seroye bien infame
S'on se mocquoit ainsi de my.
Ma dame, je revien.

LA FEMME.

Sainct Remy!
Et avez [-vous] desja disné?

LE PATICIER.

Sainct Jehan, non! Je suis indigné;
Que le dyable y puist avoir part!

LA FEMME.

Et qui vous a meu donc, coquart,
D'envoyer querir le pasté?

9

LE SECOND COQUIN, *rejoignant son compagnon.* — Je l'ai, je l'ai ! J'ai réussi. Regarde là.

LE PREMIER. — Tu as ce qu'il faut ?

LE SECOND. — Si je l'ai ? Oui, oui ! Qu'en dis-tu ?

LE PREMIER. — Tu es un véritable maître. Voici assez pour nous repaître, quand bien même nous serions trois. *(Ils vont à l'écart manger.)*

10

Lieu supposé : un carrefour de la ville, où s'était rendu le pâtissier. Pour situer scéniquement ce lieu, il suffit que du fond du rideau on sorte une croix en bois, signalant le carrefour ; elle sera retirée à la fin du monologue du pâtissier.

LE PATISSIER. — Je me rends compte, par cette croix, que mes gens se sont moqués de moi ; et je ne suis qu'un gros benêt de si longuement m'attarder. Saint Jean, je m'en retourne déjeuner de mon pâté avec ma femme ; car ce serait être bien infâme que de se laisser moquer ainsi. *(Il se met en route et, compte tenu de l'exiguïté des tréteaux, arrive aussitôt devant chez lui.)*

11

LE PATISSIER. — Madame, je reviens.

LA FEMME, *venue à l'appel de son mari.* — Saint Rémi ! avez-vous déjà déjeuné ?

LE PATISSIER. — Saint Jean, non ! J'en suis indigné. Que le diable y ait pris sa part !

LA FEMME. — Qui vous a donc poussé, coquard, à envoyer chercher le pâté ?

LE PATICIER.

Comment, querir?

LA FEMME.

Mais escouté
Comment il fait de l'esperdu!

LE [PATICIER]

Quoy, esperdu? Tout entendu,
L'avez-vous baillé à quelqu'un?

LA FEMME.

Ouy. Il est cy venu un
Compagnon, qui m'est venu prendre
Par le doigt, disant, sans attendre,
Que je luy baillasse, medieu.

LE PATICIER.

Comment, bailler? Par le sang bieu,
Doncq seroit perdu mon pasté!

LA FEMME.

Par sainct Jehan, vous l'avez mandé
Aux enseignes que m'avez dit.

LE PATICIER.

Vous mentez; car je y contredit.
Si me direz qu'en avez fait.

LA FEMME.

Et que vous estes bon! si fait,
Je l'ay baillé à ce message
Qui vint aurain.

LE PATICIER.

Et voicy rage!
Fault-il que je prengne un baston?
Tu l'as mengé.

LE PATISSIER. — Comment ? chercher !

LA FEMME. — Mais voyez comme monsieur fait l'étonné !

LE PATISSIER. — Quoi, l'étonné ! Entendons-nous, l'avez-vous donné à quelqu'un ?

LA FEMME. — Oui. Il est venu ici un compagnon, qui est venu me prendre par le doigt, disant que je lui donne aussitôt le pâté, pardieu, comme convenu.

LE PATISSIER. — Comment ? Donner ! Palsambleu ! mon pâté serait donc perdu ?

LA FEMME. — Saint Jean, vous l'avez fait demander avec le signe que vous avez dit.

LE PATISSIER. — Vous mentez, j'en donne le démenti. Dites-moi ce que vous en avez fait.

LA FEMME. — Que vous êtes drôle ! eh bien, si, je l'ai donné au messager qui vint tout à l'heure ici.

LE PATISSIER. — Voilà bien extraordinaire ! Faut-il que je prenne un bâton ? Tu l'as mangé !

LA FEMME.

Tant de langage!
Je l'ay baillé à ce message.

LE PATICIER.

Vous en aurez le desarreage.
Pensez-vous que soye un mouton?
Tu l'as mengé.

LA FEMME.

Et voicy rage!

LE PATICIER.

Fault-il que je preigne un baston?
Vous en aurez sus le menton.
Tenez, dictes la verité:
Qu'avez-vous fait de ce pasté?

LA FEMME.

Le meurdre! Me veulx-tu meurdry,
Coquin, truant, sot rassoté?

LE PATICIER.

Qu'avez-vous fait de ce pasté?
Vous en aurez le dos froté.
L'avez-vous doncq mengé sans my?
Qu'avez-vous fait de ce pasté?

LA FEMME.

Le meurdre! me veulx-tu meurdry?
Et si l'est-on venu querir
Aux enseignes, et si le baillay
Que m'aviés dit.

LE PATICIER.

Sainct Nicolay,
Voicy assez pour enrager.
J'ay fain, et si n'ay que menger.
J'en enrage.

LA FEMME. — Que de paroles ! Je l'ai donné au messager.

LE PATISSIER. — Vous en aurez désagrément. Me prenez-vous pour un mouton ? Tu l'as mangé !

LA FEMME. — Voilà bien extraordinaire !

LE PATISSIER. — Faut-il que je prenne un bâton ? Vous en aurez sur le menton. Tenez, dites-moi la vérité : qu'avez-vous fait de ce pâté ? *(Et il s'empare d'un bâton.)*

LA FEMME. — Au meurtre ! Veux-tu me tuer, gueux, truand et sot trois fois sot ?

LE PATISSIER. — Qu'avez-vous fait de ce pâté ? Vous en aurez le dos frotté. Vous l'avez donc mangé sans moi ? Qu'avez-vous fait de ce pâté ? *(Il la menace de nouveau.)*

LA FEMME. — Au meurtre ! Veux-tu me tuer ? Pourtant on est venu le chercher [21], comme convenu ; et je l'ai donné, ainsi que vous me l'aviez dit.

LE PATISSIER. — Saint Nicolas, voilà bien de quoi enrager ! J'ai faim, et je n'ai pas de quoi manger. J'enrage. *(Il pousse violemment sa femme ; et ils rentrent dans la boutique, allant vider leur querelle hors de la vue du public.)*

LE PREMIER.

Que dis-tu ?

LE SECOND.

Le pasté estoit fafelu.
Se tu voulois faire debvoir,
Encore auroit-on bien, pour voir,
Par ma foy, une belle tarte
Que je vis là.

LE PREMIER.

A ! saincte Agatte,
Vas y doncques ainsi qu'on doit,
Et prends la femme par le doigt,
Puis luy dy que son mary
La renvoye encore querir.

LE SECOND.

Ne parle plus de telle sotie;
Car bien sçay que je n'yray mye.
Aussi j'ay fait mon fait devant;
C'est à toy à faire.

LE PREMIER.

Or avant,
Je y voy dont. Mais garde ma part
De ce remenant.

LE SECOND.

Sus la hart,
Sois seur que ce qu'avons promis
Te tenray, enten-tu, amis?
Et à cecy ne touchera nulz
Tant que tu seras revenus;
Je le te prometz, par ma foy.

LE PREMIER.

T'es trop bon. Or bien, je m'en voy.
Attens moy cy.

12

Dans la rue, les coquins finissent de manger.

LE PREMIER COQUIN. — Que dis-tu ?

LE SECOND. — Le pâté était bien dodu. Si tu voulais rendre service, encore aurait-on bien, vraiment, par ma foi, une belle tarte que je vis là.

LE PREMIER. — Ah ! sainte Agathe, vas-y donc comme il se doit, et prends la femme par le doigt. Et puis dis-lui que son mari te renvoie pour nouvelle requête.

LE SECOND. — Ne parle plus de telle folie ; car je sais bien que je n'irai pas. J'ai fait ce que j'avais à faire, avant toi. C'est à toi maintenant de faire.

LE PREMIER. — Eh bien, allons ! je m'en vais donc. Mais garde ma part de ce qui reste du pâté.

LE SECOND. — Par la corde du gibet, sois assuré que je tiendrai tout ce que nous avons promis ; entends-tu, ami ? Et personne n'y touchera jusqu'à ce que tu sois revenu. Sur ma foi, je te le promets.

LE PREMIER. — Tu es bien bon. Alors, j'y vais. Attends-moi ici. *(Tandis qu'il se dirige vers l'étal du pâtissier, on entend la femme crier. Puis la femme paraît, suivie de son mari.)*

LA FEMME.

Aye ! mon costé.
Que mauldit soit le beau pasté !

LE PATICIER.

Y vous a fait sentir voz os.
Or paix, je voys fendre du boys
Là derriere.

LA FEMME.

Allez dehors en haste !

LE PREMIER.

Madame, envoyez celle tarte
Que vostre mary a laissé.
Il est presque vif enragé
Pourtant que ne luy porté point
Avec le pasté.

LA FEMME.

Bien apoint
Vous venez. Entrez, s'il vous plaist.

LE PATICIER.

Et, coquin, estes-vous si fait ?
Sainct Jehan, vous serez dorloté.
Que avez-vous fait de mon pasté
Que vous estes venu querir ?

LE PREMIER.

Helas ! se n'ay-je point esté.

LE PATICIER.

Qu'avez-vous fait de mon pasté ?
Vrayement vous en serez frotté.

LE PREMIER.

Las ! me voulez-vous cy meurdry ?

13

LA FEMME. — Aïe, mon côté ! Que maudit soit le beau pâté !

LE PATISSIER. — Il vous a fait sentir vos côtes. Mais maintenant, paix ! je vais là derrière fendre du bois.

LA FEMME, *qui a aperçu le premier coquin, s'adresse à son mari, en lui faisant comprendre par le ton et par un geste que, s'il doit se hâter de partir, il ne faut pas qu'il s'éloigne de trop.* — Allez dehors, en hâte ! *(Le pâtissier se retire.)*

14

LE PREMIER COQUIN. — Madame, donnez-moi cette tarte que votre mari a laissée. Il est presque fou à lier de ce que je n'ai pas apporté la tarte avec le pâté.

LA FEMME. — Vous venez bien à point. Entrez là, s'il vous plaît. *(Elle le fait venir derrière l'étal, où elle lui remet la tarte. Puis, elle ouvre le rideau de fond pour avertir son mari.)*

15

LE PATISSIER, *prenant le premier coquin pour son voleur et le menaçant de son bâton.* — Eh ! coquin, est-ce bien vous ? Saint Jean, vous serez dorloté ! Qu'avez-vous fait de mon pâté, que vous êtes venu chercher ?

LE PREMIER COQUIN. — Hélas ! jamais je n'y ai été.

LE PATISSIER. — Qu'avez-vous fait de mon pâté ? Vraiment, vous en serez frotté. *(Il le bat.)*

LE PREMIER. — Las ! voulez-vous ici me tuer ?

LE PATICIER.

Qu'avez-vous fait de mon pasté
Que vous estes venu querir?

LE PREMIER.

Je le vous diray sans mentir,
Se vous ne me voullez plus batre.

LE PATICIER.

Nenny, dis le doncq, hé! follastre,
Ou prestement je te tueray.

LE PREMIER.

Par ma foy, je le vous diray.
Orain j'estoy si venu
Demander l'aulmosne; mais nul
Ne me donna, en verité.
Je ouy l'enseigne du pasté
Que envoyer on vous debvoit,
Prenant vo femme par le doigt.
Et moy qui suis, beau doulx amis,
Plus que n'est point un loup famis,
Je retrouvay mon compagnon,
Qui est plus fin qu'un esmerillon.
Et s'avons foy et loyaulté
Promis ensemble. Or escouté;
Car de tout ce que nous gaignons,
Justement nous le partissons.
Se luy dis le tour de l'enseigne;
Si vint, dont je m'en engaigne.
Et quand c'est venu au menger,
Le dyable luy a fait songer
Que une tarte y avoit ceans.
Cy vins, dont se ne fut point cens
A my de le venir querir.

LE PATICIER.

Sang bieu, je te feray mourir
Se tu ne me prometz de faire
Ton compagnon le venir querre;

LE PATISSIER. — Qu'avez-vous fait de mon pâté, que vous êtes venu chercher?

LE PREMIER. — Je vous le dirai sans mentir, si vous voulez ne plus me battre.

LE PATISSIER. — Non, mais dis-le donc, hé! folâtre, ou prestement je te tuerai.

LE PREMIER. — Par ma foi, je vous le dirai. Tout à l'heure, j'étais ici venu demander l'aumône; mais personne ne me donna, en vérité. J'entendis la convention du pâté que l'on devait vous envoyer: prendre votre femme par le doigt. Et moi qui suis, beau doux ami, plus que n'est un loup affamé, j'allai retrouver mon compagnon, qui pèse moins qu'un jeune faucon. Nous avons promis d'être ensemble en toute foi et loyauté. Or écoutez: tout ce que nous gagnons, nous en faisons juste partage. Je lui dis donc la preuve du doigt. Il vint ici, ce dont j'ai grand dépit. Et quand nous étions à manger, le diable lui a fait rappeler qu'il y avait aussi une tarte. Je vins ici. Ce fut chose insensée pour moi, que de venir la demander!

LE PATISSIER. — Palsambleu! je te ferai mourir, si tu ne me promets de faire venir ton compagnon pour la

Car, puis que vous faictes à part,
C'est raison que il en ayt sa part,
Tout tel et aussi bien que ty.

LE PREMIER.

Je le vous prometz, mon amy.
Mais je vous prie droictement
Qui soit bien escoux vivement.

LE PATICIER.

Or va dont et faitz bonne myne.

LE PREMIER.

Foy que doy à saincte Katherine,
Il en aura comme j'ay eu.

LE SECOND.

Comment! tu ne raporte rien?

LE PREMIER.

Hau! elle m'a dit à brief langage
Que je y renvoie le message
Qui alla le pasté querir,
Et qui l'aura sans point faillir.

LE SECOND.

S'y voy dont sans cy plus songer.
Sang bieu, qu'il en fera bon menger!
Boute cela en tes cautelles.
Haula!

LA FEMME.

Qu'est là?

LE SECOND.

Çà, damoyselle,
Baillez moy bien tost celle tarte
Pour vo mary.

chercher. Car, puisque vous partagez tout, c'est raison qu'il en ait sa part, de même et aussi bien que toi.

LE PREMIER. — Je vous le promets, mon ami. Mais je vous prie qu'en toute justice vous le secouiez bien vivement.

LE PATISSIER. — Va donc et fais-lui bonne mine. *(Et il se retire, laissant sa femme seule à l'étal.)*

LE PREMIER, *en s'en allant.* — Foi que je dois à sainte Catherine, il en aura comme j'en ai eu.

16

Dans la rue, où le premier coquin a rejoint son compagnon.

LE SECOND COQUIN. — Comment! tu ne rapportes rien?

LE PREMIER. — Ho! elle m'a dit, sans trop parler, que je renvoie le messager qui alla chercher le pâté, et qu'alors sans faute il l'aura.

LE SECOND. — J'y vais donc sans plus m'attarder. Bon Dieu! qu'il fera bon la manger! Mets-toi ça dans ta petite tête.

17

Chez le pâtissier; même manège que précédemment.

LE SECOND COQUIN. — Holà!

LA FEMME. — Qui est là?

LE SECOND. — Çà, jeune dame, donnez-moi bien vite cette tarte pour votre mari.

LA FEMME.

A! saincte Agathe,
Entre ens.

LE PATICIER.

Et trahistre larron,
On vous pendera d'un las ron;
Vous aurez cent coups d[e] baston.
Tenez, voyla pour no pasté!

LE SECOND.

Pour Dieu, je vous requiers pardon.

LA FEMME.

Vous aurez cent coups d[e] baston!
Estes-vous trouvé à taton?
Pour vous j'ay eu mon dos frotté.

LE PATICIER.

Vous aurez cent coups de baston.
Tenez, vela pour no pasté!

LE SECOND.

Helas! ayez de moy pitié.
Jamais plus y ne m'advenra.
A tousjours mais il y perra!
Helas! helas! je vaulx que mort!

LA FEMME.

Gaultier, à tousjours allez fort:
Du pasté aura souvenance.

LE PATICIER.

Va, qu'on te puist percer la pance
D'une dague, et tous les boyaulx!

LE SECOND.

A! faulx trahistre deloyaux,
Tu m'as bien fait aller meurdryr!

LA FEMME. — Ah ! sainte Agathe, entrez ici.

18

LE PATISSIER *paraît et lui assène des coups de bâton.* — Eh ! traître et larron, on vous pendra d'un lacet rond. Vous aurez cent coups de bâton. Tenez, voilà pour notre pâté !

LE SECOND COQUIN. — Pour Dieu, je vous demande pardon.

LA FEMME. — Vous aurez cent coups de bâton. Sentez-vous vos côtes, à tâtons ? Pour vous j'ai eu mon dos frotté.

LE PATISSIER. — Vous aurez cent coups de bâton. Tenez, voilà pour notre pâté ! *(Il continue de frapper.)*

LE SECOND. — Hélas ! ayez pitié de moi. Jamais plus ça ne m'arrivera. Pour toujours il y paraîtra, et de vos coups je serai marqué ! Hélas ! hélas ! je suis comme mort !

LA FEMME. — Gautier, allez toujours plus fort : du pâté il aura souvenance.

LE PATISSIER. — Va, puisse-t-on te percer la panse et tous les boyaux d'une dague ! *(Le pâtissier et sa femme rentrent chez eux.)*

19

Dans la rue. Le second coquin rejoint son compagnon.

LE SECOND COQUIN. — Ah ! perfide, traître déloyal, tu m'as envoyé me faire tuer !

LE PREMIER.

Et ne devois-tu point partir
Aussi bien au mal comme au bien?
Qu'en dy-tu, hé! belitrien?
J'en ay eu sept foys plus que ty.

LE SECOND.

Dea, si tu m'eusse adverty,
Je n'y fusse jamais allé.
Helas! je suis tout affollé!

LE PREMIER.

Cé-tu point bien que on dit qu'en fin
Le compaignon n'est point bien fin,
Qui ne trompe son compagnon.

LE SECOND.

Or bien, laissons cela; m[eng]on
No pasté sans avoir la tarte;
Et s'en fournissons no gorgette.
Nous sommes, nottés bien ces motz,
Par ma foy, recevant de bos.

LE PREMIER.

Se sommes-nous; mais, sans doubter,
Il ne nous en fault point vanter
En quelque lieu ne hault ne bas.
Et prenez en gré noz esbas.

Explicit.

LE PREMIER. — Ne devais-tu pas partager aussi bien en mal comme en bien ? Qu'en dis-tu, hé ! bélître ? J'en ai eu sept fois plus que toi.

LE SECOND. — Diable ! si tu m'avais averti, je n'y serais jamais allé. Hélas ! je suis tout écorché.

LE PREMIER. — Ne sais-tu pas bien que l'on dit qu'un compagnon n'est en fin de compte pas malin s'il ne trompe son compagnon ?

LE SECOND. — Or bien, laissons cela ; mangeons notre pâté sans avoir la tarte ; remplissons-nous-en le gosier.

Adresse au public.

LE SECOND. — Nous sommes, notez-moi bien cela, des receveurs de coups de bois [22].

LE PREMIER. — Nous le sommes ; mais, sans contester, gardons-nous de nous en vanter en quelque lieu *(faisant un geste vers le public)*, en haut, en bas. Et prenez en gré nos ébats [23] !

V

MAÎTRE MIMIN ÉTUDIANT

Maître Mimin étudiant — ce titre n'est donné qu'en bas de la première page de l'édition originale — porte le numéro 44 dans le recueil du British Museum. On pense que l'édition, comme pour la farce précédente, est sortie des presses parisiennes de Nicolas Chrestien entre 1547 et 1557. Mais le texte original pourrait remonter aux années 1480-1490.

Cette farce fut écrite pour un public normand et peut-être jouée à Rouen.

Mimin est un « type populaire » de la fin du Moyen Age, celui d'un niais doublé d'un sot pédant. On ignore si ce « type » est né de notre farce ; mais le succès du personnage dut être grand, s'il est vrai que son nom fut adopté par un « joueur » spécialisé dans les rôles de niais ; ce qui expliquerait le titre de la farce du *Goutteux*, datée de 1534 : « Maître Mimin le goutteux », où le nom de Mimin ne se trouve que dans la liste des personnages. Auparavant, ce « type » de niais fut peut-être absorbé par celui d'un autre niais, le badin ; d'où la farce du recueil Cohen : *Maître Mimin qui va à la guerre*, où Mimin est dit habillé « en badin ».

Le nôtre n'en est pas encore aux choses de la guerre : il est seulement à l'école, où un maître (le magister) prétend lui enseigner le latin.

Amusante situation que celle où se complaît cet apprenti latiniste, qui ne veut plus parler que le latin qu'on lui enseigne, même à sa jeune fiancée. Il faudra les efforts conjugués de ses parents, de son futur beau-père, du magister et de sa fiancée pour lui faire redécouvrir les bienfaits de la langue française.

La satire ici ridiculise moins le grotesque maître d'école que son stupide écolier, un Thomas Diafoirus avant la lettre ! mais celui-là, sensible aux réalités matérielles et, en particulier, aux charmes corporels de celle qu'on lui destine pour femme : n'a-t-il pas hâte, tout en déclinant « rosa », d'aller lui faire un petit enfant !

MAÎTRE MIMIN ÉTUDIANT

Farce joyeuse
de MAISTRE MIMIN [ESTUDIANT]
à six personnages ; c'est assavoir :
le maistre d'escolle, maistre Mimin estudiant, Raulet son pere, Lubine sa mere, Raoul Machue et la bru maistre Mimin.

RAULET commence.

Lubine, hau ! Ouy, des bon jour !
Ne craignez-vous point ceste main ?
D'où venez-vous ?

LUBINE.

Je viens du four
Sçavoir se nous cuyrons demain.
Chascun si n'est pas aussi sain
Que vous.

RAULET.

Vous en dictes de belles !
Comment ! avez-vous mal au sain ?
Vous deullent encor les mamelles ?

LUBINE.

Il y a terribles nouvelles
De nostre filz.

RAULET.

Mais toutesfois,
Et quelles sont-ilz ?

LUBINE.

Ilz sont telles
Qu'il ne parle plus françoys.
Son maistre l'a mis à ces loix ;
Il s'i est fourré si avant

Farce joyeuse
de MAÎTRE MIMIN ÉTUDIANT
à six personnages, c'est assavoir : le maître d'école, maître Mimin étudiant, Raulet son père, Lubine sa mère, Raoul Machue et la fiancée de maître Mimin.

1

La ferme de Raulet (à gauche des tréteaux). Raulet est d'abord seul ; puis Lubine « entre », un peu essoufflée, en faisant signe « bonjour » à son mari.

RAULET commence. — Lubine, ho ! oui, va le « bonjour » ! *(Menaçant de la frapper)* Ne craignez-vous pas cette main ? D'où venez-vous ?

LUBINE. — Je viens du four voir si on cuira le pain demain[24]. Tout le monde n'a pas comme vous pour marcher un corps aussi sain.

RAULET. — Vous en dites de belles ! Quoi ! vous avez mal au sein ? Souffrez-vous encore des mamelles ?

LUBINE. — Non, mais j'ai de terribles nouvelles de notre fils.

RAULET. — Cependant..., mais quelles sont-elles ?

LUBINE. — Elles sont telles qu'il ne parle plus le français. Le magister l'a soumis à ses règles. Et il s'y est

Qu'on n'entend non plus qu'un Angloys
Ce qu'il dit.

RAULET.

A Dieu me command!
Et que ferons-nous, Dieu devant?

LUBINE.

Qu'on en fera? bon gré mon peché!
Vous sçavez qu'il est fiancé
De la fille de Raoul Machue.
Plus belle n'y a en sa rue,
Ne qui aux festes mieulx s'estricque.

RAULET.

C'estoit pour le mettre en praticque
Que je l'ay tenu à l'escolle.

LUBINE.

Mais c'estoit affin qu'il affolle!
Ne sçavoit-il pas tous ces livres
Qui nous ont cousté deux cens livres?
J'ay ouy dire à maistre Mengin
Qu'il avoit le plus bel engin
Que jamais enfant peult porter.
Il ne s'en fault que rapporter
A son nez: voyla qui l'enseigne.

RAULET.

Qui ne parle plus - je m'en seigne -
Icy fait le signe de la croix.
Mot de françoys, c'est un fort point:
La fille ne l'entendra point
Quand ilz deviseront ensemble.

LUBINE.

Helas! non. Par quoy il me semble
Que nous allisson à l'escolle
Pour veoir s'il est en ceste cole.

si bien jeté qu'on ne le comprend pas plus qu'un Anglais.

RAULET. — Je m'en remets à Dieu ! mais que ferons-nous ? que Dieu nous aide !

LUBINE. — Ce que l'on fera ? que Dieu me pardonne ! Vous savez qu'il est fiancé à la fille de Raoul Machue. Il n'y en a pas de plus belle dans sa rue, ni qui aux fêtes ne s'ajuste mieux.

RAULET. — C'est pour en faire un homme de loi, que je l'avais laissé à l'école.

LUBINE. — Plutôt pour qu'il devienne fou ! Ne savait-il pas tous ces livres, qui nous ont coûté deux cents francs ! J'ai ouï-dire à maître Mengin[25] qu'il avait le plus beau machin *(elle met la main à son front et, pour marquer l'équivoque, descend jusqu'au bas-ventre)* que jamais enfant pût avoir. Il n'y a qu'à regarder son nez : c'est là une preuve éclatante[26].

RAULET. — S'il ne parle plus — que Dieu l'en préserve ! (ici, il fait le signe de la croix) — un seul mot français, c'est grand embarras : la fille ne le comprendra pas, quand ils bavarderont ensemble.

LUBINE. — Hélas ! non. De là il me semble qu'il faut aller à son école pour voir s'il est en cet état. Car plus il

Car pensez que plus y sera,
Que si grand latin parlera
Que les chiens n'y entendront rien.

RAULET.

Lubine, vous dictes tresbien;
Mais il fault prendre en passant
Raoul Machue et son enfant,
La fiancée de nostre filz;
Car je croy, en un mot prefix,
Qu'il parlera françoys à elle.

LUBINE.

Et, par le[s] peulx de ma cotelle,
Vous m'avez toute resjouye
Quand j'ay ceste parolle ouye.
Or allons donc legierement.

RAULET.

Nous y serons presentement;
Il n'y a que un petit juppet.

LUBINE hue.

Hou, hou! Cheminez bauldement;
Nous y serons presentement.

RAOUL MACHUE.

Mais qu'esse que j'os?

LA FIANCÉE.

Seurement,
C'est Lubine. Hou, hou!

RAOUL MACHUE.

Avant, pipet!

RAULET.

Nous y serons presentement;
Il n'y a que un petit juppet.
Des bon nuyt, hay!

restera à l'école, plus il parlera grand latin : les chiens même n'y entendront rien !

RAULET. — Lubine, vous parlez très bien. Mais il nous faut prendre en passant Raoul Machue et son enfant, la fiancée de notre fils ; car je crois, pour être précise, qu'il lui parlera en français !

LUBINE. — Eh ! par les franges de ma robe, vous m'avez bien réjouie, quand vous avez parlé ainsi. Allons-y donc rapidement.

RAULET. — Nous y serons dans un instant ; ils sont là à portée de voix.

LUBINE appelle. — Hou, hou ! *(A son mari)* Avancez hardiment ; nous y serons dans un instant.

2

La ferme de Raoul Machue (au centre des tréteaux).

RAOUL MACHUE. — Qu'est-ce que j'entends ?

LA FIANCÉE. — Sûrement, c'est Lubine. Hou, hou ! *(Et elle retourne, derrière le rideau, vaquer à ses occupations.)*

RAOUL MACHUE. — Avancez !

RAULET. — Nous y serons dans un instant ; ils sont là à portée de voix. Bonjour, hé !

RAOUL MACHUE.

Dieu gard Raulet
Mon frere, avec ma seur Lubine!

RAULET.

Et, approuchez-vous, s'il vous plaist.

LUBINE.

Des bon nuyt, hay!

RAOUL MACHUE.

Dieu gard Raulet!

RAULET.

Que fait la fille?

RAOUL MACHUE.

El boult du lait.

LA FIANCÉE.

J'ay fait, j'ay fait.

LUBINE.

Çà, ma godine.

RAULET.

Des bon nuyt, hay!

RAOUL MACHUE.

Dieu gard Raulet
Mon frere, avec ma seur Lubine!
Mon Dieu, et qui vous achemine?
C'est grand nouveaulté de vous veoir.

LUBINE.

Helas! Dieu y vueille pourveoir!

RAOUL MACHUE.

Qu'i a-il?

RAOUL MACHUE. — Que Dieu garde Raulet, mon ami, et ma bonne Lubine!

RAULET. — Eh! approchez-vous, s'il vous plaît.

LUBINE. — Bonjour, hé!

RAOUL MACHUE. — Que Dieu garde Raulet!

RAULET. — Que fait la fille?

RAOUL MACHUE. — Elle fait bouillir le lait.

LA FIANCÉE, *rejoignant son père*. — J'ai fini, ça y est.

LUBINE. — Viens là, ma poupine.

RAULET. — Bonjour, hé!

RAOUL MACHUE. — Que Dieu garde Raulet, mon ami, et ma bonne Lubine! Mon Dieu! qu'est-ce qui vous achemine? C'est grande nouveauté de vous voir.

LUBINE. — Hélas! que Dieu veuille y pourvoir!

RAOUL MACHUE. — Qu'y a-t-il?

RAULET.

Ce n'est pas grand chose.
Mais tirons-nous à part; je n'ose
En parler devant vostre fille.

RAOUL MACHUE.

Comment! est le feu en la ville
Ou maistre Mimin trespassé?

RAULET.

Voicy tout: nous avons cessé
De le tenir au pidagogue
Pour le faire un grand astrilogue
Et un maistre praticien,
Affin qu'il gardast mieulx le sien
Qu'il peust susciter de nous deux.
Mais nous en sommes pou joyeulx;
Car il a tant prins et comprins,
Aprins, reprins et entreprins,
Et un grand latin publié,
Qu'il a le françoys oublié,
Tant qu'il n'en sçauroit dire mot.
Si me semble que le plus tost
Que pourrons aller et courir,
Qu'il nous le fault aller querir
Affin que l'en y remedie.

RAOUL MACHUE.

Et dictes-vous qu'il estudie
En ce point si fort et si ferme?
C'est danger qu'il ne face un cherme
Pour faire venir l'ennemy.

LUBINE.

Allons ensemble, mon amy,
Le querir affin qu'on le voye.

RAOUL MACHUE.

Or sus donc, mettons-nous en voye

RAULET. — Ce n'est pas grand-chose. Mais éloignons-nous, car je n'ose en parler devant votre fille. *(Ils s'avancent vers le devant des tréteaux, tandis que la fiancée, se voyant exclue, se retire docilement derrière le rideau.)*

RAOUL MACHUE. — Quoi ! y a-t-il le feu en ville ? ou Mimin est-il trépassé ?

RAULET. — Non, voici : *(sur un ton mi-paysan mi-doctoral)* nous avons cessé l'enseignement de son premier « pidagogue » pour faire de lui un grand « astrilogue » et aussi un grand avocat, afin qu'il sût mieux garder le bien qu'il pourrait tenir de nous deux. Mais nous en sommes peu joyeux ; car il a tant pris et compris, appris, repris et entrepris, et en grand latin déclamé qu'il a oublié le français et n'en saurait plus dire un mot. Aussi il me semble que, le plus vite que nous pourrons aller et courir, il faut que nous allions le chercher, afin qu'on y porte remède.

RAOUL MACHUE. — Et vous dites qu'il étudie à ce point si fort et si ferme ? Il y a danger que sa magie fasse venir par diablerie l'esprit maudit.

LUBINE. — Allons ensemble, mon ami, le chercher, afin qu'on le voie.

RAOUL MACHUE. — Allons donc ! mettons-nous en route, vite ; il n'y a qu'à aller. *(A sa fille, qui vient de se*

Vistement; il n'y a que aller.
Habille toy; feras, li[n]draye?

RAULET.

Or sus donc, mettons-nous en voye.

LUBINE.

Cuidez-vous qu'il aura de joye
De la veoir?

RAULET.

Tant en parler!
Or sus donc, mettons-nous en voye
Vistement; il n'y a que aller.

RAOUL MACHUE.

Mais d'où viens-tu? de flagoller!
Menez la par la main, Lubine.

LA BRU.

Je viens de querir ma poupine,
Que maistre Mymin, mon amant,
Me donna.

LUBINE.

C'est entendement.
Regarder que c'est que d'aymer!

LE MAGISTER.

Que tu ne me faces blasmer,
Aussi que j'aye de toy honneur,
Et que une foys tu soys seigneur,
Maistre Mymin, apprens et lis.
Responde: quod librum legis?
En françoys.

MAISTRE MYMIN.

Ego non sire.
Franchoyson jamais parlare;
Car ego oubliaverunt.

montrer) Habille-toi ; le feras-tu, lambine ? *(Et la fiancée disparaît de nouveau.)*

RAULET. — Allons donc ! mettons-nous en route.

LUBINE. — Croyez-vous qu'il sera heureux de la voir ?

RAULET. — A quoi bon le dire ! Allons donc ! mettons-nous en route, vite ; il n'y a qu'à aller.

RAOUL MACHUE, *à sa fille qui revient.* — Mais d'où viens-tu ? de lambiner ? Lubine, prenez-la par la main.

LA FIANCÉE. — Je viens de chercher la poupée que maître Mimin, mon ami, me donna.

LUBINE. — Quelle intelligence ! Voyez ce que c'est que d'aimer ! *(Ils disparaissent derrière le rideau.)*

3

En ville, l'école du magister (à droite sur les tréteaux) ; une chaire, sur laquelle il y a quelques livres.

LE MAGISTER, *assis.* — Pour que je n'encoure aucun blâme, pour que tu me fasses grand honneur et qu'un jour tu sois le premier, maître Mimin, retiens et lis. *(Il lui parle en latin* [27]*)* Respondé : quod librum legis ? Dis-le en français.

MAÎTRE MIMIN, *en latin de cuisine.* — Ego non savoiré. Franchoison jamais parlaré ; donc ego oubliaverunt.

LE MAGISTER.

Jamais je ne vy ainsi prompt
Ne d'estudier si ardant.
Sans cesser il est regardant
Tousjours en sentence ou ypistre.
Or, me cherche où est le chapitre,
C'est une science parfonde,
Des adventureux qui du monde
Prennent ce qu'ilz en peuent avoir;
Car, puis qu'il [te] le fault sçavoir,
Je te feray un si grand homme
Que tous les clers qui sont à Rome,
Et à Paris et à Pavie,
Si auront dessus toy envie,
Pource que tu sçauras plus qu'eulx.

MAISTRE MYMIN lyt.

Mundo variabilius;
Avanturosus hapare
Bonibus, et non gaignare,
Non durabo certanibus;
Et non emportabilibus
Que bien faictas au partire.
Capitulorum huyctare
Dicatur.

LE MAGISTER.

Voyla de grandz motz!
M'aist Dieux! telz gens ne sont pas sotz,
Qui parlent ainsi haultement.
D'un mot n'en ment pas seullement,
Et tout de luy, sans riens piller.
Que ce sera un grand pillier
Une foys dedans ce royaulme!
Or m'allez chercher la pseaulme:
Pourquoy le monde et son honneur
Ne pend qu'à un fil.

MAISTRE MYMIN lyt.

Gaude[amur]!

LE MAGISTER. — Jamais je ne vis écolier aussi prompt ni aussi ardent à étudier. Sans cesse il est toujours plongé dans les pensées et lettres latines. Eh bien ! cherche-moi le chapitre (c'est une science très profonde !), où l'on parle des aventuriers qui du monde prennent ce qu'ils peuvent en avoir. Car, puisqu'il te faut le savoir, je te ferai un si grand homme que tous les clercs qui sont à Rome, et à Paris et à Pavie, te regarderont avec envie parce que tu seras plus savant qu'eux.

MAÎTRE MIMIN lit, *en latin de cuisine* [28] :

Mundo variabilius ;
Avanturosus hapare
Bonibus, et non gaignare,
Non durabo certanibus ;
Et non emportabilibus
Que bien faictas au partire.
Capitulorum huyctare dicatur.

LE MAGISTER. — Que de grands mots, bon Dieu ! Ils ne sont pas sots, ces gens qui parlent d'un esprit si haut ! *(Montrant Mimin)* Il ne se trompe pas d'un seul mot, et dit tout cela de lui-même et sans emprunter à personne. Ce sera un grand pilier de science un jour dans notre royaume ! Maintenant, cherchez-moi le psaume où il est dit que le monde et son honneur ne sont tenus que par un fil.

MAÎTRE MIMIN lit. — Gaudeamur ! In capitro tertialy :

In capitro tertialy:
Pendaverunt esse paly
Mondibus et honorandus
A un petitum filetus.
Vivabit soubz advantura
Mantellus in couvertura
Remportaverunt bonorum.

LE MAGISTER.

Tenez, quel maistre Aliborum!
Comme(nt) il fait ce latin trembler!
Et pert qu'il ne sçauroit troubler
L'eaue, à le veoir.

RAULET.

Çà nous y sommes.

LUBINE.

Allez devant, entre vous hommes;
Et nous vous suyverons, moy et elle.
Faictes bien la sage, ma belle.

LA BRU.

Regardez: la fais-ge pas bien?

RAULET.

Vous yrez là devant.

RAOUL MACHUE.

Rien, rien:
Tousjours le pere de l'enfant
Va devant.

RAULET.

Venez.

RAOUL MACHUE.

Ennement!
C'est à vous à aller.

Pendaverunt esse paly
Mondibus et honorandus
A un petitum filetus.
Vivabit sous advantura
Montellus in couvertura
Remportaverunt bonorum.

LE MAGISTER. — Ah! quel docteur Aliboron[29]! Comme il fait trembler ce latin! Pourtant, à le voir, il semble qu'il n'aurait pas un souffle à troubler l'eau!

4

Raulet, Lubine, Raoul Machue et sa fille reviennent: ils sont censés se trouver près de l'école du magister.

RAULET. — Là, nous y sommes.

LUBINE. — Entrez devant, vous autres hommes; et nous vous suivrons, moi et elle. Soyez bien aimable, ma belle.

LA FIANCÉE. — Regardez, ne le suis-je pas bien?

RAULET, *à la fiancée*. — Vous passerez devant nous.

RAOUL MACHUE. — Non, non: le père d'un garçon va toujours devant[30].

RAULET, *se mettant en tête*. — Venez!

RAOUL MACHUE. — Oui, vraiment! à vous d'avancer.

LA BRU.

Sus, sus!
Et que feroient les femmes plus?
Comme vous faictes les retis!

RAULET.

Dieu gard magister et mon filz!
Comme vous portez-vous?

MAISTRE MIMIN.

Bene.

LE MAGISTER.

Salue tes parens, dominé,
En françoys.

MAISTRE MIMIN.

Ego non sira.
Parus, Merus, Raoul Machua,
Filla, douchetus poupinis,
Donnare a mariaris,
Saluare compagnia.

RAULET.

Nous n'entendons riens à cela.

LE MAGISTER.

Et, il vous salue, mes amys.

MAISTRE MIMIN.

Patrius, Merius, Raoul Machua,
Filla, douchetus poupinis.

LUBINE.

Parlez françoys, parlez quia.

MAISTRE MIMIN.

Quia! latina parlaris!

LA FIANCÉE. — Allons, allons! les femmes feraient-elles plus de manières? A quoi bon faire les entêtés!

5

RAULET, *entrant dans l'école*. — Dieu vous garde, magister et mon fils! Comment vous portez-vous?

MAÎTRE MIMIN, *qui continue et continuera de parler dans son latin de cuisine*. — Bene.

LE MAGISTER, *toujours à sa chaire*. — Salue tes parents, dominé[31], en français.

MAÎTRE MIMIN. — Ego non sira. *(S'inclinant devant chacun des arrivants, et en insistant devant la « doucette poupine » qu'on lui destine en mariage)* Parus, merus, Raoul Machua, filla, douchetus poupinis donnare a mariaris, saluare compagnia!

RAULET. — Nous n'entendons rien à cela.

LE MAGISTER. — Eh! il vous salue, mes amis.

MAÎTRE MIMIN, *même jeu*. — Patrius, merius, Raoul Machua, filla, douchetus poupinis.

LUBINE. — Parlez français, au maximum[32].

MAÎTRE MIMIN, *à Lubine*. — « Maximum »! latinas parlaris!

LA BRU.

Mon pere, sur ma foy, je ris
De le ouyr.

RAULET.

Il sçait beaucoup, dea.

MAISTRE MIMIN.

Patrius, Merius, Raoul Machua,
Filla, douchetus poupinis,
Donnare a mariaris,
Saluare compagnia.

LUBINE.

Et çà, de par sa mere, çà,
Levez-vous! vous estes trop sage.

RAULET.

As-tu oublié le langage,
Que ta mere si t'a aprins?
El parle si bien!

LE MAGISTER.

Sans mesprins,
Il semble qu'il ayt l'engin rude.
Mais il brusle et art en l'estude,
Et parle aucunesfoys si hault
Que mon sens et le sien y fault.
J'affolle quand il m'en souvient.

LUBINE.

On scet bien d'où cela luy vient:
Ilz sont des maistres si pervers
Qui batent leurs clercs pour un vers.
Vous l'avez trop tenu soubz verge.
Vous ne l'aurez plus.

LE MAGISTER.

Et qu'i pers-je?
Me baillez-vous cest entremetz?

LA FIANCÉE. — Mon père, sur ma foi, je ris de l'entendre parler ainsi.

RAULET. — Il sait beaucoup, vraiment.

MAÎTRE MIMIN. — Patrius, merius, Raoul Machua, filla, douchetus poupinis donnare a mariaris, saluare compagnia !

LUBINE, *au magister*. — Eh ! là, de par sa mère, là, levez-vous ! vous êtes trop calme ! *(Le magister se lève et vient près de son élève.)*

RAULET, *à Mimin*. — As-tu oublié comme on parle ? Ta mère-ci te l'avait appris. Elle parle si bien !

LE MAGISTER. — Assurément, il semble qu'il ait le machin un peu rude. Mais il est tout feu tout flamme à l'étude, et parle si haut quelquefois que nous en sommes abasourdis, lui et moi. J'en suis fou, quand il m'en souvient.

LUBINE. — On sait bien d'où cela lui vient : il y a des maîtres si pervers qu'ils battent leurs clercs pour un vers. Vous l'avez trop tenu sous verge. Vous ne l'aurez plus.

LE MAGISTER. — Qu'ai-je à y perdre ! Pourquoi me cherchez-vous querelle ? *(Et il s'écarte, indifférent.)*

RAULET.

Le magister n'en peult mais;
Il a fait le mieulx qu'il a peu.

MAISTRE MYMIN.

Aprenatis, carismedes...

RAOUL MACHUE.

Le magister n'en peult mais.

LUBINE.

Parleras-tu françoys jamais?
Au moins dy un mot, joletru.

LA FIANCÉE.

Le magister n'en peult mais;
Il a fait le mieulx qu'il a peu.

LUBINE.

Au moins baise la, entens-tu?
Tant tu sçais peu d'honneur!

MAISTRE MYMIN la baise.

Baisas.
Couchaverunt a neuchias,
Maistre Miminus anuitus,
Sa fama tantost maritus,
Facere petit enfant[c]hon.

RAULET.

Le gibet y ayt part au laton!
Magister, que veult-il dire?

LE MAGISTER.

C'est une fantasie pour rire:
Ces motz sentent un peu la chair.

RAOUL MACHUE.

Et dit?

RAULET. — Le magister n'en peut plus; il a fait le mieux qu'il a pu.

MAÎTRE MIMIN, *parlant toujours son latin*. — Aprenatis, carismedès...

RAOUL MACHUE. — Le magister n'en peut plus.

LUBINE. — Parleras-tu un jour français ? Au moins dis un mot, beau galant !

LA FIANCÉE. — Le magister n'en peut plus; il a fait le mieux qu'il a pu.

LUBINE. — Au moins embrasse-là, entends-tu ? Que tu sais peu la politesse !

MAÎTRE MIMIN l'embrasse. — Baisas. Couchaverunt a nocias maître Miminus anuitus, sa fama tantôt maritus, facere petit enfançon.

RAULET. — Le diable ait part à ce jargon ! Magister, que veut-il dire ?

LE MAGISTER. — C'est une fantaisie pour rire; ces mots sentent... un peu la chair.

RAOUL MACHUE. — Et que dit-il ?

LE MAGISTER.

Qu'il vouldroit bien coucher
Avecq la fille, en un lit,
Comme fait un homme la nuict
Premiere, et estre, Dieu devant,
Avecq sa femme.

RAULET.

Quel galand!

LUBINE.

Il a le cueur à la cuysine.

RAOUL MACHUE.

Vous esbahissez-vous, Lubine?
M'aist Dieux! quand j'estoye de son aage!
Et je trouvoye mon advantage
Incontinent; sur pied sur bille
C'estoit.

RAULET.

Parlez bas, pour la fille.
Ilz sont maintenant si enclines!
Les parolles seroient bien fines
Qu'ilz n'entendissent en deux motz.
Or parlons, laissons ce propos.
Magister, vous nous avez dit
Que nostre filz, sans contredit,
Sçait plus que vous; c'est la parolle.
Vous viendrez doncq à son escolle
Vostre foys; car il s'en viendra
Quand et nous.

LE MAGISTER.

A moy ne tiendra.
Je iray voluntiers pour l'induire
Et veoir s'on le pourra seduire
A parler françoys nullement.

LE MAGISTER. — Qu'il voudrait bien coucher avec la fille dans un lit, comme le fait un homme la nuit de ses noces, et rester auprès de sa femme, avec l'aide de Dieu.

RAULET. — Quel galant !

LUBINE. — Mimin est chaud sur le potage !

RAOUL MACHUE. — Lubine, en êtes-vous surprise ? Nom de Dieu, quand j'avais son âge ! Moi, j'avançais mon avantage, incontinent ; c'était arbre sur pied, arbre sur bille !

RAULET, *à Raoul Machue*. — Parlez bas, à cause de la fille. Elles sont de nos jours à ces choses si enclines ! Même si les paroles étaient fines, elles les comprendraient en deux mots. Parlons donc, laissons ce propos. *(Au magister)* Magister, vous nous avez dit que notre fils, sans contredit, en savait plus que vous ; ce sont vos paroles. Vous viendrez donc à son école à votre tour ; car il s'en viendra avec nous.

LE MAGISTER. — Qu'à cela ne tienne ! J'irai volontiers pour le déterminer et voir s'il est possible de l'amener à parler de quelque façon français.

RAULET.

Sçait-il plus chanter, voirement,
Pour nous resjouyr en allant?

RAOUL MACHUE.

La fille chante bien vrayement.

LA BRU.

Sçait-il plus chanter, voirement?

LE MAGISTER.

Si fait, si.

LUBINE.

Allons baudement.
Sus, prenez la fille, galand.

RAOUL MACHUE.

Sçait-il plus chanter, voirement,
Pour nous resjouyr en allant?

LE MAGISTER.

Il fait rage.

RAULET.

Chantez, avant!
Ilz chantent quelque chanson à plaisir.

RAULET.

C'est assez, il nous fault parfaire.
Çà, maistre, qu'est-il de faire
Pour le rebouter en nature
De parler françoys?

LE MAGISTER.

Sa lecture
L'a mis au point en quoy il est;
Et de le laisser tout seulet
Ce seroit un tresgrand danger.

6

Ils quittent l'école pour se rendre chez Raoul Machue.

RAULET. — Vraiment, ne sait-il plus chanter pour nous réjouir en marchant ?

RAOUL MACHUE. — La fille chante bien, certainement.

LA FIANCÉE. — Vraiment, ne sait-il plus chanter ?

LE MAGISTER. — Mais si, si.

LUBINE. — Allons hardiment. *(A Mimin)* Prenez la fille, vous, le galant.

RAOUL MACHUE. — Vraiment, ne sait-il plus chanter pour nous réjouir en marchant ?

LE MAGISTER. — D'habitude il y fait merveille !

RAULET. — Chantez, en avant !

Ils chantent quelque chanson au choix des joueurs.

7

A la ferme de Raoul Machue.

RAULET. — C'est assez, il faut en finir. Çà, magister, comment agir pour le remettre en état de parler français ?

LE MAGISTER. — Ses lectures l'ont mis au point où il est. Et le laisser là, isolé, ce serait un très grand danger.

Par quoy ne le fault estranger
Qu'il ne soit jour et nuyt veillé;
Et s'il dort, qu'il soit reveillé;
Et qu'il n'ayt livre ne livret,
Car cela du tout l'enyvroit
Et luy troubloit l'entendement.

LUBINE.

Rien nous ferons autrement
Pour luy raprendre son langage:
Nous le mettrons en une cage.
On y aprend bien les oyseaulx
A parler!

RAULET.

Les motz sont tresbeaulx.

RAOUL MACHUE.

C'est un tresbon advis, Lubine.

LA FIANCÉE.

Hé! mon Dieu, que vous estes fine!
Vous passez trestous noz voisins.
Dedans nostre cage à poussins,
N'y seroit-il pas bien apoint?

RAOUL MACHUE.

Et je croy qu'il n'y pourroit point:
Il est si grand, si espaullu,
Si formé et si potelu,
Que à peine pourroit-il entrer.

LA FIANCÉE.

Attendez, je la vois monstrer.
Mais que sa teste soit dedans,
Son nez, sa bouche avec ses dens,
Laissez aller le cul arriere,
Il suffist.

Qu'il ne soit donc pas éloigné, sans être jour et nuit surveillé. Et s'il dort, qu'il soit réveillé ! Qu'il n'ait plus livre ni livret, car cela l'enivrait tout à fait et lui troublait l'entendement.

LUBINE. — Nous allons agir autrement pour lui rapprendre son langage : nous le mettrons dans une cage. On y apprend bien les oiseaux à parler !

RAULET. — Que voilà de belles paroles !

RAOUL MACHUE. — C'est un très bon avis, Lubine.

LA FIANCÉE. — Hé ! mon Dieu, que vous êtes fine ! vous surpassez tous nos voisins. Dans notre cage à poussins, n'y serait-il pas tout à fait bien ?

RAOUL MACHUE. — Je crois qu'il n'y pourrait tenir : il est si grand, si fort d'épaules, si formé et si potelé, qu'à peine il y pourrait entrer !

LA FIANCÉE. — Attendez, je vais vous la montrer. *(Elle sort et revient aussitôt avec la cage.)* Pourvu que sa tête soit dedans, son nez, sa bouche avec ses dents, laissez son cul rester dehors ; cela sera bien suffisant.

RAULET.

Et puis, hay! quel chere!
N'ayes point de paour, mon varlet.
Moy, qui suis ton pere Raulet,
Et magister et Raoul Machue,
T'apprendront à parler. Il sue
De paour qu'il a; c'est grand pitié!

MAISTRE MIMIN.

Cageatus emprisonnare,
Livras non estudiare
Et latinus oubliare.
Magister non monstraverunt,
Et non recognossaverunt
Intro logea resurgant.

RAULET.

Que dit-il?

LE MAGISTER.

Il est si ardant
A estudier qu'il meurt tout.

LUBINE.

Il fault commencer par un bout.
Or sus, maistre Mimin, entrez!

RAOUL MACHUE.

Et homme de bien vous monstrez,
Et faictes ce qu'on vous conseille.

LUBINE.

Qu'il est sage! Voicy merveille:
Comme il y entre doulcement!

MAISTRE MIMIN.

Anno!

LUBINE.

Il c'est blessé l'oreille.

RAULET, *à Mimin qui regarde, apeuré, la cage*. — Eh mais ! quelle tête tu fais ! n'aie aucune crainte, mon garçon. Moi, qui suis ton père Raulet, magister et Raoul Machue, nous t'enseignerons à parler. Il sue de la peur qu'il a ; c'est grande pitié !

MAÎTRE MIMIN, *dans son latin*. — Cageatus emprisonnare, livras non estudiare et latinus oubliare. Magister non monstraverunt, et non recognossaverunt intro logea resurgant.

RAULET. — Que dit-il ?

LE MAGISTER. — Il brûle tant du désir d'étudier qu'il meurt de se faire enfermer.

LUBINE. — Il faut par un bout commencer. Allons ! maître Mimin, entrez !

RAOUL MACHUE. — Eh ! montrez-vous homme de bien, et faites ce qu'on vous conseille. *(Mimin entre dans la cage.)*

LUBINE. — Quelle sagesse ! c'est merveille : comme il y entre doucement !

MAÎTRE MIMIN. — Aïe ! ho !

LUBINE. — Il s'est blessé l'oreille.

RAULET.

Qu'il est sage ! Voicy merveille.

LE MAGISTER.

C'est une chose non pareille,
Comme il est à commandement.

LUBINE.

Qu'il est sage ! Voicy merveille :
Comme il [y] entre doulcement !

RAULET.

Magister, tout premierement,
Puis qu'en ce point assemblez sommes,
Parlons à luy entre nous hommes ;
Il me semble que c'est le mieulx.
Or parlez à luy.

LE MAGISTER.

Je le veulx.
Sans donner à aucuns nulz blasmes,
Noz parolles et ceulx des femmes,
Ce sont deux paires de boissons,
Pource que plus nous cognoissons
Et portons plus grand consequence.
Dieu t'envoit parfaicte eloquence
En beau françoys, maistre Mimin !
Or parles [...].

LA FIANCÉE.

Et non, non !
Femmes ont tousjours le regnom
De parler.

LE MAGISTER.

Trop, aucunesfoys.

LA FIANCÉE.

Nous avons trop plus doulces voix
Que ces hommes ; ilz sont trop rudes.

RAULET. — Quelle sagesse! c'est merveille.

LE MAGISTER. — C'est une chose sans pareille comme il obéit docilement.

LUBINE. — Quelle sagesse! c'est merveille: comme il y entre doucement!

RAULET. — Magister, tout d'abord, puisque ici nous sommes réunis, nous devons lui parler entre hommes; il me semble que c'est le mieux. Eh bien! parlez-lui.

LE MAGISTER, *à Raulet*. — C'est d'accord; sans vouloir blâmer personne, nos paroles et celles des femmes, c'est une autre paire de manches[33], car nous nous y connaissons mieux et nous avons plus de conséquence. *(A Mimin)* Dieu t'envoie parfaite éloquence en beau français, maître Mimin! Maintenant, parle[34].

LA FIANCÉE, *au magister*. — Non, pas vous! Ce sont toujours les femmes qui sont renommées pour parler.

LE MAGISTER. — Trop, quelquefois.

LA FIANCÉE. — Nous avons bien plus douces voix que

Un enfant qui vient des estudes
Ne ce doit point traicter tel voye.

LUBINE.

Et non, non ! Or dictes : Ma joye.
Mimin respond comme une femme : Ma joye.

LUBINE.

Ma mere, je vous crye mercy.

MAISTRE MIMIN pleure.

Ma mere, je vous crye mercy.

LUBINE.

Et mon pere Raulet aussi.

MAISTRE MYMIN.

Et mon pere Raulet aussi.

LUBINE.

Et à mon sire Raoul Machue.

MAISTRE MIMIN.

Et à mon sire Raoul Machue.
Ostez moy, ma mere, je sue.
On ne sent pas ce que je sens.

LUBINE.

N'a-il point parlé de bon sens ?
Il n'est dieutrine que de nous.

LA FIANCÉE.

Sus ! hommes ; où en estes-vous ?
Qu'il parlast pour vous, ouy, tantost !
Mais plus en deviendroit-il sot.
Or dictes : M'amye, ma mignonne…

MAISTRE MIMIN respond si cler.

Or dictes : M'amye, ma mignonne.

les hommes ; les vôtres sont trop rudes. Un enfant qui sort des études ne doit pas être traité ainsi.

LUBINE. — Et non, non ! *(A Mimin)* Eh bien ! dites : Ma joie.

MIMIN répond comme une femme : « Ma joie. »

LUBINE. — Ma mère, je vous demande grâce.

MAÎTRE MIMIN pleure. — « Ma mère, je vous demande grâce. »

LUBINE. — Pardon à mon père Raulet aussi.

MAÎTRE MIMIN. — « Pardon à mon père Raulet aussi. »

LUBINE. — Et à messire Raoul Machue.

MAÎTRE MIMIN. — « Et à messire Raoul Machue. » Tirez-moi de là, ma mère : je sue. On ne sent pas ce que je sens !

LUBINE. — N'a-t-il pas parlé sensément ? Pour l'éducation, il n'y a que nous.

LA FIANCÉE. — Allons ! les hommes, où en êtes-vous ? Vous vouliez le faire parler ? eh bien ! allez-y voir. Il en serait encore plus sot. *(A Mimin)* Or çà, dites : M'amie, ma mignonne...

MAÎTRE MIMIN répond à haute voix : « Or çà, dites : M'amie, ma mignonne. »

LA BRU.

Mon cueur et m'amour je vous donne.

MAISTRE MYMIN.

Mon cueur et m'amour je vous donne.

LA BRU.

Et à magister, du cueur fin…

MAISTRE MIMIN.

Nennin, magister c'est latin.
Je n'ose parler que françoys
Pour ma mere.

LA BRU.

A-il belle voix !
Parle-il de bon entendement !

RAULET.

C'est miracle !

RAOUL MACHUE.

C'est mon, vrayement.

LE MAGISTER.

Aussi fault-il avoir regard
Que les femmes si ont un ard
Plus que… je ne vueil point pardire.

LA BRU.

Aussi n'y a-il que redire.
Ce ne sont pas les papegays,
Les pies, les estourneaulx, les gays,
Que femmes, par leurs doulx langages,
Ne facent parler en leurs cages.
Comme ne l'eussons-nous fait parler,
Mon amy ?

LUBINE.

Il s'en fault aller.
Faictes ce tour et payez pinte.

LA FIANCÉE, *même jeu.* — Mon cœur et mon amour je vous donne.

MAÎTRE MIMIN. — « Mon cœur et mon amour je vous donne. »

LA FIANCÉE. — Et au magister, de tout cœur...

MAÎTRE MIMIN. — Non, non, « magister », c'est latin. Je n'ose plus parler que français, pour ma mère.

LA FIANCÉE. — A-t-il belle voix ! Comme il parle intelligemment !

RAULET. — C'est miracle.

RAOUL MACHUE. — C'est mon avis, vraiment.

LE MAGISTER. — Aussi nous sommes bien obligés de voir que ces femmes ont un art, plus que le dia... *(il se signe)* ; je ne veux pas en dire plus.

LA FIANCÉE. — Il n'y a pas autre chose à dire. Il n'est pas de perroquets, de pies, d'étourneaux et de geais que les femmes, par leur doux langage, ne fassent parler dans leur cage. Comment n'aurions-nous pas fait parler mon ami ?

LUBINE. — Il nous faut aller. *(A son mari)* Retournons chez nous et payez-nous à boire.

MAISTRE MIMIN sifle.

Escoutez, ma mere, je truynte
Comment un pinçon ardenoys:
Hou, hou, hou, hou, hou, hou, hou!
Je vueil chanter à plaine voix;
Les oyseaulx y chantent si bien
En cage!

RAULET le met dehors et dit:

Mon filz, vien t'en, vien.
Nous chanterons bien en allant.

MAISTRE MIMIN est dehors.

Je parle bien, bien, maintenant.

LE MAGISTER.

Il n'est ouvrage que de femme.

MAISTRE MIMIN.

Ay! mon pere, Dieu vous avant!
Je parle bien, bien, maintenant.
Allons nous en boire d'autant
Trestous. Ay! m'amye, sur mon ame,
Je parle bien, bien, maintenant.

LE MAGISTER.

Il n'est ouvrage que de femme.
Je le dy, sans que nul je blasme;
Mais pour parler ilz ont le bruit.

RAULET.

Or allons, je vueil faire ennuyt
Bonne chere à nostre maison.

MAISTRE MIMIN.

Mengerons-nous le grand oyson
Qui me becquet dessus le nez?

MAÎTRE MIMIN siffle. — Écoutez, ma mère, je siffle comme les pinsons des Ardennes : hou, hou, hou, hou, hou, hou, hou. Je veux chanter à pleine voix. Les oiseaux chantent si bien dans leur cage !

RAULET le tire de la cage et dit : Mon fils, viens-t'en, viens. Nous chanterons mieux en marchant.

MAÎTRE MIMIN est dehors. — Je parle bien, bien, maintenant.

LE MAGISTER. — Il n'est ouvrage que de femme.

MAÎTRE MIMIN. — Hé ! mon père, que Dieu nous aide ! Je parle bien, bien, maintenant. Allons-nous-en boire tous profusément. Hé ! m'amie, sur mon âme, je parle bien, bien, maintenant.

LE MAGISTER. — Il n'est ouvrage que de femme. Je le dis, sans blâmer personne ; mais pour parler elles sont renommées.

8

Ils se remettent en route, pour se rendre chez Raulet où ils fêteront la guérison de Mimin.

RAULET. — Eh bien, allons ! je veux aujourd'hui faire bonne chère dans notre maison.

MAÎTRE MIMIN. — Mangerons-nous le grand oison, celui qui me béquetait le nez ?

RAULET.

Ouy dea.

LA BRU.

Venez vous en, venez,
Que je vous meine bien, vrayement.
Mais allons trestout bellement;
Car je suis bien fort travaillée.

MAISTRE MIMIN charge sa fiancée sur son col.

Vrayement, vous en serez portée
Presentement dessus mon col.

RAULET.

Tout bellement! estes-vous fol?
Elle est tendre de sa forcelle.

MAISTRE MIMIN.

Chantez maintenant: ré, fa, sol.

LUBINE.

Tout bellement! estes-vous fol?

MAISTRE MIMIN.

Mon pere, qu'elle a le cul mol!

RAOUL MACHUE.

Si la vous plevis-ge pucelle.

LE MAGISTER.

Tout bellement! estes-vous fol?
Elle est tendre de la forcelle.

RAULET.

Or chantons en allant, la belle,
Nous trestous, bien honnestement.

LE MAGISTER.

Au moins on a bien veu comment
Femmes ont le bruyt pour parler.

RAULET. — Oui, oui.

LA FIANCÉE, *à Lubine*. — Venez-vous-en, venez; je vous aiderai comme il convient. Mais nous irons tout doucement, car je suis bien fort fatiguée.

MAÎTRE MIMIN charge sa fiancée sur ses épaules. — Bien, tout de suite je vais vous porter, vous mettant autour de mon col.

RAULET, *à Mimin*. — Tout doucement! faites-vous le fol? Elle est tendre de ses mamelles.

MAÎTRE MIMIN, *à sa fiancée*. — Chantez maintenant: ré, fa, sol.

LUBINE. — Tout doucement! faites-vous le fol?

MAÎTRE MIMIN. — Mon père, comme elle a les fesses molles [35]!

RAOUL MACHUE. — Pourtant, je vous la garantis pucelle.

LE MAGISTER. — Tout doucement! faites-vous le fol? Elle est tendre de ses mamelles.

RAULET. — Chantons donc en marchant, ma belle et nous tous, bien honnêtement.

Adresse au public.

LE MAGISTER. — Au moins on a bien vu comment les femmes sont renommées savoir parler.

RAULET.

Ce ont mon, je prens sur mon serment.
Au moins on a bien veu comment
Ilz parlent.

LE MAGISTER.

Bien legerement
Aucunesfois, sans riens celer.

RAOUL MACHUE.

Au moins on a bien veu comment
Femmes ont le bruit pour parler.

MAISTRE MYMIN.

Il suffist, il s'en fault aller.
Chantons hault à la bien allée.
Et adieu, vogue la galée!

Ilz chantent. Et fin.

RAULET. — Oui vraiment, j'en fais le serment. Au moins on a bien vu comment elles parlent.

LE MAGISTER. — Bien légèrement quelquefois, pour n'en rien cacher.

RAOUL MACHUE. — Au moins on a bien vu comment les femmes sont renommées savoir parler.

MAÎTRE MIMIN, *au public*. — Il suffit, il faut se quitter. Chantons haut pour bonne croisière ! Et adieu, vogue la galère !

Ils chantent.

VI

JENIN, FILS DE RIEN

Cette farce, d'origine normande, appartient, comme les précédentes, au recueil du British Museum. Le texte nous en est transmis par une édition faite à Lyon, « en la maison de feu Barnabé Chaussard », entre 1532 et 1550. Mais la farce est certainement plus ancienne, bien qu'il soit impossible d'en fixer la date de composition.

Jenin, fils de rien est une farce méconnue, pour ne pas dire inconnue des éditeurs modernes.

Elle a pour sujet une recherche en paternité. Jenin est un badin. Or de nombreux badins passaient pour être des « fils de prêtre ». Jenin s'informe donc auprès de sa mère pour savoir si son père ne serait pas le curé messire Jean. Elle affirme que non. Où tout se complique, c'est lorsque messire Jean, consulté par Jenin, reconnaît sans ambages qu'il est bien son père ; car, face aux dénégations de la mère et pour affirmer cette paternité, il en vient à soutenir que si la mère de Jenin prétend le contraire, c'est qu'elle n'est pas sa mère. Dès lors Jenin ne sait plus s'il est le fils de sa mère ou de messire Jean ; il n'a plus ni père ni mère. Il doute même de son existence, pour finalement conclure que, s'il existe, il est fils de rien.

Ainsi la farce est construite sur une enquête menée par un badin : enquête auprès de sa mère, enquête auprès du père ; enfin, démarche qui, pour Jenin, devrait être déterminante, enquête auprès d'un devin : hélas ! que peut-on attendre d'un charlatan ?

Parce que naïvement et malicieusement il interprète à la lettre des expressions métaphoriques, Jenin passe pour un sot ; parce qu'il transpose les faits et gestes des adultes dans son univers de badin, qu'il s'agite constamment jusqu'à mouiller sa chemise quand il se met à uriner devant nous pour satisfaire à l'enquête du devin, il passe pour un fou. Mais, à bien y regarder, ce garçon-là n'est pas loin d'être le plus sensé de tous : à bon entendeur salut !

JENIN, FILS DE RIEN

Farce nouvelle tresbonne et fort joyeuse
de JENIN FILZ DE RIEN
à quatre personnaiges; c'est assavoir:
la mere et Jenin, son filz, le prestre et ung devin.

LA MERE commence.

Quant je considere à mon filz,
Par mon serment, je suis bien aise:
Benoist soit l'heure que le fis,
Quant je considere à mon filz!
Il est en bonnes meurs confis,
Par quoy n'est rien qui tant me plaise.
Quant je considere à mon filz,
Par mon serment, je suis bien aise.
Jenin!

[JENIN.]

Hau!

LA MERE.

Ne vous desplaise,
Va, villain, va, tu ne sçais rien.

JENIN.

Dictes, ma mere, qu'on s'appaise.
Que me donnerez-vous, combien?
Une aultre foys je diray mieulx.

LA MERE.

Je te donray ce qui est mien.

JENIN.

Mais ferez donc?

Farce nouvelle, très bonne et fort joyeuse
de JENIN, FILS DE RIEN
à quatre personnages, c'est assavoir : la mère et Jenin, son fils, le prêtre et un devin.

1

La maison de Jenin (décor nu ; au centre des tréteaux). La mère de Jenin est d'abord seule ; puis Jenin entre.

LA MÈRE commence. — Quand je regarde bien mon fils, par mon serment, je suis fort aise : bénie soit l'heure où je le fis, quand je regarde bien mon fils ! Il est tout plein de bonnes mœurs ; il n'y a rien qui tant me plaise. Quand je regarde bien mon fils, par mon serment, je suis fort aise. Jenin !

2

JENIN, *vêtu en badin : longue jaquette et, sur la tête, un large bonnet garni d'un plumet ; il s'avance avec un air lourdaud.* — Ho !

LA MÈRE, *choquée de cette exclamation cavalière.* — Ne vous déplaise, petit paysan, va, tu ne sais rien.

JENIN. — Dites, ma mère, faut qu'on s'apaise. Me donnerez-vous quelques sous, combien ? Une autre fois, je parlerai mieux.

LA MÈRE. — Je te donnerai ce que j'ai.

JENIN. — Vous me le donnerez donc ?

LA MERE

Ouy, semy Dieux,
Jenin.

JENIN.

Hau, hau!

LA MERE.

Vecy beaulx jeulx!
Ne sçauriez-vous dire aultre chose?
Or dictes aultrement, ma rose.

JENIN.

Dictes moy donc que je diray.

LA MERE.

Dictes: que vous plaist?

JENIN.

Je le feray,
Puis que je sçais bien comme c'est.

LA MERE.

Jenin, Jenin!

JENIN.

Hau, hau! c'ou plest?
Je l'avoys desja oublié.

LA MERE.

De fievres soyes-tu relié!
En ta vie tu ne sçauras rien.
Il te fault apprendre du bien,
Et aussy te mettre en la colle
D'aller de bref en quelque escolle
Pour sagement respondre aux gens.

JENIN.

Ouy, cheux mon pere, messire Jehans.
G'y veulx aller l'aultre sepmaine.

LA MÈRE. — Oui, pardieu ! Jenin.

JENIN. — Ho, ho !

LA MÈRE. — Le jeu recommence ! Ne sauriez-vous dire autre chose ? Eh ! parlez autrement, ma rose.

JENIN. — Dites-moi donc ce que je dirai.

LA MÈRE. — On dit : que vous plaît-il ?

JENIN. — Je le ferai, puisque je sais bien ce que c'est.

LA MÈRE. — Jenin, Jenin !

JENIN. — Ho, ho ! *(Se reprenant)* Quoi qui vous plaît[36] ? Je l'avais déjà oublié.

LA MÈRE. — Puisses-tu être accablé de fièvre ! Dans ta vie, tu ne sauras rien. Il te faut apprendre de l'utile et te mettre en disposition d'aller bientôt en quelque école pour bien savoir répondre aux gens.

JENIN. — Oui, chez mon père, notre curé messire Jean. Je veux y aller la semaine prochaine.

LA MERE.

Et il est, ta fievre quartaine!
Ton pere! qui le t'a dit?

JENIN.

Par Dieu, voyla ung beau deduyt!
Se vous est ung grant vitupere,
Dictes moy donc qui est mon pere.

LA MERE.

Ma foy, je ne le congnois point.

JENIN.

Quoy! vecy ung merveilleux point,
Que mon pere ne congnoissez!
Qui le sçait donc?

LA MERE.

Tant de procès!
T'ai-ge pas dit que n'en sçais rien?

JENIN.

Qui sera doncques le mien?
Plust à Dieu que se fust le prestre!

LA MERE.

Tu n'es que ung fol.

JENIN.

Il peult bien estre;
Par Dieu, aussy on le m'a dit.
Qui estoit donc en vostre lict
Couché avec vous quant (je) fus faict?
Je seroys doncques imparfaict,
Se quelque ung ne m'eust engendré.
Dictes moy comment j'entendray
Que soyes filz de vous seullement.

LA MERE.

Jenin, je te diray comment:
Une foys je m'estoys couchée

LA MÈRE. — Que tu aies la fièvre quartaine ! Ton père, lui ! qui te l'a dit ?

JENIN. — Pardieu, voilà bien de quoi rire ! Mais si c'est fort vous avilir que je sois le fils d'un prêtre, dites-moi donc qui est mon père.

LA MÈRE. — Ma foi, je ne le connais pas.

JENIN. — Quelle chose extraordinaire, que vous ne connaissiez pas mon père ! Qui le sait donc ?

LA MÈRE. — Que de discours ! Ne t'ai-je pas dit que je n'en sais rien ?

JENIN. — Qui dès lors sera donc le mien ? Plût à Dieu que ce fût le prêtre !

LA MÈRE. — Tu n'es qu'un fol.

JENIN. — Ce peut bien être ; pardieu ! on me l'a déjà dit. Qui était donc dans votre lit couché avec vous quand je fus fait ? Je serais donc fort imparfait, si personne ne m'eût engendré. Dites-moi comment je comprendrai que je sois fils de vous seulement ?

LA MÈRE. — Jenin, je te dirai comment : une fois que je

Dessus mon lict toute chaulsée.
Mais je sçays bien, en bonne foy,
Qu'il n'y avoit ame que moy.

JENIN.

Comment doncques fus-je conceu ?

LA MERE.

Je ne sçay, car je n'apperceu,
Affin que plus tu n'en caquette,
Entour moy fors une jacquette
Estant sur moy et ung pourpoint.

JENIN.

Tant vecy ung merveilleux point,
Que je suis filz d'une jacquette !
Sur ma foy, je ne le croys point,
Tant vecy ung merveilleux point.
Vrayement, se seroit mal appoint
Que la chose fust ainsi faicte.
Tant vecy ung merveilleux point,
Que je suis filz d'une jacquette !

LA MERE.

En ton blason rien tu n'aquette.
Ne croys-tu point que soyes mon filz ?

JENIN.

Entendre ne puis qui je suis.
Je seroys doncques filz de layne ?

LA MERE.

Tu me donne beaucoup de peine.
Je le dis sans plus de procès :
Tu es mon filz.

JENIN.

Ilz sont passez !
Il fault bien que aulcun me ait brassé.
Mais que teniez-vous embrassé
Quant je fus faict ?

m'étais couchée au-dessus du lit tout habillée. Mais je sais bien, en bonne foi, qu'il n'y avait personne que moi.

JENIN. — Comment donc fus-je ainsi conçu ?

LA MÈRE. — Je ne sais, car je n'aperçus, pour que tu te taises et n'en caquettes, autour de moi qu'une jaquette, étendue sur moi, avec un pourpoint.

JENIN. — Quelle chose extraordinaire, que je sois fils d'une jaquette ! Sur ma foi, je ne le crois guère, tant c'est chose extraordinaire. Vraiment, ce serait mal à propos que la chose fût ainsi faite. Quelle chose extraordinaire, que je sois fils d'une jaquette !

LA MÈRE. — Tu ne gagnes rien à discourir. Ne crois-tu pas que tu es mon fils ?

JENIN. — Je ne puis comprendre qui je suis. Mon père serait donc fabriqué en laine ?

LA MÈRE. — Tu me causes beaucoup de peine. Je te le dis sans discussion : tu es mon fils.

JENIN. — A d'autres ! Il faut bien qu'un homme m'ait brassé. Mais que teniez-vous embrassé quand je fus fait ?

LA MERE.

Une jacquette.

JENIN.

Vrayement doncques, sans plus d'enqueste,
Une jacquette, c'est mon pere.

LA MERE.

Et non est, non, elle ne l'est point.

JENIN.

Sur ma foy donc, c'est le pourpoint
Et la jacquette tout ensemble.
Dictes moy auquel je resemble,
Ma mere, puis que vous les veistes.
Il fault à ceste heure que dictes :
Mon pere estoit-il blanc ou rouge ?
Je le sçauray devant que bouge.

LA MERE.

Tu n'estz filz de l'ung ne de l'autre.

JENIN.

Si suis-ge le filz à quelque aultre.
Dieu sache lequel se peult estre !
Une foys ce n'est point le prestre :
Je le sçay bien, vous l'avez dit.
Oultre plus, vous m'avez desdit
Que ce ne fust point la jacquette
Ne le pourpoint. Je suis donc beste !
Par ma foy, vous le me direz,
Ou, par don, vous escondirez
Ung des bons amys que ayez point.
Puis que ce ne fust le pourpoint,
Je le sçay bien, se sont les manches
Que vous trouvastes sur voz hanches
Se pendant que vous vous dormiez.

LA MERE.

Sur ma foy, tu es bien nyays.

LA MÈRE. — Une jaquette.

JENIN. — Vraiment donc, je laisse là l'enquête : une jaquette, c'est mon père.

LA MÈRE. — Mais non, non, elle ne l'est point.

JENIN. — Sur ma foi donc, c'est le pourpoint et la jaquette tout ensemble. Dites-moi auquel je ressemble, ma mère, puisque vous les avez vus. Il faut maintenant me le dire. Mon père était-il blanc ou rouge ? Je le saurai avant que je bouge.

LA MÈRE. — Tu n'es fils de l'un ni de l'autre.

JENIN. — Alors je suis fils de quelque autre. Dieu sache lequel ce peut être ! Cette fois, ce n'est pas le prêtre ; je le sais, vous l'avez affirmé. Et de plus, vous avez nié que ce pût être la jaquette, ou le pourpoint. Je suis donc une bête ! Par ma foi, vous me le direz, ou alors vous éconduirez un des bons amis que vous ayez. *(Il montre la maison du prêtre, messire Jean, qui vient de paraître à l'autre bout des tréteaux.)* Puisque ce ne fut pas le pourpoint, je le sais bien, ce sont les manches que vous avez trouvées sur vos hanches alors que vous vous endormiez.

LA MÈRE. — Sur ma foi, vit-on plus grand niais ! Les

Les manches ! non furent, par Dieu ;
Car je ne trouvay en ce lieu
Dessus moy sinon la despouille.

JENIN.

Comment avoyent-ilz une couille ?
Sur ma foy, c'est bien à propos :
Bona dies, magister Campos !

LE PRESTRE.

Dieu te gard, mon valletonnet !
Coeuvre toy, coeuvre.

JENIN.

Mon bonnet
Est bien ainsi dessus ma teste.

LE PRESTRE.

Coeuvre toy, tant tu es honneste
Pour servir quelque grant seigneur !

JENIN.

Je ne fais rien que mon honneur ;
J'ay ainsi apprins ma leçon.

LE PRESTRE.

Tu es assez gentil garson.
Or çà, qu'esse que tu demande ?

JENIN.

Mon Dieu, que vostre chose est grande !
Et la mettez-vous là dedans ?

LE PRESTRE.

N'y touche pas.

JENIN.

A-elle des dens ?
Me mordroit-elle se g'y touchoys ?

manches ! mais non, pardieu ! car je n'ai trouvé en ce lieu sur moi que des manches vides, rien qu'une pauvre dépouille.

JENIN. — Oui, mais avaient-elles des couilles ?

3

Dans la rue, près de la maison de Jenin et de celle du prêtre.

JENIN, *se dirigeant vers le prêtre.* — Sur ma foi, c'est bien à propos. *(Mettant la main à son bonnet, comme s'il allait le retirer pour saluer le prêtre)* Bonjour, maître Jean du Campos[37] !

LE PRÊTRE. — Dieu te garde ! mon garçonnet. Couvre-toi, couvre.

JENIN, *gardant la main à son bonnet.* — Mon bonnet est bien ainsi dessus ma tête.

LE PRÊTRE. — Couvre-toi. Tu es trop honnête ! tu pourrais servir quelque grand seigneur.

JENIN. — Je ne fais rien que pour mon honneur ; et j'ai bien appris ma leçon.

LE PRÊTRE. — Tu es un fort gentil garçon. Or çà, qu'est-ce que tu demandes ?

JENIN, *montrant, avec équivoque, l'étui de l'écritoire qui pend, près du bas-ventre, sur la robe de messire Jean.* — Mon Dieu, que votre chose est grande ! Et la mettez-vous là-dedans ? *(Il s'apprête à tâter les chausses du prêtre.)*

LE PRÊTRE. — N'y touche pas.

JENIN. — A-t-elle des dents ? Me mordrait-elle si j'y touchais ?

LE PRESTRE.

Dea, tu es ung enfant de choys.
Mais es-tu fol ? comme tu saulte !

JENIN.

Jesus, que ceste maison est haulte !
Vertu sainct Gris ! s'el trebuchet,
Je seroys prins au tresbuchet.

LE PRESTRE.

Tu seroys mort, mon enfant doulx.

JENIN.

Dea, je me mettroys dessoubz vous,
Et vous recepveriez le coup.

LE PRESTRE.

Je te supply, dy moy acoup
Qui t'amayne par devers moy ?

JENIN.

Par ma conscience, je ne sçay ;
Mais s'a esté ma sotte mere
Qui m'a dit que (je) n'ay point de pere.
Et pourtant le povre Jenin
C'est voulu mettre par chemin,
Cherchant de recouvrer ung pere.

LE PRESTRE.

Par ma foy, où qu'en soit la mere,
Mon amy, vous estes mon filz ;
Car oncques puis que je vous feis,
Ne me trouvay jamais plus aise.

JENIN.

Or çà doncques, que je vous baise.
Noel ! Noel ! je l'ay trouv[é] ;
Vecy celuy qui m'a couvé.
Ma mere ne le congnoist point.
Je ne suis plus filz d'ung pourpoint ;

LE PRÊTRE. — Diable ! tu es un enfant de choix. *(Jenin se met à sauter)* Mais es-tu fou ? comme tu sautes !

JENIN. — Jésus ! que cette maison est haute ! Vertu saint Gris[38] ! si elle s'écroulait, je serais pris au trébuchet.

LE PRÊTRE. — Tu serais mort, mon doux enfant.

JENIN. — Diable ! je me cacherais sous vous, et vous recevriez le coup.

LE PRÊTRE. — Je t'en supplie, promptement dis-moi ce qui t'amène par devers moi.

JENIN. — En toute conscience, je ne sais pas. Mais ç'a été ma sotte mère qui m'a dit que je n'ai pas de père. C'est pourquoi le pauvre Jenin a voulu se mettre en chemin, et cherche à recouvrer un père.

LE PRÊTRE. — Par ma foi, où que soit la mère, mon ami, vous êtes mon fils. Jamais depuis que je vous fis, je ne me suis trouvé plus aise.

JENIN, *se précipitant pour l'embrasser*. — Or çà donc, il faut que je vous baise. Noël ! Noël[39] ! je l'ai trouvé ; voici celui qui m'a couvé. Ma mère ne le connaît point. Je ne suis plus fils d'un pourpoint ; maintenant c'est un

Maintenant il est tout notoire.
Que vous avez belle escriptoire!
Je vous supplye, donnez la moy.
Vecy mon pere, par ma foy,
Velecy en propre personne!

LE PRESTRE.

Tenez, mon filz, je la vous donne,
Affin que apprenez à escripre.

JENIN.

Dea, dea! vous ne voulez dire,
Ma mere, qui est mon papa!

LA MERE.

Par sainct Jehan, oncques n'en frappa
Ung seul coup tant seullement.

JENIN.

Frapper?

LA MERE.

Se ne fist mon, vrayement.
Le villain qu'il est et infame,
Me vient-il faire ce diffame,
De dire que je soye prestresse?
A! par Dieu, avant que je cesse,
Je metz qu'il s'en repentira;
Et, s'il me croyt, il s'en ira
Avant qu'il y ayt plus de plet.
Combien a-il payé de lect
En sa vie pour vous nourrir?
J'aymeroys plus cher mourir
Que d'endurer tel vitupere,
De dire qu'il soit vostre pere.
Ne m'en viegne parler jamais!

LE PRESTRE.

Et sur ma foy, Dame! je metz
Ma vie qu'il est mon enfant.

fait notoire. *(Reprenant son approche de l'écritoire)* Que vous avez belle écritoire ! Je vous en supplie, donnez-la moi.

4

Retour instantané à la maison de Jenin ; messire Jean accompagne Jenin.

JENIN, *à sa mère.* — Voici mon père, par ma foi, le voici en propre personne !

LE PRÊTRE, *lui remettant son écritoire.* — Tenez, mon fils, je vous la donne pour que vous appreniez à écrire.

JENIN. — Vraiment, vous ne voulez pas dire, ma mère, qui est mon papa ?

LA MÈRE, *tournée vers le prêtre.* — Saint Jean, jamais il ne frappa de sa lance un seul petit coup.

JENIN. — Frapper ?

LA MÈRE. — Non, vraiment, rien du tout. Le rustre qu'il est et infâme, vient-il pour me lancer ce blâme, de dire que je suis femme de prêtre ? Ah ! pardieu, avant que je n'arrête, j'affirme qu'il s'en repentira ; et, s'il me croit, il s'en ira avant qu'on n'en parle davantage. Combien de lait a-t-il payé en sa vie afin de vous nourrir ? J'aimerais beaucoup mieux mourir que d'endurer une telle injure, de dire qu'il est votre père. Qu'il ne m'en vienne parler jamais !

LE PRÊTRE. — Sur ma foi, Notre-Dame, je jure que

Par Dieu, je seroys bien meschant
De le dire, s'il n'estoit vray.

JENIN.

Aussy, mon pere, je vous suyvray
Par tous les lieux où vous yrez.

LA MERE.

Par Dieu, Jenin, vous mentirez.
Il n'est pas vostre pere, non.

JENIN.

Dictes moy [donc] comment a nom
Mon pere, et je l'yray chercher.

LE PRESTRE.

Par ma foy, c'est moy, mon filz cher;
N'en faictes jamais nulle doubte.

JENIN.

Ma mere m'a pinché le coulte
Et me dit que c'est menterie.
Se eust esté grande reverie
Que ma mere si m'eust conceu
Sans qu'el ne vous eust apperceu.
Dea, si fault-il que j'ayes ung pere!
Je n'en sçay que dire, ma mere,
A mon cuyder qu'il a rayson.

LA MERE.

Jenin, ne croys point son blason.
Ce ne seroit pas ton honneur
D'aller dire que ung tel seigneur
Comme cestuy cy fust ton pere.
Mais trop bien qu'il en fust compere,
A cela je ne metz debat.

JENIN.

N'esse pas icy bel esbat,
Sur ma foy, se vous ne me dictes

celui-ci est mon enfant. Pardieu, je serais bien méchant de le dire, si ce n'était vrai.

JENIN. — Aussi, mon père, je vous suivrai par tous les lieux où vous irez.

LA MÈRE. — Pardieu, Jenin, vous mentirez en le faisant croire votre père. Il n'est pas votre père, non.

JENIN. — Dites-moi donc quel est le nom de mon père, et j'irai le chercher.

LE PRÊTRE. — Par ma foi, c'est moi, mon cher fils; n'en ayez jamais aucun doute.

JENIN. — Ma mère m'a pincé le coude, et me dit que c'est menterie. C'eût été grande rêverie que ma mère-ci m'eût conçu sans qu'elle vous eût aperçu! Diable! il faut bien que j'aie un père! Je n'en sais que dire, ma mère, mais je pense qu'il a raison.

LA MÈRE. — Jenin, n'écoute pas ses sermons. Ce ne serait pas ton avantage d'aller dire qu'un tel personnage, comme cet homme-ci, fut ton père. Mais qu'il ait été ton parrain, cela je le reconnais très bien.

JENIN. — N'y a-t-il pas de quoi se divertir, croyez-moi, si vous ne pouvez me dire quel homme ce fut que

Quel homme ce fust que veistes
Qui feist ma generation?
Je puisse souffrir passion,
Se ne dys que c'est cestuy cy!

LE PRESTRE.

A! par ma foy, il est ainsy.
Ce qu'elle dit, c'est pour excuse.
Ne la croyez, elle vous abuse:
Moy mesmes je vous ay forgé.

JENIN.

De rire je suis esgorgé.
Forgé! estes-vous mareschal?
Allez donc ferrer ung cheval,
Et vous y ferez voz pourfitz.
Je ne seray plus vostre filz;
Allez chercher qui le sera.

LE PRESTRE.

Ma foy, on s'i opposera,
Se voulez dire que non soit.

LA MERE.

Qui esse qui mieulx que moy le scet?
Sur mon ame, non est, Jenin.

JENIN.

Je m'en veulx aller au devin,
Affin qu'il me donne à congnoistre
Se je suis filz d'elle ou du prestre.
Ma mere, le voulés-vous mye?
Si sçayray, quant fustes endormye,
Qui estoit avec vous couchée.

LA MERE.

Pense-tu qu'il me ayt attouchée?
Cela ne le croyez jamais.
Qu'il vous ayt faict, non a. Mais,
Sur ma foy, bien veulx qu'on demande

vous vîtes, qui causa ma génération ? J'accepte de souffrir la passion, si je ne dis pas que c'est lui ! *(Il montre le prêtre.)*

LE PRÊTRE. — Ah ! par ma foi, c'est bien ainsi. Ce qu'elle dit, c'est pour excuse. Ne la croyez pas, elle vous abuse ; c'est moi-même qui vous ai forgé.

JENIN. — J'en ai la gorge coupée de rire ! Comment ? forgé ! êtes-vous maréchal ferrant ? Allez donc ferrer un cheval, vous en tirerez grand profit. Mais moi, je ne serai plus votre fils ; allez chercher qui le sera.

LE PRÊTRE. — Ma foi, je ferai opposition, si c'est le contraire que vous prétendez.

LA MÈRE. — Qui est-ce qui mieux que moi le sait ? Sur mon âme, il ne l'est pas, Jenin.

JENIN. — Je vais aller voir le devin, afin qu'il me fasse connaître si je suis fils d'elle ou du prêtre. *(A sa mère)* Le voulez-vous, je vous en prie ? Je saurai ainsi, lorsque vous étiez endormie, qui était avec vous couché.

LA MÈRE. — Penses-tu qu'il m'ait attouchée ? Cela, ne le croyez jamais. Non, ce n'est pas lui qui vous a fait.

Ung devin et qu'on luy demande
Comme il est de ceste matiere.

JENIN.

Par Dieu, je le veulx bien, ma mere.

LE PRESTRE.

Je le veulx bien semblablement.
Sus, Jenin, courez vistement;
Allez tost le devin querir.

JENIN.

Je le voys donc faire venir
Pour nous juger ceste matiere.

LE DEVIN.

Sus, bonnes gens, arriere, arriere!
Gardez que vous ne soyez mors.
Ho! malle beste, qu'el est fiere!
Sus, bonnes gens, arriere, arriere!
Elle est d'une horrible maniere.
Fuyez trestous, vous estes mors.
Sus, bonnes gens, arriere, arriere!
Gardez que vous ne soyez mors.
Voyez, el veult saillir dehors.
La voyez-vous, la malle beste?
Regardez comme elle a le corps.
Quels petis yeulx et quelle teste!
Et pourtant qu'elle est deshonneste!
Je la veulx rebouter dedans.
Or je voy bien qu'il est grant temps
Que je vous dye qui me amaine.
De vous apporter j'ay mis paine
Une drogue moult salutaire.
Il n'est pas temps de le vous taire:
El vault pour plusieurs malladies.
Oultre plus, il fault que je dies
De quel science je me mesle.
S'il y avoit quelque fumelle
Qui ne peust avoir des enfans,

Mais, sur ma foi, oui, je veux bien qu'on aille chercher un devin, et qu'on lui demande ce qu'il en est de tout cela.

JENIN. — Pardieu, je le veux bien, ma mère.

LE PRÊTRE. — Je le veux bien, semblablement. Sus! Jenin, courez rapidement; allez vite chercher le devin.

JENIN. — Je vais donc le faire venir pour qu'il juge de cette affaire. *(Il sort par le rideau de fond. La mère et le prêtre restent discrètement dans un coin des tréteaux.)*

5

Une rue, à gauche, que parcourt le devin pour vendre ses onguents. Il est vêtu d'une longue robe noire et a, sur la tête, le chapeau doctoral. Outre sa « marchandise » et une écuelle pour l'examen des urines, il tient dans une cage une petite bête.

LE DEVIN, *entrouvrant la cage et montrant au public la tête de la bête.* — Sus! bonnes gens, arrière, arrière! Prenez garde d'être mordus. Ho! méchante bête, quel féroce caractère! Sus! bonnes gens, arrière, arrière! Elle est d'une horrible manière. Fuyez tous, ou vous êtes morts. Sus! bonnes gens, arrière, arrière! Prenez garde d'être mordus. Voyez, elle veut bondir dehors. La voyez-vous, la méchante bête? Regardez comme elle a le corps. Quels petits yeux et quelle tête! Aussi, comme elle est malhonnête! Je veux la remettre dedans. Or, je vois bien qu'il est grand temps que je vous dise ce qui m'amène. Je vous apporte à grande peine une drogue fort salutaire. Il n'est pas temps de vous le taire: elle vaut pour plusieurs maladies. De plus, il faut que je vous dise de quelle science je me mêle. S'il y avait quelque femelle qui ne pût avoir des enfants, j'ai des onguents si échauffants, et

J'ay oingnemens si eschauffans,
Et d'une huylle si tresfort chaulde,
Et fusse Margot ou [r]ibaulde,
Elle sera incontinent prains;
Et si luy froteray les rains
D'huylle si bonne et si utille
Qu'elle portera filz ou fille.
Et si me vante, sans abus,
De juger eaulx, car j'en suis maistre:
A plusieurs j'ay faict apparoistre
Mon habileté et science.

JENIN.

Ho! je cuide, par ma conscience,
Que c'est cestuy que je viens querre.
Ma mere m'envoye grant erre,
Par Dieu, monsieur, pour vous querir,
Affin que je viegne enquerir
Et sçavoir à qui je suis filz.

LE DEVIN.

Mon amy, je vous certiffie
Que vous estes filz de vostre pere.

JENIN.

Dea, monsieur, je sçais bien que voire;
Mais je ne sçay si c'est ung prestre.

LE DEVIN.

En bonne foy, il peult bien estre
Que ce soit il. Mais on voirra;
Car premierement il fauldra
Juger ton pere à ton urine.
Si congnoys-je bien à ta mine
Que tu es filz bien entendu.

JENIN.

Nous avons cy trop attendu.
Par Dieu, ma mere me batra;

une huile qui est si fort chaude que, fût-elle Margot ou ribaude [40], elle sera grosse sur-le-champ ; et je lui frotterai les reins d'une huile si bonne et si utile qu'elle portera garçon ou fille. Je me vante aussi, sans orgueil, de juger les urines, et j'y suis passé maître : à bien des gens j'ai fait paraître mon habileté et ma science.

6

JENIN, *revenant et apercevant le devin*. — Oh ! je crois, sur ma conscience, que c'est lui que je viens chercher. *(S'adressant au devin)* Ma mère m'envoie en grande hâte, pardieu ! monsieur, pour vous chercher, afin que je puisse m'informer et savoir de qui je suis le fils.

LE DEVIN. — Mon ami, je vous certifie que vous êtes fils de votre père.

JENIN. — Diable ! monsieur, je sais bien que oui ; mais je ne sais pas si c'est un prêtre.

LE DEVIN. — En bonne foi, il peut bien être que ce soit lui. Mais on verra ; car premièrement il faudra juger ton père à ton urine. Déjà, je vois bien à ta mine que tu es fils bien avisé.

JENIN. — Nous avons ici trop tardé. Pardieu ! ma mère me battra ; pourtant je sais bien qu'elle sera bien joyeuse

Et si sçais-je bien qu'el sera
Bien joyeuse mais qu'el vous voye.

LA MERE.

Jenin est longuement en voye;
Je ne sçay quant il reviendra.

LE PRESTRE.

On verra qu'il en adviendra,
Se une foys il puist revenir.

JENIN.

Ma mere nous voit bien venir;
Je croy qu'el soit en la maison.

LA MERE.

Ha! vrayement, il est grant saison
Que tu en soyes revenu.

JENIN.

Ma mere, le vecy venu.
Ne faictes que chercher monnoye.

LA MERE.

Ha! monseigneur, Dieu vous doint joye!
Vous soyez le bien arrivé!

LE DEVIN.

Par devers vous j'ay prins la voye.

LE PRESTRE.

Ha! monseigneur, Dieu vous doint joye!

LE DEVIN.

Il fault qu'à vostre cas pourvoye,
Sans que plus y ayt estrivé.

LA MERE.

Ha! monseigneur, Dieu vous doint joye!
Vous soyez le bien arrivé!

lorsqu'elle vous verra. *(Ils se mettent en route et se dirigent vers la maison de Jenin.)*

7

Maison de Jenin.

LA MÈRE, *à messire Jean.* — Jenin est parti depuis longtemps ; je ne sais quand il reviendra.

LE PRÊTRE. — On verra ce qu'il en adviendra, si un jour il peut revenir.

8

JENIN, *au devin.* — Ma mère nous aperçoit venir ; je vois qu'elle est dans la maison.

LA MÈRE, *à Jenin.* — Ah ! vraiment, il était grand temps que tu sois enfin revenu.

JENIN. — Ma mère, le voici venu. Vite, préparez la monnaie.

LA MÈRE. — Ah ! monseigneur, Dieu vous donne joie ! Soyez chez nous le bienvenu.

LE DEVIN. — Vers vous je me suis mis en voie.

LE PRÊTRE. — Ah ! monseigneur, Dieu vous donne joie !

LE DEVIN. — Il faut qu'à ce cas je pourvoie, sans qu'il soit longtemps débattu.

LA MÈRE. — Ah ! monseigneur, Dieu vous donne joie ! Soyez chez nous le bienvenu. *(Montrant messire Jean)*

Ce fol icy a controuvé
Que c'estoit icy son garson.
Et pour la cause nous cherchon
Que vous nous direz verité.
Et vous ferez grant charité;
Aussy vous sera desservy.

LE DEVIN.

Sur mon serment, oncques ne vy
Homme qui mieulx à luy ressemble.

JENIN.

Par mon serment, ma mere tremble
De pour que ce ne soit mon pere.

LA MERE.

Et monseigneur, je n'en ay que faire.
Toutesfoys, il n'est pas à luy.

LE PRESTRE.

Si est, par Dieu.

JENIN.

Elle a menty.
Et comment le sçais-je pas bien!
Je seroys doncques filz d'ung chien?
Sur ma foy, il est bon à croire.

LE PRESTRE.

Il est mon filz.

JENIN.

Par ma foy, voire,
Il m'a donné son escriptoire.

LE DEVIN

Pour congnoistre en bref memoire
S'il est son filz ou comment,
Il fault que pisses vistement
Maintenant dedans ceste escuelle.

Ce fou-ci a imaginé que c'était ici son garçon. Et c'est pourquoi nous attendons que vous nous disiez la vérité. Vous nous rendrez là grand service ; *(montrant sa bourse)* aussi serai-je votre débitrice.

LE DEVIN, *examinant messire Jean, puis Jenin.* — Je le jure, je ne vis jamais un homme qui mieux lui ressemble.

JENIN. — Je le jure, ma mère tremble de peur que ce ne soit mon père.

LA MÈRE, *au devin.* — Monseigneur, je n'en ai que faire. Mais j'affirme qu'il n'est pas à lui.

LE PRÊTRE. — Il l'est, par Dieu !

JENIN. — Elle a menti. Comment ne le sais-je pas bien ! Sinon, je serais fils d'un chien, Sur ma foi *(montrant le prêtre)*, c'est lui qu'il faut croire.

LE PRÊTRE. — Il est mon fils.

JENIN. — Par ma foi, oui vraiment : il m'a donné son écritoire.

LE DEVIN. — Pour connaître rapidement s'il est son fils ou ne l'est pas, *(à Jenin)* il faut que tu pisses vitement maintenant, là, dans cette écuelle. *(Il la lui tend.)*

JENIN.

A quoy faire?

LE DEVIN.

La cause est telle,
Pour congnoistre à qui tu es filz.

JENIN.

Ma mere la tiendra, vresbis,
Ce pendant que je pisseray.
Et s'il plaist à Dieu, je seray
Le filz mon pere messire Jehans.

LA MERE.

Pisseras-tu devant les gens?
Qu'esse cy! n'as-tu point de honte?

JENIN.

Ouy, par ma foy, j'en tiens bien compte.
Pourquoy? ma broquette est tant belle!
Dictes, emplirai-ge l'escuelle?
Jesus, que mon pissat est chault!
Le dyable y soit! levez plus hault:
El m'a faict pisser en mes chaulses.

LA MERE.

Item, veulx-tu que je la haulses?

JENIN.

Et ouy, j'ay gasté ma chemise.

LE DEVIN.

Or çà, il est temps que j'advise
A la congnicion du faict.
Je n'y puis juger en effect.
Toutesfoys l'uryne est fort clere,
Par quoy congnois que c'est sa mere;
Mais de son pere ne sçais point.

JENIN. — Pour quoi faire?

LE DEVIN. — La chose est telle, pour connaître de qui tu es le fils.

JENIN. — Ma mère la tiendra, pardi! pendant le temps que je pisserai. Et s'il plaît à Dieu, je serai le fils de mon père messire Jean.

LA MÈRE. — Pisseras-tu devant les gens? Qu'est-ce que c'est! n'as-tu pas honte?

JENIN. — Si, par ma foi, j'en tiens bien compte. Mais quoi! ma quéquette est si belle! *(Il urine dans l'écuelle que tient sa mère.)* Dites, faut-il emplir l'écuelle? Jésus, que mon pissat est chaud! Le diable y soit! levez plus haut: elle m'a fait pisser dans mes chausses.

LA MÈRE. — Eh bien! veux-tu que je la hausse?

JENIN. — Et oui; j'ai souillé ma chemise.

LE DEVIN, *prenant l'écuelle*. — Or çà, il est temps que j'avise à connaître ce qu'il en est. *(Il examine l'urine.)* Réellement, je n'en puis juger. Cependant l'urine est fort claire. De là je vois qu'elle est sa mère; mais de son père, je ne sais point.

JENIN.

Au moins ce n'est pas le pourpoint,
De quoy ma mere m'a parlé ?

LE DEVIN.

Le pourpoint ? c'est bien flajollé,
Pour avoir parfaicte evidence
De ton pere et la congnoissance.
Et pour bien juger ton urine
Qui est clere comme verrine,
Il peult bien estre, par ma foy,
Ton pere ; pourtant je ne sçay.
Je voy ung signe, que vela,
Qui tourne deça dela,
Qui me faict dire l'opposite.

JENIN.

Je vous pries, monseigneur, que dicte
Que c'est mon pere que vecy.

LE DEVIN.

Te tairas-tu point ? qu'esse cy !

JENIN.

Dea, je n'en feray rien, beau sire.
Vous fault-il maintenant desdire ?
Vous avez dit que c'est mon pere.

LE DEVIN.

Et que sçais-je ? Laisse moy fere,
Ou, par Dieu, je diray que non.

LE PRESTRE.

Je vous supplie, maistre Tignon,
Jugés en à vostre conscience.

LE DEVIN.

Faictes donc ung peu de silence ;
Car vous me troublés la memoire.
Il est son filz ; non est encore ;

JENIN. — Au moins, ce n'est pas le pourpoint dont ma mère m'avait parlé ?

LE DEVIN. — Le pourpoint ? c'est bien plaisanté pour savoir avec évidence parfaitement qui est ton père. Et en jugeant bien ton urine, qui est claire comme une vitrine, *(désignant messire Jean)* il peut bien être, par ma foi, ton père ; pourtant je ne sais pas. Je vois à l'endroit que voilà, un signe qui tourne deçà delà et qui me fait dire le contraire.

JENIN. — Je vous prie, monseigneur, de dire que mon père c'est celui-ci.

LE DEVIN. — Ne te tairas-tu pas ? qu'est-ce ci !

JENIN. — Diable ! je n'en ferai rien, beau sire. Pourquoi maintenant vous dédire ? Vous avez dit que c'est mon père.

LE DEVIN. — Et que sais-je ? Laisse-moi faire ou, par Dieu, je dirai que non.

LE PRÊTRE. — Je vous supplie, maître Tignon, jugez-en à votre conscience.

LE DEVIN. — Faites donc un peu de silence, car vous me troublez la mémoire. Il est son fils ; non pas encore ;

Et, par Dieu, encor on ne sçait.
Pour au certain parler du faict,
Je croy bien qu'il est filz du prestre.
Vecy qui le donne à congnoistre :
Tousjours suyst le prestre ; et sa mere,
Il la laisse tousjours derriere.
Et pour ces causes je concludz,
Omnibus evidentibus,
Que Jenin est filz messire Jehan,
En la presence de ses gens,
Et n'est point le filz de sa mere.

LA MERE.

Le dyable y soit ! c'est à reffaire.
Par sainct Jehan, sire, vous mentez.
De quoy esse que vous dementez ?
Vous estes ung devin d'eaue doulce.
Si fault, par Dieu, que je vous touche,
De cela je vous fairé taire.

LE DEVIN.

Or attendez ; bien se peult faire
Que j'ay failly par advanture.
Vostre face, de sa nature,
Ressemble à celle de Jenin.

LA MERE.

Est-il mon filz ?

JENIN.

Par Dieu, nennin.
Ouy dea, attendez à demain.
Ma foy, je ne vous ayme grain.
Messire Jehan j'ayme bien mieulx.
Dea, c'est mon pere, se m'ayst Dieulx,
Vous m'avez beau faire des mynes.

LE DEVIN.

Or paix ! il fault que je devines.
Je ne veulx plus voz eaulx juger ;

et, par Dieu ! que peut-on savoir ? Pour parler sûrement du fait, je crois bien qu'il est fils du prêtre. Voici ce qui donne à le croire : il marche toujours en le suivant[41], tandis que sa mère, il la laisse toujours derrière. En conséquence je conclus, omnibus evidentibus, en la présence de tous ces gens, qu'il est le fils de messire Jean et n'est pas le fils de sa mère.

LA MÈRE. — Que diable ! il faut recommencer. *(Au devin)* Par saint Jean, maître, vous mentez. De quoi est-ce que vous vous mêlez ? Vous n'êtes qu'un devin d'eau douce. Si, pardieu, je m'approche de vous, gare à vous, je vous ferai taire.

LE DEVIN. — Là, attendez. Il peut bien se faire que par hasard je me sois trompé. Votre figure, par sa nature, ressemble à celle de Jenin.

LA MÈRE. — Est-il mon fils ?

JENIN. — Par Dieu ! non, non. *(A sa mère)* Oui-da, remettez ça à demain ! Ma foi, je ne vous aime pas. Messire Jean, je l'aime beaucoup mieux. *(La mère lui fait signe de se taire.)* Oui-da, c'est mon père, avec l'aide de Dieu ! Vous me faites des signes en vain.

LE DEVIN. — Paix ! je dois parler en devin. Je ne veux plus juger vos urines, car je ne fais que me tromper. Pour

Car je ne me fais que abuser.
Pour vous accorder tous ensemble,
Il ne sera filz de personne;
Car ma raison je treuve bonne:
Sa mere m'a dit que du prestre
N'est point le filz; or ne veult estre
Jamais Jenin le filz sa mere.
Or donc il n'a mere ne pere,
N'en eust jamais. Vecy le point:
Il n'y avoit rien que ung pourpoint
Sur sa mere quant fut couchée;
Or sans qu'elle fut attouchée,
Tel enfant n'est sceu concepvoir;
Par quoy on peult appercevoir
Qu'il n'est filz d'homme ne de femme.

JENIN.

A! vrayement doncques, par mon ame,
Je suis Jenin, le filz de rien.
Adoncques, pour l'entendre bien,
Jenin n'est point le filz sa mere;
Aussy n'est point le filz son pere;
Ergo donc je ne suis point filz
Ne pere ne mere, vresbis!
Doncques Jenin n'est point Jenin.
Qui suis-je donc? Janot? nennin.
Je suis Jenin, le filz de rien.
Je ne puis trouver le moyen
Sçavoir si je suis ou suis mye.
Suis-ge Dieu ou Vierge Marie?
Nennyn; ilz sont (tous deux) en paradis.
Suis-ge dyable? qu'esse que je dis!
Vrayement, je ne suis pas cornu.
Dieu sache dont je suis venu!
Pourtant si ne suis-ge pas beste;
Il est bon à veoir à ma teste
Que je suis faict ainsi que ung homme.
Et pourtant je conclus en somme
Que je suis et si ne suis pas.
Suis-ge sainct Pierre ou sainct Thomas?

vous accorder tous ensemble, il ne sera fils de personne. Ma raison, je la trouve bonne : sa mère m'a dit que du prêtre il n'est pas le fils ; or Jenin ne veut être jamais le fils de sa mère. Or donc, il n'a ni mère ni père ; il n'en eut jamais. Voici le point : il n'y avait rien qu'un pourpoint sur sa mère quand elle fut couchée ; or si personne ne l'a touchée, cet enfant n'a pu être conçu. Par quoi, il peut être conclu qu'il n'est fils d'homme ni de femme. *(Il s'en va. La mère et le prêtre se retirent chacun de son côté.)*

9

JENIN, *resté seul.* — Ah ! vraiment donc, par mon âme, je suis Jenin, le fils de rien. Et donc, pour comprendre bien, Jenin n'est pas fils de sa mère ; il n'est, non plus, fils de son père ; ergo donc, je ne suis pas fils d'un père et d'une mère, pardi ! Donc Jenin n'est pas Jenin. Qui suis-je donc ? Janot le sot ? que non ! Je suis Jenin, le fils de rien. Je ne puis trouver le moyen de savoir si je suis ou si je ne suis pas. Suis-je Dieu ou la Vierge Marie ? Non, ils se trouvent au paradis. Suis-je un diable ? qu'est-ce que je dis ! vraiment, je ne suis pas cornu. Dieu sait-il d'où je suis venu ! Pourtant je ne suis pas une bête : il est bon à voir à ma tête que je suis fait tout comme un homme. C'est pourquoi je conclus, en somme, que je suis et que je ne suis pas. Suis-je saint Pierre ou saint Tho-

Nennyn ; car sainct Thomas est mort.
Et, vrayment, cecy est bien fort
A congnoistre, que c'est que de moy.
Mais je vous prometz, par ma foy,
Je ne croy point que ne soye sainct.
Il fauldra donc que je soye paint,
Et mis dessus le maistre autel.
Quel sainct seroy-ge ? Il n'est tel
Que d'estre en paradis sainct Rien.
Au moins si je fusses d'ung chien
Ou d'ung cheval le vray enfant,
Je seroys trop plus triumphant
Que je ne suis et plus gentil.
Or conclus-je, sans long babil,
Que je ne suis filz de personne.
Je suis à qui le plus me donne.
Plusieurs sont à moy ressemblans ;
Je suis comment les Allemans.

Cy fine la farce de Jenin filz de rien. A quatre personnages. Imprimée nouvellement à Lyon, en la maison de feu Barnabé Chaussard, près Nostre Dame de Confort.

mas ? Non, puisque saint Thomas est mort. Eh ! vraiment, ceci est bien fort à savoir, ce que c'est que moi ! Mais je ne vous promets pas, ma foi, que je ne me croie pas un saint. A l'église, je serai donc peint et mis dessus le maître-autel. Quel saint serai-je ? *(Un temps de réflexion.)* Il n'est rien de tel que d'être au paradis saint Rien [42]. Ah ! si j'avais été d'un chien, ou d'un cheval vraiment l'enfant, je serais bien plus triomphant que je ne suis, et de bonne race. Or, je conclus, pour en finir, que je ne suis le fils de personne. Je suis à qui le plus me donne. Beaucoup vont là me ressemblant ; je suis comme les Allemands [43].

VII

LE BADIN QUI SE LOUE

Le texte de cette farce nous est parvenu dans une version parisienne que l'on peut dater des environs de 1500 (recueil du British Museum, nº 11). Et cette version a été imprimée à Paris chez Nicolas Chrestien au milieu du XVIe siècle.

Nous retrouvons là le badin ; non plus l'enfant naïf, mais le valet naïf, et, bien entendu, pas aussi niais et sot qu'il le laisse croire. Et ce valet-badin va gratifier le public d'un numéro de « clown » dont les badins avaient le secret.

Le mari ne compte guère ici. La femme et son amoureux eux-mêmes ne sont là que pour permettre au badin de s'amuser à leurs dépens.

Engagé pour « tout faire » et pour être un serviteur discret, le badin n'aura rien fait de ce qu'on attendait de lui. En moins d'une heure, il aura apaisé sa faim sans travailler ; et, s'il n'a pas rapporté le pâté qu'on l'avait envoyé chercher, il en aura gardé l'argent. Il aura fait obstacle aux ébats de la maîtresse de maison et de son amoureux par un va-et-vient incessant qui empêchera tout tête-à-tête. Il aura acquis par chantage un bonnet, pour remplacer avantageusement sa toque de badin. Enfin, il aura révélé au mari son infortune, s'amusant même à renchérir effrontément sur ce qu'il a vu ; et il aura fait rosser sa maîtresse. Bref, comme il est dit du badin dans la farce de *Messire Jehan* (recueil La Vallière, nº 29), notre badin est « un dangereux sot ». En tout cas, le genre de valet qui se loue, à ne pas louer !

Farce nouvelle tresbonne et fort joyeuse
à quatre personnages, c'est assavoir :
le mary, la femme, le badin qui se loue et l'amoureux.

LE MARY commence.

Guillemette !

LA FEMME.

Le diable vous rompe la teste !
Jamais je ne vis un tel homme.
Il ne fauldroit faire, en somme,
Autre chose qu'estre après vous.

LE MARY.

Je vous prie, parlez tout doulx.
Je croy que vous me mengerez.

LA FEMME.

Par mon serment, vous louerez
Une chambriere ou varlet.
Car pensez que cela est laid
Qu'il fault que tousjours je voyse
Au vin et à la cervoyse,
Comme une pauvre chambriere.

LE MARY.

Hé ! mon Dieu, que tu es fiere !
Fault-il qu'ainsi parles à moy ?

LA FEMME.

Je vous prometz, en bonne foy,
Que plus si beste ne seray,
Ne si bien ne vous serviray

Farce nouvelle, très bonne et fort joyeuse
du BADIN QUI SE LOUE
à quatre personnages, c'est assavoir : le mari, la femme, le badin qui se loue et l'amoureux.

1

Dans la salle commune d'une maison (décor nu, avec seulement de quoi s'asseoir).

LE MARI commence. — Guillemette !

LA FEMME. — Que le diable vous rompe la tête ! Jamais je ne vis un tel homme. Il ne faudrait rien faire, en somme, que d'être toujours après vous.

LE MARI. — Je vous en prie, parlez tout doux. On croirait que vous allez me manger.

LA FEMME. — Je vous en conjure, engagez une chambrière ou un valet. Car sachez qu'il ne convient guère qu'il me faille toujours aller chercher du vin ou de la bière, comme une pauvre chambrière.

LE MARI. — Hé ! mon Dieu, que tu fais la fière ! Faut-il me parler ainsi à moi ?

LA FEMME. — Je vous promets, en bonne foi, que je ne serai plus si bête et que je ne vous servirai plus aussi bien

Que j'ay fait par icy devant.
Par quoy, louez quelque servant
Ou quelque bonne chambriere,
Qui voyse querir de la biere,
Du vin et de la cervoise.
Il n'y a si pauvre bourgeoyse
Qui n'ait chambriere ou varlet.

LE MARY.

Et bien, bien, il sera fait;
Vous en aurez un. Sus donc!

LE BADIN, en chantant.

Parlez à Binette,
Dureau la durée;
Parlez à Binette,
Plus belle que moy.
Sang bieu! je suis en grand esmoy,
Que je ne puis maistre trouver;
Et si ne cesse de crier:
Varlet à louer! Varlet à louer!
Varlet, de par tous les diables, à louer!

LE MARY.

J'ay là ouy quelqu'un crier,
Ce me semble, en ceste rue.

LE BADIN.

Par la mort bieu, je pette et rue
De rage, de fain que je sens.

LA FEMME.

Il semble qu'il soit hors du sens,
A l'ouyr crier et besler.
Je m'en le vois appeller.
Venez çà; hé! mon amy.

LE BADIN.

Hen! je vous ay bien ouy:
Je m'en voys à vous parler.

que je l'ai fait auparavant. Louez donc quelque serviteur ou quelque bonne chambrière, qui aille me chercher de la bière, du vin et de la cervoise. Il n'y a pas de pauvre bourgeoise qui n'ait chambrière ou valet.

LE MARI. — Eh bien, bien! cela sera fait; vous en aurez un. Allez donc!

2

Dans la rue. Le badin paraît, avec son traditionnel bonnet sur la tête.

LE BADIN, en chantant :

Parlez à Binette,
Dureau la duroi;
Parlez à Binette,
Plus belle que moi[44].

Palsambleu! quelle est ma détresse de ne pouvoir trouver un maître! Et pourtant je ne cesse de crier: « Valet à louer! Valet à louer! Valet, de par tous les diables, à louer! »

3

Dans la maison et dans la rue (lieux ouverts qui, sur les tréteaux, communiquent simultanément).

LE MARI. — J'ai entendu quelqu'un crier, ce me semble, dans cette rue.

LE BADIN, *à part.* — Morbleu! je pète et je rue de rage, par la faim que je sens.

LA FEMME. — Il semble qu'il ait perdu le sens, à l'entendre crier et bêler. Je m'en vais l'appeler. Venez çà; hé! mon ami.

4

LE BADIN, *entrant dans la maison.* — Ah! je vous ai bien entendu. Je viens à vous, pour vous parler.

LA FEMME.

Es-tu pas varlet à louer?

LE BADIN.

Et Jan, ouy!

LA FEMME.

Se tu me veulx venir servir,
Assez bien je te traicteray.

LE BADIN.

Bien doncq je vous serviray,
De toute ma puissance, vrayement.

LA FEMME.

Il le fault louer vistement,
S'il est bon à vostre appetit.

LE BADIN.

Mort bieu, que j'ay bon appetit!
Pensez que desgourdirois
Un jambon, se je le tenois,
Avecq une quarte de vin.

LE MARY.

Dy moy, sans faire le fin,
Comme c'est qu'on te nomme.

LE BADIN.

Les aucuns m'appellent Bonhomme,
Les autres m'appellent Janot.

LE MARY.

Janot est le vray nom d'un sot.
Veulx-tu demourer avecq moy?

LE BADIN.

Et j'en suis content, par ma foy.

LA FEMME. — N'es-tu pas valet à louer ?

LE BADIN. — Eh ! saint Jean, oui[45].

LA FEMME. — Si tu veux venir me servir, je te traiterai fort bien.

LE BADIN. — Je vous servirai donc bien, de toute ma force, vraiment.

LA FEMME, *à son mari.* — Il nous faut le louer vitement, s'il paraît bon à votre goût.

LE BADIN. — Morbleu, bien sûr, que j'ai bon goût ! Pensez que je dégourdirais un jambon, si je le tenais, avec aussi un quart de vin.

LE MARI. — Dis-moi, sans faire le malin, comment est-ce que l'on te nomme.

LE BADIN. — Les uns m'appellent Bonhomme, les autres m'appellent Janot.

LE MARI. — Janot ? mais c'est le nom donné aux sots. Veux-tu demeurer avec moi ?

LE BADIN. — Eh ! j'en suis content, par ma foi.

LE MARY.

Mais combien te donneray-je?

LE BADIN.

Et que sçay-je?
Ha! escoutez:
J'auray six francs pour le moins;
Et si ne veulx avoir de groings,
Au moins s'ilz ne sont de pourceau.

LE MARY.

Ha! par monseigneur sainct Marceau,
Tu en auras davantage.

LA FEMME.

Il fauldra faire nostre mesnage
Et balier nostre maison.

LE BADIN.

Bailleray-je du foing à l'oyson,
Ou de la fourche sur la teste?

LA FEMME.

Je ne ditz pas cela, beste.
Je dis que ballies la maison.

LE BADIN.

Jean, ce n'est pas là raison.

LE MARY.

Voyla la clef de la maison
Pour fermer l'huys et la cloison,
Quand tu vouldras aller dehors.

LE BADIN.

Ce n'est pas tout ce qui fault:
Baillez moy, je vous prie, la clef
De la cave et du celier,
Du lard, du pain et de l'argent.

LE MARI. — Mais combien vais-je te donner?

LE BADIN. — Eh! que sais-je? Ah! écoutez: j'aurai pour le moins six francs; mais je ne veux manger du museau que s'il vient d'un jeune pourceau.

LE MARI. — Ah! par monseigneur saint Marceau, tu en auras bien davantage.

LA FEMME. — Il faudra faire notre ménage, et tu balayeras la maison.

LE BADIN. — Baillerai-je du foin à l'oison[46], ou de la fourche sur sa tête?

LA FEMME. — Je ne dis pas cela, grosse bête. Je dis que tu balayes la maison.

LE BADIN. — Saint Jean, ce n'est pas une raison pour me traiter ainsi de bête.

LE MARI. — Voici la clef de la maison pour fermer porte et barrière, quand tu voudras aller dehors.

LE BADIN. — Ce n'est pas tout ce qu'il me faut: donnez-moi, je vous prie, la clef de la cave et du cellier, pour

Je m'y monstreray diligent:
J'ay esté frippon d'un college.

LE MARY.

Les femmes ont le privilege
Porter les clefz en leurs pochettes.

LE BADIN.

J'en auray donc, si vous n'y estes,
Privilege de rompre l'huys.
Vous me ferez mourir de fain.

LA FEMME.

Tu ne chaumeras de pain, de vin,
Ne d'autre chose quelconque.

LE BADIN.

Je vous prie, donnez moy doncque
A disner, ma bonne maistresse.

LA FEMME.

Tenez, voyla une grosse piece
De pain bis: disne si tu veulx.

LE BADIN.

Vous disiez que serois heureux
Et que me traicteriez si bien!

LA FEMME.

Si vous n'avez aujourd'huy bien,
Vous aurez mieulx une autre foys.
Et, vous mengez tout à la foys:
Il y fault aller gentement!

LE BADIN.

Je ne sçauroys, par mon serment,
Car mes dentz sont trop aguisées.

LA FEMME.

Quel bailleur de billevesées!
Voyez un peu comme(nt) il me fasche.

avoir lard, pain et argent. Je m'y montrerai diligent : j'ai été cuisinier de collège !

LE MARI. — Les femmes seules ont le privilège d'avoir ces clefs dans leurs pochettes.

LE BADIN. — Tant pis ! j'aurai, si vous n'y êtes, le privilège de rompre les portes, car vous me feriez mourir de faim.

LA FEMME. — Tu ne manqueras de pain ni de vin, ni même de quoi que ce soit.

LE BADIN. — Et donc, je vous prie, donnez-moi à déjeuner, ma bonne maîtresse.

LA FEMME. — Tenez, voici une part épaisse de pain bis : déjeune, si tu veux.

LE BADIN. — Vous disiez que je serais heureux et que vous me traiteriez fort bien !

LA FEMME. — Si vous avez peu aujourd'hui, vous aurez mieux une autre fois. *(Le badin engloutit gloutonnement son pain.)* Eh ! vous mangez tout à la fois : il faut y aller doucement !

LE BADIN. — Je ne saurais, foi de serment, car mes dents sont très aiguisées.

LA FEMME. — Quel bailleur de billevesées ! Voyez un peu comme il me fâche !

LE BADIN.

Par la mort bieu, il me fasche
Que je n'ay quelque bon br[e]uvage.

LE MARY.

Pensez à faire le mesnage,
Car je m'en voys à mon affaire.

LE BADIN.

Sang bieu, que en ay-je affaire?
Je demande à boyre du vin.

LE MARY.

Par ma foy, tu en auras demain,
De cela; et bien, je t'asseure.
Je m'en voys tout à cest heure
A mes affaires pourveoir.

LE BADIN.

Adieu doncques jusques au revoir.

L'AMOUREUX.

Si fault-il que je voise veoir,
Quelque chose que l'on en dye,
Se je trouveray mon amye
Pour affin de la gouverner
Et avec elle raisonner.
Je m'y en voys sans targer,
Car riens n'y vault le songer.
Madame et tresbonne amye,
Dieu vous doi[n]t bonne et longue vie
Avec tous voz bons desirs!

LA FEMME.

Jesus, le roy de Paradis,
Vueille acomplir vostre vouloir!
Je vous prie, venez vous asseoir
Pour prendre un peu resjouyssance.

LE BADIN. — Morbleu ! moi, il me fâche de ne pas avoir un bon breuvage.

LE MARI, *au badin.* — Pensez à faire le ménage, car je m'en vais à mon affaire.

LE BADIN. — Mais palsambleu ! qu'en ai-je à faire ? Je demande à boire du vin.

LE MARI. — Ma foi, tu en auras demain, de tout cela ; et bien je t'assure. Maintenant je m'en vais pourvoir à mes affaires.

LE BADIN. — Adieu donc, jusqu'au revoir. *(Le mari s'en va du côté opposé d'où vient de paraître l'amoureux.)*

5

L'AMOUREUX, *dans la rue.* — Il faut que je m'en aille voir, quelque chose que l'on en dise, si je trouverai mon amie, pour m'entretenir ave elle et avec elle bavarder. Je m'en vais là sans tarder, car rien ne vaut trop réfléchir.

6

L'AMOUREUX, *chez Guillemette.* — Madame et très bonne amie, Dieu vous donne bonne et longue vie, avec tout ce que vous désirez !

LA FEMME. — Que Jésus, roi du paradis, veuille accomplir votre vouloir ! Je vous prie, venez vous asseoir pour prendre un peu de réjouissance. *(Elle fait entrer.)*

L'AMOUREUX.

Certes, de toute ma puissance,
Mettray peine à vous obeyr
Et feray vostre bon plaisir,
S'il vous plaist me le commander.

LE BADIN.

Sang bieu, vous venez sans mander.
Et qui vous amene icy?

LA FEMME.

Te tairas-tu, dy!
C'est un de noz meilleurs amys.

LE BADIN.

Et il aura donc, vraymis,
Un bonnadies de ma personne:
Dieu gard de sorte bonne
Monsieur meilleur amy!

L'AMOUREUX.

A vous aussi.
Mais dictes moy, je vous prie,
Qui vous a ainsi bien garnye
De ce bon serviteur icy?

LA FEMME.

Moy mesmes certes, mon amy,
Pource que beaucoup me faschoit
Que tousjours aller me failloit
Au vin et aux autres prochas,
Quant venez pour faire le cas
Avec moy.

L'AMOUREUX.

Il me suffist. Mais dictes moy
Où est allé vostre mary?

L'AMOUREUX. — Certes, autant que je le pourrai, je m'efforcerai de vous obéir et ferai votre bon plaisir, s'il vous plaît de me l'ordonner.

LE BADIN, *s'interposant pour empêcher l'amoureux d'entrer plus avant.* — Palsambleu ! vous entrez sans le demander. Et qu'est-ce qui vous amène ici ?

LA FEMME. — Te tairas-tu, dis ! C'est un de nos meilleurs amis.

LE BADIN, *conciliant.* — Ah ! bien, il aura donc, pardi ! un grand bonjour de ma personne. *(La main à son bonnet, et s'inclinant)* Dieu garde de façon bonne Monsieur, « meilleur ami » !

L'AMOUREUX. — Qu'il vous garde aussi ! *(A la femme)* Mais dites-moi donc, je vous prie, qui vous a ainsi bien fournie de ce bon serviteur-ci ?

LA FEMME. — Moi-même certes, mon ami, parce qu'il me fâchait beaucoup d'être obligée d'aller toujours au vin et aux autres achats, quand vous venez faire la chose[47] avec moi.

L'AMOUREUX. — J'ai bien compris. Mais, dites-moi, où est allé votre mari ?

LA FEMME.

Je vous asseure, mon amy,
Qu'il est allé à sa besongne.
Dieu sçait que c'est; car il hongne
Sans cesse quand il est ceans.

LE BADIN.

Ce bonnet vous est bien ceant,
Voyre, ou le dyable vous emport!

L'AMOUREUX.

Par mon serment, vous avez tort;
Ne vous sçauriez-vous un peu taire?

LA FEMME.

Tu gastes tout le mystere.
Je te prie, ne nous dy plus mot.

LE BADIN.

Non feray-je, par sainct Charlot;
Croyez moy, puis que j'en jure.

L'AMOUREUX.

Certes, m'amye, je vous asseure
Que, depuis environ huyt jours,
J'ay fait plus de quarante tours
Icy entour vostre logis.
Mais tousjours vostre grand longis
De mary present y estoit.

LA FEMME.

Il me pense tenir estroit
Les mains, comme on fait une oye.
Voyre dea, et si n'ay de joye
Pas un seul bien avec luy.
Encores, parnenda! aujourd'huy
Je pensoys qu'il me deust menger.
Si estroit ne me puis renger
Que encores je ne luy nuyse.

LA FEMME. — Je vous assure, mon ami, qu'il est allé à sa besogne. Dieu m'en est témoin, car il grogne sans cesse quand il est céans.

LE BADIN, *admirant le bonnet de « galant », que, sur les tréteaux, portaient les amoureux.* — Ce bonnet vous va comme un gant, oui, ou que le diable vous emporte !

L'AMOUREUX. — Je le jure, vous parlez à tort. Ne pourriez-vous un peu vous taire ?

LA FEMME. — Oui, tu gâtes tout le mystère. De grâce, ne nous dis plus un mot.

LE BADIN. — Je me tairai, par saint Charlot[48]. Et croyez-moi, puisque j'en jure.

L'AMOUREUX. — Certes, m'amie, je vous assure que, depuis environ huit jours, j'ai fait plus de quarante tours ici autour de ce logis. Mais votre grand lourdaud de mari était toujours là présent.

LA FEMME. — Il pense me tenir étroit les mains, comme on ligote une oie. Oui, vraiment. Aussi, comme joie je ne reçois rien avec lui. Notre-Dame ! encore aujourd'hui, je croyais qu'il allait me manger. Je ne puis si étroitement me ranger qu'il faut encore que je lui nuise !

LE BADIN.

Quand il vous haulse la chemise,
Vous n'avez garde de ainsi dire.

LA FEMME.

Ha! ha! vous avez fain de rire!
Vrayment, c'est bien raison.

L'AMOUREUX

Je vous prie, madame Alyson,
Un doulx baiser de vostre bouche.

Il la baise.

LE BADIN.

Là, là, fort je me bousche,
Affin de ne vous veoir pas.
Vous n'y allez pas par compas!
Tout doulx, tout doulx!
Et que dyable faictes-vous?
Vous faictes la beste à deux doulx.
Je le diray à mon maistre.

LA FEMME.

Te tairas-tu, filz de prebstre?

LE BADIN.

Je le diray à mon maistre;
Je sçay bien que vous ay veu faire.

LA FEMME.

Mercy Dieu, je te feray taire
Si je metz la patte sur toy.

LE BADIN.

Quoy! mort bieu, o moy!
Je le diray à mon maistre.

L'AMOUREUX.

Tais toy! Si tu me veulx promettre
Que aucune chose ne diras

LE BADIN. — Quand il vous soulève la chemise, vous vous gardez de parler ainsi.

LA FEMME. — Ah, ah ! vous avez envie de rire ! Vraiment, vous perdez la raison.

L'AMOUREUX. — Je vous prie, madame Alison, un doux baiser de votre bouche. (Il la baise.)

LE BADIN. — Là, là ! il faut que je me bouche les yeux, afin de ne pas vous voir. Vous n'y allez pas modérément ! Tout doux, tout doux ! Eh là ! que diable faites-vous ? Vous faites la bête à deux… « doux[49] ! » Je le dirai à mon maître.

LA FEMME. — Te tairas-tu, fils de prêtre ?

LE BADIN. — Je le dirai à mon maître. Je sais bien ce que je vous ai vus faire.

LA FEMME. — Dieu me pardonne ! je te ferai taire, si je mets la patte sur toi.

LE BADIN. — Quoi ! morbleu, ô moi ! Je le dirai à mon maître.

L'AMOUREUX. — Tais-toi ! Si tu veux me promettre

A ton maistre, tu auras
Un bonnet [que] te donneray.

LE BADIN.

Rien doncques je n'en diray.
Mais ne vous mocquez pas de moy.

LA FEMME.

Je te prometz en bonne foy
Que tu l'auras promptement.

L'AMOUREUX.

Mais tien ! va t'en dès maintenant
Achepter quelque bon pasté.

LE BADIN.

Et, mais que je l'ay apporté,
M'en donrez-vous au moins ?

L'AMOUREUX.

Ouy, toutes plaines tes deux mains,
Sans y avoir nulle faulte.

LE BADIN.

Sà donc, de l'argent, mon hoste !
Mais escoutés, j'en mengeray ?

L'AMOUREUX.

Vrayement, je t'en donneray.
Tien ! hay, voyla de l'argent.

LE BADIN.

Hé ! qu'il est gent !
J'en achepteray un pasté.

LA FEMME.

Ce folastre a tout gasté.
Je me repens de l'avoir prins.

que tu ne diras rien à ton maître, tu auras un bonnet, que je te donnerai.

LE BADIN. — Eh bien ! rien donc je n'en dirai ; mais ne vous moquez pas de moi.

LA FEMME. — Je te promets, en bonne foi, que tu l'auras promptement.

L'AMOUREUX. — Mais tiens ! va-t'en dès maintenant nous acheter quelque bon pâté.

LE BADIN. — Eh ! quand je l'aurai apporté, m'en donnerez-vous un peu, au moins ?

L'AMOUREUX. — Oui, et tout plein tes deux mains, tu en auras sans faute.

LE BADIN, *tendant la main*. — Çà donc, de l'argent, mon hôte ! Mais écoutez, j'en mangerai ?

L'AMOUREUX. — Oui vraiment, je t'en donnerai. Tiens ! hé ! voilà de l'argent.

LE BADIN. — Ah ! comme il est d'aimables gens ! Avec ça, j'achèterai un pâté. *(Il sort.)*

7

LA FEMME. — Ce folâtre a tout gâté. Je me repens de l'avoir pris.

L'AMOUREUX.

Ma foy, il a bien fort mesprins;
Et sans luy nous estions trop bien.

LE BADIN.

Hé! mon Dieu, je ne sçay combien
C'est qu'ilz m'ont dit que j'en apporte.
Je retourneray à la porte.
Combien de pastez voulez-vous?

LA FEMME.

Hé! vray Dieu doulx,
Apporte en un; tant tu es fol!
Que tu te puisses rompre le col,
Je prie Dieu, en retournant!

LE BADIN.

Je m'y en vois tout courant,
Et si je n'arresteray point.

L'AMOUREUX.

Cecy ne vient pas bien apoint;
Mais rien n'y vault le desconfort.
Prenez, je vous prie, reconfort;
Et à cela plus ne songez.

LE BADIN.

De quel pris esse que voulez
Que je l'achepte?

LA FEMME.

Helas! mon Dieu, que tu es beste!
Et ne sçaurois-tu marchander?

LE BADIN.

Hé, mais! je vous veulx demander
Comment esse que l'on marchande.
Je ne sçay, par saincte Marande,
Que c'est à dire cela.

L'AMOUREUX. — Ma foi, il a très mal agi ; et sans lui, nous étions fort bien.

8

Dans la rue ; le badin revient sur ses pas.

LE BADIN. — Hé ! mon Dieu, je ne sais plus combien c'est qu'ils m'ont dit que j'en apporte. Je retournerai à la porte.

9

Dans la maison ; retour du badin trouble-fête.

LE BADIN. — Combien de pâtés voulez-vous ?

LA FEMME. — Hé ! vrai Dieu de douceur ! apportes-en un ; que tu es fou ! Puisses-tu te rompre le cou, Seigneur, en retournant !

LE BADIN. — J'y vais, j'y cours en un instant. Je ne m'arrêterai pas. *(Il s'éloigne de quelques pas.)*

L'AMOUREUX, *à Guillemette.* — Cela ne vient pas à propos. Mais à quoi bon s'en désoler ! *(Il la serre dans ses bras.)* Soyez par moi réconfortée, je vous prie ; et n'y pensez plus.

LE BADIN, *revenant vers eux.* — De quel prix est-ce que vous voulez que je l'achète ?

LA FEMME. — Hélas ! mon Dieu, que tu es bête ! Ne saurais-tu pas faire des courses ?

LE BADIN. — Eh mais ! il faut que je vous demande comment est-ce que l'on fait des courses. Je ne sais, par sainte Marande, ce que vous voulez dire par là.

L'AMOUREUX.

Mon amy, mais que tu soys là,
Demande un pasté de trois solz.

LE BADIN.

Bien ! allez, pour l'amour de vous,
Je m'y en vois.

L'AMOUREUX.

Ma foy, voyla un grand lourdois :
Il a moins d'esperit que un thoreau.

LE BADIN.

Apporteray-je un pasté de veau,
Ou un de poulle ou de chappon ?

L'AMOUREUX.

Ce m'est tout un, mais qu'il soit bon.
Depesche toy !

LE BADIN.

Je ne iray ja, sur ma foy,
Si ne dictes lequel voulez.

LA FEMME.

Nous sommes certes demourez.
Demande un pasté de chappon.

LE BADIN.

Je m'y en voys, par sainct Bon.

LA FEMME.

Voyla un merveilleux garson :
Je n'en vis oncques de la sorte.

LE BADIN.

Qu'esse que voulez que je apporte ?

L'AMOUREUX.

Apporte un pasté de chappon.

L'AMOUREUX. — Mon ami, lorsque tu y seras, demande un pâté de trois sous.

LE BADIN. — Bien. Allez ! pour l'amour de vous, j'y vais. *(Il recommence à s'éloigner.)*

L'AMOUREUX. — Ma foi, voilà un grand lourdaud : il a moins d'esprit qu'un taureau.

LE BADIN, *revenant.* — Apporterai-je un pâté de veau, un de poule ou bien de chapon ?

L'AMOUREUX, *impatient.* — Il n'importe, pourvu qu'il soit bon. Dépêche-toi.

LE BADIN. — Je n'y irai jamais, sur ma foi, si vous ne dites lequel vous voulez.

LA FEMME, *à part.* — Nous voilà encore retardés ! *(Au badin)* Demande un pâté de chapon.

LE BADIN. — Je m'y en vais, par le saint Bon ! *(Il repart.)*

LA FEMME. — Voilà un bien curieux garçon : je n'en vis jamais de la sorte.

LE BADIN, *revenant encore.* — Qu'est-ce que vous voulez que j'apporte ?

L'AMOUREUX. — Apporte un pâté de chapon.

LE BADIN.

Mais escoutez, où les vend-on,
Affin que plus ne revienne ?

LA FEMME.

Au bout de la rue de Bievre,
A l'enseigne du Pot d'estain.
Monsieur, vous estes tout chagrin ;
Je vous prie, prenez-en patience.

LE BADIN.

Silence, silence !
J'ay oublié ce que m'avez dit.
Si ce n'estoit pour un petit,
Je n'y retournerois, par bieu, ja.

L'AMOUREUX.

Et es-tu encore yla ?
Demande un pasté de chappon.

LE BADIN.

Bien ! j'en apporteray un bon.
Mais le voulez-vous froit ou chault ?

L'AMOUREUX.

Chault.

LE BADIN.

N'esse pas au…

LA FEMME.

Au Pot d'estain.

LE BADIN.

Je voy mon maistre en ce chemin,
Qui s'en vient cy, par Nostre Dame.

LE BADIN. — Mais écoutez, où en vend-on, afin que je ne revienne plus ?

LA FEMME. — Au bout de la rue de Bièvre, à l'enseigne du Pot-d'étain[50]. *(Le badin s'éloigne de quelques pas. Elle se tourne vers l'amoureux.)* Monsieur, vous êtes tout chagrin. Je vous en prie, prenez patience.

LE BADIN, *revenu aussitôt.* — Silence, silence ! J'ai oublié ce que vous m'avez dit. Pour un peu, je n'y retournerais jamais, parbleu !

L'AMOUREUX, *excédé.* — Eh ! es-tu encore là ? Demande un pâté de chapon.

LE BADIN. — Bien ! j'en apporterai un bon. Mais le voulez-vous froid ou chaud ?

L'AMOUREUX. — Chaud.

LE BADIN. — N'est-ce pas au... ?

LA FEMME. — Au Pot-d'étain.

LE BADIN, *sur le point de repartir et examinant au loin la rue.* — Je vois mon maître sur ce chemin, qui s'en revient ici, par Notre-Dame !

L'AMOUREUX.

Adieu vous dy doncques, madame,
Jusques au reveoir.

LE BADIN.

Par bieu, si veulx-je avoir
Mon bonnet, entendez-vous?

LA FEMME.

Monsieur, je prens congé de vous,
Vous priant m'avoir excusée.

LE BADIN.

Soubz telle maniere rusée
Perdray-je ainsi mon bonnet?
Et je l'auray, par sainct Bonnet,
Avant que partiez hors d'icy.

LA FEMME.

Je vous prie, rendez le luy;
Et demain en aurez un autre.

LE BADIN.

Ma maistresse, parlez moy d'autre;
Car, par bieu, il ne l'aura ja.

LE MARY.

Ho, ho! quel bonnet est-ce là?
C'est le bonnet en grand gallant.

LE BADIN.

C'est mon, c'est mon: c'est un alland.
Il a luyté à ma maistresse;
Mais de la premiere luyte adresse,
Il la vous a couchée en bas.

LA FEMME.

Mon mary, ne le croyez pas.

LE MARI. — Je veux être informé de cela. Que demandait-il ? dis-le-moi.

LE BADIN. — Il voulait faire, comme je crois, un « haut de chasse » à ma maîtresse ; car il voyait que sa brayette se redressait fort haut vers elle.

LE MARI. — Vieille paillarde, maquerelle, ordure, souillon, sale putain, vous faut-il mener un tel train quand je suis hors de la maison ?

LA FEMME. — Avez-vous perdu la raison ? Pourquoi ainsi me diffamer ?

LE MARI. — Eh ! morbleu, faut-il que vous en parliez ? De votre cas, je suis bien informé. Par le Dieu qui m'a fait et formé, je vais vous battre tout mon soûl. *(Il la frappe.)*

LA FEMME. — Faut-il que, pour un méchant fou, je sois ainsi si mal menée ? Mon Dieu ! il m'a presque assommée ! Je vous en prie, retenez-vous.

LE BADIN, *faisant comme si c'était lui qui avait reçu les coups.* — Hon, hon ! quels coups ! Ah ! morbleu, suis-je encore ici ?

LA FEMME, *à genoux.* — Mon mari, je demande grâce et merci ; je vous prie de me pardonner.

LE MARY.

Si jamais vous y retournez,
Pas ne serez quitte à tel pris.
Si en riens nous avons mespris,
Nous prirons à la compagnie,
Qui est icy ensemble unie,
Qui luy plaise, sans reffuser,
Nous vouloir trestous excuser.

Fin.

LE MARI, *la relevant*. — Si jamais vous recommencez, vous ne serez pas quitte à si bon prix.

Adresse au public.

LE MARI. — Si nous avons en quoi que ce soit mal agi, nous prions toute la compagnie, qui se trouve ici réunie, qu'il lui plaise, sans nous repousser, de vouloir tous nous excuser.

VIII

UN AMOUREUX

La farce d'*Un amoureux* (recueil du British Museum, n° 13) a de particulier non pas que l'amoureux soit un curé — on en aura d'autres exemples — mais que, malgré le titre, l'amoureux n'y joue qu'un rôle fort réduit. Mieux, après le retour du mari au moment où il allait se coucher avec la femme, on l'oublie : il se cache... et on ne le reverra plus. Seul, le mari cocu et stupide — les deux ne vont pas toujours ensemble — intéresse. Sur les 243 vers de la farce, le mari a d'ailleurs le rôle scénique principal, plus de la moitié des vers : 131, et hors le temps des 38 vers pendant lesquels il s'éloigne de sa maison, il est toujours présent sur les tréteaux, et sans cesse en mouvement : partant, revenant, repartant...

« Farce de bateleurs, très plate et très grossière », l'avait en 1886 caractérisée Petit de Julleville dans son *Répertoire du théâtre comique au Moyen Age*. « Plate », seulement pour qui abusivement compare avec Molière ; « grossière », seulement s'il est vrai que le quotidien est grossier. Petit de Julleville jugeait en littéraire et n'avait pas vu l'originalité de cette farce dans la schématisation du quotidien.

Peu de farces ont mieux réussi, en utilisant les procédés et les thèmes farcesques, à rendre l'absurde aussi drôle. Quoi ! voici un amoureux qui est si pressé de satisfaire ses désirs qu'il refuse les préliminaires de l'amour : le banquet, mais qui, alors même que sa belle est déjà prête pour le lit, perd un temps précieux à n'en plus finir de se déshabiller. Voici une femme qui, avant de se coucher, profite de ce temps mort de l'attente pour uriner dans une « bouteille » (les bouteilles avaient alors un goulot largement évasé) ; qui, au retour inattendu de son mari qui la surprend en « déshabillé », a l'ingénieuse idée de se prétendre soudainement malade, et qui, pour se débarrasser du mari importun, l'envoie chez le médecin faire examiner l'urine de la bouteille ; mais, dans sa précipitation, elle prend sottement et lui tend la bouteille de bon vin que son galant avait pris soin de mettre au pied du lit pour agrémenter le passe-temps amoureux. Et voici que le mari, qui soupçonnait pourtant sa femme d'inconduite, s'empresse d'obtempérer, et porte chez le médecin la bouteille de ce qu'il croit aussi être l'urine de sa femme. Il se dit que si sa femme mourait, il ne pourrait lui survivre, ce qui bien évidemment part d'un bon sentiment, même chez un lourdaud. Pourtant, comme il fait très chaud et qu'il a grand soif, c'est une gorgée de ce qu'il a à portée de main, qu'il boit en se rendant chez le médecin. Il est normal, pour nous, qu'il trouve à cette urine le goût du vin ; et il est normal, pour lui, qu'après cette découverte extraordinaire il tienne plus que jamais à ce que sa femme ne meure pas, pour que ne tarisse pas cette source bachique. Or, que fait-il, lui qui sait tenir de quoi permettre de trouver remède à la maladie de sa femme ? il vide d'un trait la bouteille ! Dès lors, il ne songe plus à sa femme, mais à duper le médecin ; et c'est de sa propre urine qu'il remplira la bouteille ! Faire comme si…, pour que ça ne se sache pas.

Un jeu de fantoches dans un univers de tréteaux, où le temps et le lieu sont « éclatés » contre toute vraisemblance, où le raisonnement se limite au terre à terre. Mais il fallait faire rire ; et l'on rit de nos petitesses et de nos inconséquences quotidiennes.

UN AMOUREUX

Farce nouvelle tresbonne et fort joyeuse
d'UN AMOUREUX
à quatre personnages; c'est assavoir:
l'homme, la femme, l'amoureux et le medecin.

L'HOMME commence.

Ma femme!

LA FEMME.

Que vous plaist, Roger?

L'HOMME.

Et venez avant, [orderon]!
Vous fault-il tant jocquer?
Ma femme!

LA FEMME.

Que vous plaist, Roger?

L'HOMME.

A Dinan m'en veulx, sans targer,
Aller achepter un chaulderon.
Ma femme!

LA FEMME.

Que vous plaist, Roger?

L'HOMME.

Et venez avant, orderon!
Vous fault-il tant jocquer?

LA FEMME.

Sà, me voicy, mon baron.
Que vous plaist-il que je face?

Farce nouvelle, très bonne et fort joyeuse
d'UN AMOUREUX
à quatre personnages, c'est assavoir : l'homme,
la femme, l'amoureux et le médecin.

Au centre des tréteaux, le lieu supposé de la maison de Roger, avec un lit contre le rideau de fond. Sur le côté, le « logis » du médecin. Entre ces « lieux », et là encore sans cloisonnement, rue et chemin.

1

Dans la maison de Roger.

L'HOMME. — Ma femme !

LA FEMME. — Plaît-il, Roger ?

L'HOMME. — Eh ! venez ici, malpropre. Vous faut-il tant lambiner ? Ma femme !

LA FEMME. — Plaît-il, Roger ?

L'HOMME. — Je veux m'en aller à Dinant[51], sans tarder, acheter un chaudron. Ma femme !

LA FEMME. — Plaît-il, Roger ?

L'HOMME. — Eh ! venez ici, malpropre. Vous faut-il tant lambiner ?

LA FEMME. — Çà, me voici, mon mari. Que vous plaît-il donc que je fasse ?

L'HOMME.

Que tu me baille ma besasse
Et, de paour d'avoir fain aux dens,
Boute un morseau de pain dedans
Et un morceau de chair sallée.

LA FEMME.

Je y voys.

L'HOMME.

Pleure ma bien allée.

LA FEMME.

Pleurer, Roger ! Et, je varye !
Que pleust à la Vierge Marie
Que vostre voyage fut ja fait !
Car j'ay le courage deffait
Incontinent que ne vous voy.

L'HOMME.

Or bien, Alison, je m'en voy.
Garde bien dessoubz et desseure ;
Se autrement faicte, soyez seure,
Que doit faire preude femme,
Je compteray au retourner.

LA FEMME.

Mais escoutez soubsonner !
Que malle sanglante journée
Vous soit aujourd'huy donnée !
Venez çà, Roger, mon amy :
Avez-vous trouvé faulte en my,
Par quoy me devez cela dire ?
Vous me faictes bien trefves de [yr]e !
Je ne suis point du lieu venue.
Me suis-je avecq vous mainten[ue]
Autrement que femme de bien ?

L'HOMME. — Que tu me donnes ma besace et, de peur que j'aie faim aux dents, mets un morceau de pain dedans et un morceau de porc salé.

LA FEMME. — J'y vais.

L'HOMME. — Pleure sur mon départ.

LA FEMME. — Pleurer, Roger! Eh! ne suis-je plus toujours la même? Que plût à la Vierge Marie que votre voyage fût déjà fait! Car j'ai le cœur anéanti dès que je ne vous vois plus ici.

L'HOMME. — Eh bien! Alison, je m'en vais. Veillez minutieusement à tout. Si vous agissez autrement, soyez sûre que ce que doit faire une honnête femme, j'en demanderai compte au retour.

LA FEMME, *ironique*. — Écoutez-le me soupçonner! Vous mériteriez qu'une mauvaise et cruelle journée vous soit aujourd'hui donnée! *(Jouant la chatte)* Venez là, Roger, mon ami : avez-trouvé en moi faute qui mérite que vous me disiez cela? Cessez de vous emporter contre moi [52]. Je ne suis pas venue du bordel. Avec vous n'ai-je pas été telle que se conduit une femme de bien?

L'HOMME.

Nostre Dame, je n'en sçay rien;
Aussi n'en veulx-je rien sçavoir.

LA FEMME.

Je ne vouldroye, pour mal avoir,
Vous faire telle villennie.

L'HOMME.

Alison, je ne le dy mye;
Ainsi le croys certainement.

LA FEMME.

Vous souppesonnez moysement;
A cela ne vous fault arter.

L'HOMME.

Je n'en veulx point trop enquester;
Je crains bien d'en avoir en somme.

LA FEMME.

Vous estes une moise personne.
Partez-vous tost? je vous requiers.

L'HOMME.

Or bien, Alison, qu'ay tant chere,
Baise moy un peu au departement.

LA FEMME.

Je le veulx bien.

L'HOMME.

Doulcettement,
Droit à la bouchette!
Mon Dieu, que vous estes doulcette!
Gramercy, Alison.
Gardez bien noz maison.
Je yray jusques yla sans repaistre.
Adieu, noz dame.

L'HOMME. — Notre-Dame, je n'en sais rien; et même je n'en veux rien savoir.

LA FEMME. — Je ne voudrais, pour infamie, vous faire une telle vilenie.

L'HOMME. — Alison, je ne dis pas cela. Pourtant, je le crois certainement.

LA FEMME, *insistant pour se disculper.* — Vous me soupçonnez méchamment; ne vous arrêtez pas à cela.

L'HOMME. — Je ne veux pas m'en informer plus, car *(la main au front)* je crains bien d'en avoir dessus!

LA FEMME. — Vous êtes une personne méchante. Partez-vous bientôt? je vous le demande.

L'HOMME. — Or bien, Alison que j'aime tant, donnez-moi un petit baiser, puisque je m'en vais.

LA FEMME. — Je le veux bien.

L'HOMME. — Doucettement, droit à la bouche! Mon Dieu, que vous êtes douce! Grand merci, Alison. Gardez bien notre maison. J'irai jusque-là sans manger. Adieu, notre dame.

LA FEMME.

Adieu, noz maistre.
Il s'en est allé longuement.
Je ne plourerois point grammment
Quand il ne reviendroit jamais.

L'AMOUREUX.

Il est ja temps, je vous prometz,
D'aller veoir Alison m'amye.
Son mary Roger n'y est mye :
Je l'ay veu en aller dehors.
Dieu vous gard ! belle au gentil corps,
Mieulx fait que s'il estoit de cire.

LA FEMME.

Seroit assez pour vous faire occire
S'on vous avoit cy veu venir.

L'AMOUREUX.

Nennin, ma foy, mon souvenir,
Il n'y avoit nulluy par voye.

LA FEMME.

Entrez ceans, qu'on ne vous voye ;
Car je crains le parler des gens.

L'AMOUREUX.

Aussi fais-je. De voz bras gentz
Vous me donnerez à peu de plaist
Une acolée, s'il vous plaist.

LA FEMME.

Sus ! de par Dieu, le cueur le veult ;
Acolé moy doncq à deux bras.

L'AMOUREUX.

Que ne vous tiens-je entre deux draps !
Je rabaisseroye bien voz quaquet.

LA FEMME. — Adieu, notre maître.

2

LA FEMME, *restée seule*. — Il s'en est allé loin de nous. Je ne pleurerais pas beaucoup, même s'il ne revenait jamais.

3

L'AMOUREUX, *qui est ici le curé du village — son costume le désigne comme tel aux spectateurs —, attend dans la rue de voir disparaître l'homme ; puis il s'avance vers le public*. — Il est temps, j'en suis assuré, que j'aille voir Alison, m'amie. Son mari Roger est parti : je l'ai vu s'en aller dehors.

4

L'AMOUREUX, *à la porte de la maison de Roger*. — Dieu vous garde, belle au joli corps, mieux fait que s'il était en cire !

LA FEMME. — Ce serait assez pour vous faire tuer, qu'on vous ait vu ici venir.

L'AMOUREUX. — Non, ma foi, si je m'en souviens bien, sur la route il n'y avait rien.

LA FEMME. — Entrez céans, qu'on ne vous voie ; car je crains le parler des gens.

5

L'AMOUREUX *entre dans la maison*. — Aussi, j'entre. De vos jolis bras vous me donnerez sans façon une accolade, s'il vous plaît.

LA FEMME. — Allons ! par Dieu, le cœur le veut ; embrassez-moi donc à deux bras.

L'AMOUREUX. — Si je vous tenais entre deux draps, je rabaisserais votre caquet !

LA FEMME.

Il fault faire le bancquet,
Mon amy, avant que on se couche.

L'AMOUREUX.

Nous le ferons tantost, ma doulce.
Hastons nous tost d'aller coucher:
J'ay grand desir (à) vous aprocher
Entre deux draps, mon joli con.
Ceste bouteille de vin bon
Nous bouterons par grand delit
Icy auprès de nostre lict,
Affin, se aucun de nous s'esveille,
Vous puist prendre ceste bouteille
Et en taster un sapion.

LA FEMME.

Vous estes un vaillant champion,
Bien entendu en cest affaire.

L'AMOUREUX.

Sà, Alison, qu'est-il de faire?

LA FEMME.

Et que sçay-je? despouillons nous.

L'AMOUREUX.

Avant, tire là!

L'HOMME.

Mes genoulx
Ont froitz; aussi ont mes menettes:
Je les mettray en ma braguette
Pour estre un peu plus chauldement.
J'ay si bel entendement
Que le sang du cul me rebrousse!
  Quoy! j'ay perdu ma bourse.
Je l'ay laissée en noz maison.
A! tu y fouilleras, Alison:

LA FEMME, *apportant une bouteille de vin.* — Il nous faut nous sustenter[53], mon ami, avant qu'on se couche.

L'AMOUREUX. — Nous le ferons après, ma douce. Hâtons-nous d'aller nous coucher : je brûle de vous approcher entre deux draps, mon beau lapin. Et cette bouteille de bon vin, nous la mettrons pour notre plaisir ici tout près de notre lit pour que, si l'un de nous s'éveille, il puisse prendre la bouteille et s'en servir une ration.

LA FEMME. — Vous êtes un vaillant champion, qui s'y connaît en cette affaire.

L'AMOUREUX. — Çà, Alison, que faut-il faire ?

LA FEMME. — Et que sais-je ? déshabillons-nous.

L'AMOUREUX. — Allons-y donc, ôtons cela. *(Il commence par retirer sa robe ; il continuera, en silence, à se déshabiller tandis que la femme ira près du rideau se mettre en tenue de nuit.)*

6

Sur la route de Dinant.

L'HOMME. — Mes genoux ont froid, ainsi que mes menottes ; je les mettrai dans ma brayette pour qu'elles aient un peu plus chaud. *(Ce faisant, il se rend compte de l'absence de sa bourse.)* Je suis si sot que de mon cul le sang rebrousse ! Quoi ! j'ai perdu ma bourse. Je l'ai laissée dans notre maison. Ah ! tu vas y fouiller, Alison : tu

Tu es femme pour me desrober.
C'estoit bien pour m'adober
D'aller marchander sans argent!
Il me fault estre diligent
De retourner tout maulgré my.

LA FEMME.

Estes-vous point prest, mon amy?

L'AMOUREUX.

Je n'ay mais que cest esguillette.
Couchez vous tousjours, ma fillette;
Incontinent vous suiveray.

LA FEMME.

Je ne sçay où je pisseray
Un peu d'eaue. Voicy merveille:
Dedans ceste vieille bouteille
Je pisseray; c'est le meilleur.

L'HOMME.

Loué en soit Nostre Seigneur!
Je suis bien près de noz maison.
Hau! où este-vous, Alison?
Haula, hau!

LA FEMME.

Que bucquez-vous? qu'esse là?
Bucquez bas: ce n'est point bordeau!

L'HOMME.

C'est Roger, qui vous accolla
Au soir et gaigna le chauldeau.

L'AMOUREUX.

Pendre le puist-on d'un cordeau!
Je suis bien de malheure né.
Las! où me bouteray-je, Alison?
Il me tuera comme un oyson;
S'il me trouve, je suis destruit.

es femme à me dérober. Et c'était bien pour m'attraper que tu m'as laissé aller au marché sans argent ! Il me faut être diligent et retourner, bien malgré moi.

7

LA FEMME, *maintenant prête à se coucher ; à l'amoureux qui tarde à la rejoindre et qui s'escrime à défaire les aiguillettes qui tiennent les chausses à son pourpoint.* — N'êtes-vous pas prêt, mon ami ?

L'AMOUREUX. — Je n'ai plus que cette aiguillette [54]. Couchez-vous toujours, ma fillette ; incontinent je vous suivrai.

LA FEMME. — Je ne sais où je pisserai un peu. *(Avisant une bouteille vide)* Ah ! tiens, voici merveille ! je pisserai dans cette vieille bouteille ; c'est encore ce qu'il y a de mieux. *(Pour ce faire, elle se retire sur le côté du lit.)*

8

L'HOMME. — Loué le Seigneur, notre Dieu ! Je suis bien près de notre maison. *(Comme frappant à la porte)* Ho ! où êtes-vous, Alison ? Holà, ho !

LA FEMME, *à l'intérieur.* — Pourquoi frappez-vous ? qu'est-ce là ? Frappez moins : ce n'est pas le bordel !

L'HOMME, *à la porte.* — C'est Roger, qui vous a accolée au soir, et qui est votre mari, ma belle [55].

L'AMOUREUX. — Puisse-t-on le pendre d'un lacet ! Sous quelle étoile je suis né ! Las ! où me mettrai-je, Alison ? Il me tuera comme un oison ; s'il me trouve, je suis un homme détruit.

LA FEMME.

Boutez vous soubz noz lict;
Cachez vous soubz noz couverture.

L'HOMME.

Ne me ferez-vous point ouverture?
Demoureray-je (i)cy?

LA FEMME.

On va à vous.
Las! je me meurs.

L'HOMME.

Et qu'avez-vous?

LA FEMME.

Je suis à mon deffinement.

L'HOMME.

Si tost et si hastivement?

LA FEMME.

Helas! voir[e], depuis aurens.

L'HOMME.

Et où vous tient ce mal?

LA FEMME.

Aux reins,
Et par tout.

L'HOMME.

Voicy grand pitié.
Ayez le cueur fermy [...].
A bien, Jesuchrist, roy divin,
Vous yrai-ge querir du vin?

LA FEMME.

Je ne sçay.

LA FEMME. — Mettez-vous là sous notre lit; cachez-vous sous la couverture.

L'HOMME, *toujours à la porte*. — Ne m'ouvrirez-vous pas ? Resterai-je ici ?

LA FEMME, *après un regard vers le lit où l'amoureux est maintenant caché*. — On va à vous.

9

LA FEMME, *en tenue de nuit, « ouvre » à son mari et feint d'être très malade*. — Hélas ! je me meurs.

L'HOMME. — Et qu'avez-vous ?

LA FEMME. — Je suis à mes derniers moments.

L'HOMME. — Si vite et si hâtivement ?

LA FEMME. — Hélas ! oui, depuis tout à l'heure.

L'HOMME. — Et où vous tient ce mal ?

LA FEMME. — Aux reins, et partout.

L'HOMME. — C'est grande pitié ! Mais ayez le cœur affermi [56]. Ah bien ! par Jésus-Christ, roi divin, irai-je vous chercher du vin ?

LA FEMME. — Je ne sais.

L'HOMME.

C'est le meilleur.
N'avez-vous rien sur le cueur
Qu'à noz curé vous vueillez dire?
Ce chemin vous convient eslire.
Vous n'en povez que de mieulx estre.

LA FEMME.

Point n'est maladie de prebstre,
Pour ceste foys cy, se me semble.
Sentez un peu comment il tremble:
Oncques ne fut en tel mestier!

L'HOMME.

Mon Dieu, que vous avez cauquier!
Ne vous sçaurois-je en rien ayder?

LA FEMME.

Rien n'y povez remedier,
Ce ne faictes ce que je diray:
Ceste bouteille vous prendré,
Où j'ay laissé de mon excloy;
Puis le porterez à maistre Eloy,
Qui est medecin bien appert,
Affin qu'il vous die en espert
Dont se grand mal icy me vient.

L'HOMME.

Je y vois. En tant qu'il m'en souvient,
Le vray en sauray droicte voye.
Helas! se ma femme perdoye,
Je sçay de vray que je mourroye
Après elle; il n'en fault doubter.
Mon Dieu, que j'ay soif!
Sang bieu, de l'orine ma femme
Me fault icy boire un traict.
Et fust de l'eaue du retrait,
Par la mort bieu, s'en buveray-je!
Quel dyable esse cy?

L'HOMME. — C'est le mieux à faire. Mais n'avez-vous rien sur le cœur qu'à notre curé vous vouliez dire ? Décidez de vous confesser, car vous n'en pouvez que mieux être.

LA FEMME. — Ce n'est pas une maladie à faire venir le prêtre, pour cette fois-ci, ce me semble. *(Elle se dirige vers le lit pour prendre la bouteille d'urine. En aparté, en passant près dudit prêtre transi de peur et que la peur a fait s'oublier dans ses chausses)* Sentez un peu comme il tremble : jamais il ne fut en telle nécessité !

L'HOMME. — Mon Dieu, avez-vous fini de caqueter ? Ne pourrais-je en rien vous aider ?

LA FEMME. — Vous ne pouvez y remédier à moins de faire ce que je dirai : vous prendrez cette bouteille, où j'ai laissé de mon urine *(seul, le public voit qu'elle s'est trompée et qu'elle lui remet la bouteille de vin);* puis portez-la à maître Éloi, qui est un médecin fort habile, afin qu'il vous dise clairement d'où peut me venir ce grand mal.

L'HOMME. — J'y vais. *(Il s'éloigne. Quant à la femme, elle regagne le lit et son amoureux ; et le lit passe derrière le rideau de fond.)*

10

L'HOMME, *sur le chemin qui mène à la maison du médecin.* — Autant qu'il m'en souvient, je vais savoir directement ce qu'il en est. Hélas ! si je perdais ma femme, je sais vraiment que j'en mourrais ; il n'y a pas à en douter... *(Il marche en silence.)* Mon Dieu, que j'ai soif ! Palsambleu ! il va me falloir boire ici un coup de l'urine de ma femme. Fût-ce de la pisse de cabinets, tant pis, morbleu, moi, j'en boirai ! *(Il boit.)* Que diable est-ce

Quoy! ma femme pisse-elle ainsi?
Foy que je doys au roy divin,
Ce pissat a tel goust de vin.
C'est vin! Cecy m'est bien propice.
Puis que son con telle chose pisse,
Pour moy grand dommage seroit:
Sans mon retour elle mourroit.
Il m'en fault encore taster;
Je veulx la bouteille es[g]outer
Pour sçavoir se plus rien n'y a.
C'est droit gloria filia
Pour laver ses dens! Alison,
Mais que je soye en noz maison,
Puis que pissez telle urinée,
Je veulx, chascune matinée,
Moymesmes vuider voz bassin.
Mais que diray-je au medecin?
J'ay tout beu l'orine ma femme.
Pou, pou! je y pisseray moy mesme
En la bouteille; il cuydera,
Quand l'orine regardera,
Que ma femme l'eust uriné.
Je tromperay le dominé
Bien finement par ceste sorte.

LE MEDECIN.

Quoy! medecine est-elle morte?
Elle ne me fait plus rien gaigner.
C'est assez pour enrager,
Tant en suis fort tourmenté.
Si suis bien esperimenté
Pour la santé du patient.

L'HOMME.

J'ay fait comme un homme sient
De pisser en ma boutelette.
J'apperçoy en la voyette
Le medecin, se m'est advis.
Sire, le Dieu de Paradis
Vous doint paix et bonne vie!

ci ? Quoi ! ma femme pisse-t-elle ainsi ? Foi que je dois au roi divin, ce pissat a le goût du vin. C'est du vin ! La vie me devient propice... Et puisque son con ainsi pisse, il me serait bien grand dommage qu'elle meure. Or si je ne reviens pas, elle meurt... *(Il fait encore quelques pas.)* Il me faut en tâter encore ; je veux égoutter la bouteille pour voir s'il n'y a plus rien dedans. C'est vraiment de la meilleure marque [57] pour se débarbouiller les dents. Alison, quand je serai en notre maison, puisque vous urinez telle pissée, je veux lors de chaque matinée vider moi-même votre bassin... Mais que dirai-je au médecin ? J'ai bu toute l'urine de ma femme ! Bah ! et que Dieu me damne ! je n'aurai qu'à pisser moi-même dans la bouteille ; il croira en examinant la couleur que c'est ma femme qui a pissé. J'attraperai bien le docteur, en le trompant de cette sorte. *(Il urine dans la bouteille.)*

11

LE MÉDECIN, *devant sa maison*. — Quoi ! la médecine est-elle morte ? Elle ne me fait plus rien gagner. Il y a de quoi enrager, et me voici en grand tourment ! Pourtant, je suis très expérimenté pour la santé des patients.

12

L'HOMME, *poursuivant son chemin*. — J'ai agi comme un homme habile en pissant dans cette bouteille. Mais j'aperçois dans ce chemin, il me semble, le médecin.

Je vous ay apporté un peu d'eaue.
Or visitez la.

LE MEDECIN.

Versez cy, que je la voye.
Fy, fy! ruez cela en voye.

L'HOMME.

Y a il à dire en son fait?

LE MEDECIN.

C'est une femme qui a fait
Cela cent foys sans son mary.

L'HOMME.

Cent foys cela? j'en suis marry.

LE MEDECIN.

Son urine ainsi le descœuvre.

L'HOMME.

Sang bieu! ce n'est point de mon œuvre;
Car je ne m'en mesle plus gouste.
N'en parlez-vous point en doubte?

LE MEDECIN.

Nenny certes; il est verité.

L'HOMME.

Que diable esse cy? je suis copault!
Je ne sçay de qui ce peult estre.
Ne seroit-ce point de vous, no prestre?
Vous passez bien souvent par là.
Or tenez, medecin, voyla
Un peu d'argent que je vous donne.

LE MEDECIN.

Gramercy; je vous abandonne
Tout mon logis entierement.

13

L'HOMME, *au médecin*. — Messire, le Dieu de paradis vous donne paix et longue vie ! Je vous apporte un peu d'urine. Examinez-la.

LE MÉDECIN, *lui tendant une sorte d'écuelle*. — Versez ici, que je la voie. *(La rejetant avec dégoût)* Fi, fi ! jetez-moi ça par terre.

L'HOMME. — Y a-t-il là mauvaise affaire ?

LE MÉDECIN. — Ça vient d'une femme qui a fait ça *(geste obscène)* au moins cent fois sans son mari.

L'HOMME. — Cent fois ça ? j'en suis ahuri.

LE MÉDECIN. — Son urine en est bonne preuve.

L'HOMME. — Palsambleu ! ce n'est pas de mon œuvre, car je ne m'en mêle plus goutte. N'y a-t-il là-dessus aucun doute ?

LE MÉDECIN. — Non, tout cela est vérité.

L'HOMME. — Que diable est-ce ci ? je suis cocu ! Je ne sais de qui ça peut être. Ne serait-ce pas de vous, notre prêtre ? Vous passez bien souvent par là. Or tenez, médecin, voilà un peu d'argent que je vous donne.

LE MÉDECIN. — Grand merci ; vous êtes ici chez vous.

L'HOMME. — Merci, c'est trop aimable à vous.

L'HOMME.

Je vous remercie grandement.
Suis-je cocu ? c'est chose voire.
Toutesfoys je ne le puis croire.
Mais qui en soit le pere,
Il fault que j'en soye le papa.
Jamais femme ne me trompa
Que ceste cy, sans nulz excet.
Pourtant c'est un bien que nul ne scet,
Se le medecin et ma femme,
Et celuy qui m'a copaud[é].
Et atant fin ; prenez en gré,
Seigneurs, qui estes icy present,
Prenez en gré l'esbatement.

FIN

14

L'HOMME, *sur le chemin du retour.* — Suis-je cocu ? C'est chose vraie. Toutefois, je ne puis le croire. Mais qu'importe qui en est le père ! il faut que j'en sois le papa. Jamais femme ne me trompa comme celle-ci, sans exception. Pourtant c'est une bénédiction que personne ne le sache, sauf le médecin, ma femme et celui qui m'a cocufié.

Adresse au public.

L'HOMME. — Sur ce, il faut terminer. Prenez en gré, messieurs qui êtes ici présents, prenez en gré l'ébattement.

IX

LE RAMONEUR DE CHEMINÉES

Le Ramoneur de cheminées appartient et au recueil du British Museum nº 36, texte retenu pour cette édition, et au recueil Cohen nº 30, texte postérieur au précédent et vraisemblablement établi sur celui-ci. C'est un exemple typique des farces à équivoque, dont nos lointains ancêtres semblent avoir été friands.

Tout est centré ici sur une équivoque, familière aux gens du Moyen Age et empruntée à la vie professionnelle des ramoneurs de cheminées : les hommes, avec leur gaule (le « ramon » du ramoneur) offrent leurs services aux dames pour les alléger (leur procurer du plaisir) en ramonant leur cheminée (intime) « hault et bas », et « au costé » et « au parmy ». Cette équivoque a été popularisée sur les tréteaux par cette farce et par un sermon joyeux, *Le Sermon joyeux d'un ramoneur de cheminées,* dont on possède une édition qu'on peut dater des environs de 1520, et qu'on a pu entendre récemment à Paris, au Carreau du Temple, interprété par Jean-Pierre Becker. Cette équivoque se retrouve dans maints textes du XVIe siècle, mais cessa d'être utilisée au milieu du XVIIe, en tout cas dans les écrits qui nous sont parvenus : les bienséances, sans doute !

Dans la farce, il se passe peu de chose. Un vieux ramoneur, accompagné de son aide, rentre chez lui en fin de journée, fatigué du métier et de la vie. Il se prépare toutefois à faire bonne contenance devant sa femme. Mais son valet le trahit en révélant qu'il n'a rien ramoné du tout, et sa femme l'accueille mal : ce mari-là n'est plus bon à rien. Moralité tirée par le ramoneur lui-même : messieurs, ramonez pendant qu'il est temps.

L'habileté de l'auteur a consisté à jouer sur le sens propre et sur le sens métaphorique en développant l'équivoque discrètement et progressivement ; à procéder par allusions en recourant à des dictons, à des comparaisons et des images, malheureusement aujourd'hui hors d'usage ; à agrémenter une situation statique en adoptant une grande variété de rythmes savants et de rimes. Les gestes des joueurs devaient accentuer l'effet des mots à équivoque ; ce qui était dit importait moins que la manière dont on le disait. C'est pourquoi la transcription en français moderne d'une telle farce ne peut rendre compte qu'approximativement de ce jeu verbal et gestuel. J'ai pensé que l'expérience valait quand même la peine d'être tentée.

LE RAMONEUR DE CHEMINÉES

Farce nouvelle
d'ung RAMONNEUR DE CHEMINÉES
fort joyeuse
nouvellement imprimée
à quatre personnaiges; c'est assavoir:
le ramonneur, le varlet, la femme et la voysine.

LE RAMONNEUR commence en chantant.

Ramonnez vos cheminées,
Jeunes femmes, ramonnez!

LE VARLET.

En nous payant noz journées,
Ramonnez voz cheminées!

LE RAMONNEUR.

En nous payant noz journées,
Retenez nous, retenez!
Ramonnez voz cheminées,
Jeunes femmes, ramonnez!

LE VARLET

Par le corps bieu, vous m'estonnez,
Tant menez lourde melodie.

LE RAMONNEUR.

Que dyable veulx-tu que je dye?
Encore ne sçay-je tant crier
Que gaigner puisse ung seul denier;
De quoy je m'esmerveille assez.

LE VARLET.

Si fais-je plus que ne pensez.
J'ay veu que, quant vous aviez grace
De bien ramonner, vostre tache
Estoit bien d'ung aultre plumaige.

Farce nouvelle, fort joyeuse d'un RAMONEUR DE CHEMINÉES à quatre personnages, c'est assavoir : le ramoneur, le valet, la femme et la voisine.

1

Dans la rue, en fin de journée. Un vieux ramoneur ventru et son aide s'avancent portant leurs instruments de travail, dont une grande perche.

LE RAMONEUR commence en chantant :

Ramonez vos cheminées,
Jeunes femmes, ramonez !

LE VALET, *continuant la chanson :*

En nous payant nos journées,
Ramonez vos cheminées !

LE RAMONEUR :

En nous payant nos journées,
Retenez-nous, retenez !
Ramonez vos cheminées,
Jeunes femmes, ramonez !

LE VALET. — Corbleu ! vous m'étourdissez à pousser si sotte mélodie.

LE RAMONEUR. — Que diable veux-tu que je dise ? Je ne sais même pas crier assez fort pour pouvoir gagner un petit sou ; ce dont je m'étonne beaucoup.

LE VALET. — Je m'en étonne plus que vous ne pensez. J'ai connu le temps où, quand vous aviez qualité pour bien ramoner, vous étiez au travail un tout autre oiseau !

LE RAMONNEUR.

A ! tu dis vray ; je faisoye raige,
Quant premierement tu me veis.

LE VARLET.

Chascun vous mettoit en ouvraige.

LE RAMONNEUR.

A ! tu dis vray ; je faisoye rage.

LE VARLET.

Il eust alors plus faict d'ouvraige
En ung jour qu'il ne faict en dix.

LE RAMONNEUR.

A ! tu dis vray ; je faisoye raige,
Quant premierement tu me veis.

LE VARLET.

Gens qui sont ainsi massis
Comme gros prieurs ou gras moynes,
Ne furent jamais gueres idoynes
De bien cheminées housser.

LE RAMONNEUR.

Pourquoy ?

LE VARLET

Ilz ne font que pousser
Et sont pesans comme une enclume.
Et vous ensuyvez la coustume,
Car vous estes gras comme lart.

LE RAMONNEUR.

Par bieu ! j'ay aussi bien faict l'art
Du mestier que homme du royaulme ;
Mais pour l'excercer, sur mon ame,
Ma puissance fort diminue.

LE RAMONEUR. — Ah ! tu dis vrai ; je faisais merveille aux premiers temps où tu me vis.

LE VALET. — Chacun vous mettait au travail.

LE RAMONEUR. — Ah ! tu dis vrai ; je faisais merveille.

LE VALET, *au public*. — Il eût alors plus fait de travail en un jour qu'il n'en fait en dix.

LE RAMONEUR. — Ah ! tu dis vrai ; je faisais merveille aux premiers temps où tu me vis.

LE VALET. — Les hommes qui ont une épaisse couenne comme gras chanoines ou gros moines, ne furent jamais guère capables de bien ramoner les cheminées.

LE RAMONEUR. — Pourquoi ?

LE VALET. — Ils sont tout essoufflés et aussi pesants qu'une enclume. Et vous, vous suivez la coutume, car vous êtes gras comme du lard.

LE RAMONEUR. — Parbleu ! j'ai aussi bien pratiqué l'art du métier qu'un homme du royaume ; mais pour l'exercer, sur mon âme, ma puissance fort diminue.

LE VARLET.

Se elle fust aussi bien venue
Devers vous comme declinée,
Vous eussiez mainte cheminée
A ramonner, qu'on vous trespasse.

LE RAMONNEUR.

Je sçay que c'est : tout ce passe,
Ce que nature a compassé ;
Car je suis ja tout passé.
Bien joueroit de passe passe,
Qui me feroit en brief espace
Corps bien compassé !
Je suis ja cassé,
Faulcé,
Lassé.
Et tout mon bien se trespasse,
De l'or que j'ay amassé
A Gaultier et à Massé
De leur bonne grace.
C'est d'estre en ung vieil fossé
Poussé,
Troussé,
Là où personne ne passe.

LE VARLET.

Qui vous diroit à voix basse :
Prens dix escutz en ma tasse,
Qu'en diriez-vous ?

LE RAMONNEUR.

Riens.

LE VARLET.

Ou de vuyder une tasse
Et humer la souppe grasse,
Vous le feriez ?

LE RAMONNEUR.

Bien.

LE VALET. — Si elle vous revenait aujourd'hui aussi vite qu'elle est partie, vous auriez maintes cheminées à ramoner, qui nous passent maintenant sous le nez !

LE RAMONEUR. — Je sais ce que c'est : tout se passe, comme la nature l'a réglé. Et je suis déjà tout passé. Il ferait un beau tour de passe-passe, celui qui dans un court espace me rendrait un corps bien redressé ! *(Sur un air plaintif :)*

Je suis déjà cassé,
Percé,
Lassé.
Et tout mon bien se passe,
L'or que j'ai amassé
De Pierre, de Paul, qu'ils m'ont laissé
De bonne grâce.
Je suis comme dans un vieux fossé
Poussé,
Troussé,
Là où personne ne passe.

(Puis ils échangent des propos fortement rythmés.)

LE VALET. —

Qui vous dirait à voix douce :
« Prends dix écus dans ma bourse »,
Qu'en diriez-vous ?

LE RAMONEUR, *d'un air las.* — Rien.

LE VALET. —

Qui dirait : « Vide la coupe,
Et hume la grasse soupe »,
Vous le feriez ?

LE RAMONEUR, *ranimé.* — Bien.

LE VARLET.

Et vous fussent assignées
A dormir grans matinées,
Quel estat, quel?

LE RAMONNEUR.

Bon.

LE VARLET.

Mais pour housser cheminées
Là où vertus sont minées,
Il ne vous en chault?

LE RAMONNEUR.

Non.
Je souloye avoir le regnom;
Mais maintenant je metz,
Tant que mestier je congnoys,
Doresnavant à quinsaine.
Par mon ame, c'est tresgrand peine
Que de ramonner à journée.

LE VARLET.

Voyre, pour gens à courte alaine.

LE RAMONNEUR.

Par mon ame, c'est tresgrand peine.

LE VARLET.

Croyez qu'il n'y a nerf ne vaine
Qui ne soit bien examiné.

LE RAMONNEUR.

Par mon ame, c'est tresgrand peine
Que de ramonner à journée.

LE VARLET.

Or sà, faison quelque trainée
Ou quelque cryée joyeuse

LE VALET. —

Et si l'on vous assignait,
Pour dormir, grandes matinées,
Quel serait votre état?

LE RAMONEUR. — Bon.

LE VALET. —

Mais pour ramoner les cheminées
D'où la vertu a délogé,
Vous ne vous en souciez?

LE RAMONEUR, *reprenant un air las.* — Non. J'avais jadis bonne renommée; mais maintenant que je connais le métier, je remets la tâche à quinzaine. Par mon âme, c'est très grande peine que de ramoner toute la journée!

LE VALET. — Oui, pour des gens à courte « haleine » *(et pour marquer le jeu de mots avec l'« alène » du cordonnier, il fait un geste vers son bas-ventre).*

LE RAMONEUR. — Par mon âme, c'est très grande peine!

LE VALET. — On exige nerfs et bonnes veines avant de donner à ramoner.

LE RAMONEUR. — Par mon âme, c'est très grande peine que de ramoner toute la journée!

LE VALET — Or çà, avançons-nous un peu, faisons

Pour veoir se quelque malheureuse
Ne nous mettra point en ouvraige.

LE RAMONNEUR.

Nous y perdrions notre langaige.
Ne faisons cy plus long sejour;
Car tu scez bien que tous les jours,
Puis que la court est en la ville,
Par ma foy ilz sont plus de mille,
Tous nouveaulx et jeunes housseurs.

LE VARLET.

Les jeunes ne sont point si seurs
Que les vieulx, vous le sçavez bien.

LE RAMONNEUR.

Il n'est abay que de vieil chien,
Pour dire; je ne le nye point.
Qui nous faict estre tous chetis?

LE VARLET.

Et quoy?

LE RAMONNEUR.

C'est que les aprentis
Tousjours les meilleurs maistres sont.

LE VARLET.

Et ainsi vous avez...

LE RAMONNEUR.

Le bont.
Les jeunes m'appellent vieillart,
Pource que j'euvre de viel lart
Et que je suis plus blanc que Carmes.
Ses-tu quoy? je me rens aux armes.
Mais pour cause que ma mignonne
Ne me faict point chere si bonne
Quant [n]e luy raporte pecune,
Ne revelle point ma fortune,

quelque annonce joyeuse pour voir si quelque malheureuse ne nous donnera pas de l'ouvrage.

LE RAMONEUR — Ce serait inutile langage. Ne restons plus longtemps ici. Car tous les jours, depuis que la Cour se tient dans notre ville [58], tu sais bien qu'ils sont plus de mille, pour sûr, à ramoner, tous nouveaux et jeunes.

LE VALET. — Les jeunes ne sont pas aussi sûrs que les vieux, vous le savez bien.

LE RAMONEUR. — Mais vieux chien ne sait qu'aboyer, dit-on; je le reconnais. Pourquoi sommes-nous si peu dignes d'envie ?

LE VALET. — Pourquoi ?

LE RAMONEUR. — C'est que les apprentis sont toujours là les meilleurs maîtres.

LE VALET. — Et ainsi vous avez peut-être...

LE RAMONEUR. — Perdu la partie [59]. Les jeunes m'appellent vieillard, parce que je ne suis qu'un vieux lard; mes cheveux sont plus blancs qu'un Carme [60]. Sais-tu bien ? je dois rendre les armes. Mais parce que ma femme ne me fait pas figure aussi bonne quand je ne lui rapporte pas d'argent, ne lui dis pas mon infortune; mais dis que

Mais que j'ay bien besongné
Et que j'ay aujourd'huy gaigné
Bien quarante soulz, qu'on me doibt.
Je sçay de vray, s'elle entendoit
Par trop parler ou sermonner
Que ne peusse plus ramonner,
Vela Jehan du Houx rué jus.
Plus n'en auroys esbatz ne jeux;
Jamais ne me vouldroit aymer.

LE VARLET.

J'aymeroys mieulx estre en la mer
Que vostre honneur j'eusse frauldé.

LE RAMONNEUR.

Où estes-vous, mal fardée,
Mal lardée?
Que ne parlez-vous à nous?

LE VARLET.

On vous a bien regardée
Et dardée
Au cueur d'ung regard tresdoulx.

LA FEMME.

Et qui a-ce esté?

LE VARLET.

Jehan du Houx,
Par dessoubz.

LA FEMME.

Je ne m'en suis point gardée.

LE VARLET.

Toutesfoys il vous a dardée
Bien [f]errée
La flesche.

j'ai bien besogné et que j'ai aujourd'hui gagné bien quarante sous..., que l'on me doit. Je sais que si elle apprenait, à nous entendre trop parler, que je ne puis plus ramoner, voilà Jean Lehoux [61] terrassé. Finis nos ébats et nos jeux ! elle ne voudrait jamais m'aimer.

LE VALET. — J'aimerais mieux être noyé que de tricher sur votre honneur.

2

Ils arrivent à la maison. Celle-ci est représentée sur les tréteaux par un espace surélevé par rapport à ce qui est supposé être la rue, et on y accède par quelques marches.

LE RAMONEUR, *retrouvant quelque autorité pour s'adresser à sa femme, qui se tient encore derrière le rideau, et chantant :*

Où êtes-vous, mal fardée,
Mal lardée [62] ?
Il faut nous parler, à nous.

LE VALET :

On vous a bien regardée
Et dardée
Au cœur d'un regard très doux.

LA FEMME, *sortant de chez elle.* — Et qui est-ce là ?

LE VALET, *s'avançant vers elle.* — Jean Lehoux, en dessous.

LA FEMME. — Je n'y avais pas pris garde.

LE VALET. — Pourtant il vous a dardé une flèche bien ferrée.

LA FEMME.

Des poux, des poux!
J'aymeroye mieulx quatre solz
En ma bource, de bon acquest,
Que son regard ne son caquet.
Brief, je n'ayme point ses esbatz.

LE VARLET.

Pourquoy?

LA FEMME.

Il craint le bas
Plus que cheval de pois[s]onnier.

LE VARLET.

Hé! dea, si mengea du poisson hyer,
Ne l'ayés pourtant indigné.
Pensez, quant il a bien digné,
Encor est-il plus redelet.

LE RAMONNEUR.

Jehan du Houx est itel qu'il est;
Il n'en fault point tant sermonner.

LA FEMME.

D'où venez-vous?

LE RAMONNEUR.

De ramonner
Tout ce jour, et Dieu scet comment!
Demandez luy.

LE VARLET.

Tout bellement;
Par mon ame, c'est grand pitié!

LA FEMME.

Pis qu'ante?

LA FEMME. — Des poux, des poux ! J'aimerais mieux quatre sous dans ma bourse, bien acquis, que son regard et son caquet. Bref, je n'aime pas ses ébats.

LE VALET. — Pourquoi ?

LA FEMME. — Il craint le « bas » plus qu'un cheval de poissonnier[63].

LE VALET — Eh, diable ! s'il mangea du poisson hier, il ne faut pas le mépriser. Car lorsqu'il a bien déjeuné, il est beaucoup plus vigoureux.

LE RAMONEUR, *s'avançant à son tour.* — Jean Lehoux est bien tel qu'il est ; inutile de tant en parler.

LA FEMME. — D'où venez-vous ?

LE RAMONEUR. — De ramoner tout ce jour, et Dieu sait comment ! Demandez-lui. *(Il s'écarte quelque peu.)*

LE VALET, *après avoir constaté que son maître ne pouvait entendre.* — Tout doucement ; par mon âme, c'est grande pitié !

LA FEMME. — Pis qu'auparavant ?

LE VARLET.

Mais pis la moytié !
Il sera tantost maistre ès ars.

LA FEMME.

Pourquoy ?

LE VARLET.

Il a aprins ses pars ;
Il est à ses declinaisons.

LE RAMONNEUR.

De quoy parlez-vous ?

LE VARLET.

De l'oyson
Qu'on vous donna hyer à disner,
Après qu'on vous fist ramonner
La cheminée que sçavez.

LE RAMONNEUR.

Il dit vray.

LA FEMME.

Par bieu ! vous bavez ;
Ne vous vantez ja du beau faict.

LE RAMONNEUR.

Hola ! j'ay faict ce que j'ay faict.
M'avez-vous si bien repoulsé ?
Encore ay-je aujourd'huy houssé
Des cheminées plus de douze.
Vela qui le scet.

LE VARLET.

Il se house !

LA FEMME.

J'en vueil bien croyre ses recors.

LE VALET, *ironique*. — Pis de la moitié ! Il sera bientôt bachelier !

LA FEMME. — Pourquoi ?

LE VALET. — Il connaît tous les rudiments ; le voici à la « déclinaison ».

LE RAMONEUR, *revenant vers eux*. — De quoi parlez-vous ?

LE VALET. — De l'oison qu'on vous donna hier à déjeuner, après qu'on vous fit ramoner la cheminée que vous savez.

LE RAMONEUR, *à sa femme*. — Il dit vrai.

LA FEMME. — Parbleu, bavardage ! Ne vous vantez jamais de ce haut fait.

LE RAMONEUR. — Holà ! j'ai fait ce que j'ai fait. Pourquoi ainsi me repousser ? Aujourd'hui j'ai même ramoné plus de douze cheminées. Celui-là le sait.

LE VALET. — Allez donc voir !

LA FEMME. — Je veux bien croire ce qu'il rapporte.

LE VARLET.

Pensez qu'il a assez bon corps,
Mais n'a membre qui rien vaille.

LA FEMME.

Dictes-vous ?

LE VARLET.

Pas maille.
Je vous ay declairé le point.

LE RAMONNEUR.

Se vous me voyez en pourpoint,
Vous esprouveriés plustost mes fais.

LE VARLET.

Il est façonné comme ung fais
De fagotz ou de paille d'orge.

LE RAMONNEUR.

Tu as menty parmy la gorge :
Je suis ung bel homme, et robuste
De corps et de membres.

LE VARLET.

Tout juste !
Par mon ame, c'est bien soufflé.

LA FEMME.

Regardez, il est plus enflé
Qu'ung rat noyé dedans ung puis,
Tant a mangé de souppes.

LE RAMONNEUR.

Et puis,
Fondez moy ; si aurez le sain !

LA FEMME.

Quel visaige de sainct Poursain !
Comme il en a remply ses bouges !

LE VALET. — Sans doute a-t-il encore bon corps, mais son membre ne vaut plus rien.

LA FEMME, *au valet*. — Que dites-vous ?

LE VALET. — Moi ? rien. J'ai dit ce que j'avais à dire.

LE RAMONEUR. — Ah ! si je me déshabillais, vous verriez vite ce que je vaux.

LE VALET. — Voyez comme il est fagoté ! c'est un ballot de paille d'orge.

LE RAMONEUR. — Ce mensonge te sort de la gorge : je suis bel homme, et robuste de corps et de membres.

LE VALET. — Tout juste ! par mon âme, c'est bien soufflé.

LA FEMME. — Regardez, il est plus enflé qu'un rat noyé au fond d'un puits, tant il a mangé de pain trempé[64] !

LE RAMONEUR. — Eh bien ! faites-moi fondre : je serai sain et vous aurez ainsi le saindoux !

LA FEMME. — Quel visage de saint Pourçain[65] ! Comme il en a rempli ses joues !

LE RAMONNEUR.

S'ont esté ces gros vins rouges,
Qui nous ont paincturez ainsi
Les narines de cramoysi,
Ainsi que sçavez qu'on le joue.

LA FEMME.

La couleur demeure en la joue;
Elle n'est pas tombé ès mains.

LE RAMONNEUR.

Mon compaignon n'en a pas mains.
Le voyez-vous, le dominé?
Il a le groing enluminé
Comme le B de Beatus vir.

LA FEMME.

Mais voz yeulx me font grand plaisir;
Car ilz n'ont point la couleur nette.

LE RAMONNEUR.

Quelz sont-ilz?

LA FEMME.

Doublés d'escarlate.

LE RAMONNEUR.

J'ay tant par villes et par bours
Houssé, qu'ilz en vont à rebours
Des pouldres qui sont cheuz dedans.

LE VARLET.

Il a menty parmy ses dentz:
Il ne luy vient que de trop boyre.

LE RAMONNEUR.

Pour Dieu, ne le vueillez point croyre,
Ma doulcinette, ma mignonne,
Ma gogette, ma toute bonne;

LE RAMONEUR. — Ce ne sont que de gros vins rouges qui m'ont peintureluré ainsi les narines en cramoisi, comme vous savez qu'il faut être quand au jeu de l'amour on joue.

LA FEMME. — La couleur reste sur la joue; elle n'est pas tombée dans tes mains!

LE RAMONEUR. — Mon compagnon est comme moi. Le voyez-vous le breveté! Il a le groing enluminé comme le B de « Beatus vir » du psautier[66].

LA FEMME. — Mais vos yeux me font grand plaisir, car ils n'ont pas la couleur nette.

LE RAMONEUR. — Comment sont-ils?

LA FEMME. — Bordés d'écarlate.

LE RAMONEUR. — Par villes et par bourgs j'ai tant ramoné qu'ils vont à rebours par la faute des poussières qui me sont tombées dedans.

LE VALET. — Le mensonge lui sort par les dents: ça ne lui vient que de trop boire.

LE RAMONEUR. — Pour Dieu, ne veuillez pas le croire, ma doucinette, ma mignonne, ma gorgerette, ma toute

Car, quant je ne suis point en serre,
Je ramonne aussi bien…

LE VARLET.

Ung voirre
Qu'oncques fist gorge de pion.

LE RAMONNEUR.

Escoustez cest escorpion,
Comme il me point ! Que je suis ayse,
Et je sçay bien, plaise ou non plaise,
Qu'entre tous housseurs je suis homme.

LE VARLET.

Il a perdu le plait à Romme,
Il peult bien apeller à Rains.

LE RAMONNEUR.

Esse debilité de reins
De housser en une journée
Seize foys une cheminée
Qui estoit bien grande et bien haulte ?

LE VARLET.

Il dit vray ; il fist une faulte :
Ce fut quinze et, somme toute,
Une foys houssa tout de route ;
Encore Dieu sçait à quel peine !

LE RAMONNEUR.

Et je fis ta fiebvre quartaine,
Se aujourd'huy je t'os mot dire
Ne mesdire
Contre moy aulcunement !
De mon poing sans contredire,
Par grant ire,
En auras ton payement.

bonne ; en effet, quand rien ne m'enserre, je ramone aussi bien…

LE VALET. — Un verre, que ramona jamais gosier d'ivrogne.

LE RAMONEUR. — Écoutez ce scorpion, comme il me pique ! Lorsque je suis à l'aise, je sais, plaise ou déplaise, qu'entre tous les ramoneurs je suis très bon à la besogne.

LE VALET. — Il a perdu procès à Rome, et il veut en appeler à Reims[67] !

LE RAMONEUR. — Est-ce que l'on a les reins débiles quand on ramone en une journée seize fois une cheminée, qui était bien grande et bien haute[68] ?

LE VALET. — Il a dit vrai, mais fait une faute : ce fut quinze fois, et tout bien compté, il ne ramona qu'une seule fois, sans s'arrêter, et encore Dieu sait à quelle peine !

LE RAMONEUR. — Que tu aies la fièvre quartaine, si aujourd'hui je t'entends encore dire un mot ou médire de moi d'une façon ou de l'autre ! Avec mon poing, sois-en certain, ma colère te fera paiement. *(Il se retire de nouveau à l'écart.)*

LE VARLET.

Cil qui paye ment
Vrayement,
Au moins s'on ne l'en retire.
Et vous envoyez [b]elle tire.
Qui vous tire
A mentir si lourdement?
Dictes or, par mon serment,
Tant qu'est à luy, il en est faict.

LA FEMME.

Il me faict enraiger, de faict,
De dire que si v[aillam]ment
A huy ramonné.

LE VARLET.

Hé! il ment;
Jamais ne luy eusse accordé.

LA FEMME.

Il est doncques…

LE VARLET

Il est cordé;
Jamais n'en aurez…

LA FEMME.

Grant ayde.

LE VARLET.

On luy eust bien…

LA FEMME.

Lasché la bride.
De courir n'est point…

LE VARLET.

Enrengé;
Je vous entens.

LE VALET, *en le regardant s'éloigner.* — Celui qui paie ainsi, ment vraiment; mais on peut l'en empêcher. Pourquoi partez-vous si vite [69] ? Qui vous pousse à mentir aussi lourdement? *(S'adressant à la femme)* Or voyez, sur mon serment, pour ce qui est de lui, il est fini.

LA FEMME. — Aussi me fait-il enrager de dire qu'il a aujourd'hui ramoné si vaillamment.

LE VALET. — Hé oui, il ment; jamais je n'aurais pu dire comme lui.

LA FEMME. — Il est donc…

LE VALET. — Ligoté; jamais vous n'en aurez…

LA FEMME. — Grande aide.

LE VALET. — On lui eût bien…

LA FEMME. — Lâché la bride. Mais de courir, il n'est pas…

LE VALET. — Capable. Je vous comprends.

LE RAMONNEUR.

Je l'ay songé :
Ouy, j'ay faict ce que je vous dis.

LE VARLET.

Dictes-en ung De profundis.
Il en est faict, vous le voyez bien.

LE RAMONNEUR.

Dictes-en ung estront de chien
En ton nez ! Fault-il tant baver !
Mais comment m'oses-tu b[r]aver,
Ort, sanglant, paillart, contrefaict,
Moy qui t'ay faict !

LE VARLET.

Qu'avez-vous faict ?

LE RAMONNEUR.

Je t'ay faict.

LE VARLET.

Vous l'avez faict belle !

LE RAMONNEUR.

S'on ne te pent, paillart, rebelle !...
Je t'ay faict.

LE VARLET.

Quoy ? apoticaire ?

LE RAMONNEUR.

Escoutez, il ne se peult taire !
Il me faict enraiger d'ennuy.

LE VARLET.

Je ne mengay huy.
De quoy dyable seroys-je plain ?

LE RAMONEUR, *revenant vers eux.* — J'ai réfléchi : oui, j'ai fait ce que je vous ai dit.

LE VALET, *à la femme.* — Dites-en un « De profundis[70] ». Il est fini, vous le voyez bien. *(Et la femme s'écarte à son tour, pour vaquer à ses occupations.)*

LE RAMONEUR, *à son valet.* — Qu'un étron de chien te bouche le nez ! Faut-il tant parler ? Mais comment oses-tu me braver, sale, cruel, gueux, mal bâti ? moi qui t'ai fait !

LE VALET. — Qu'avez-vous fait ?

LE RAMONEUR. — Je t'ai fait.

LE VALET. — Bel avantage !

LE RAMONEUR. — Si l'on ne te pend, gueux, rebelle !... Je t'ai fait.

LE VALET. — Quoi ? apothicaire !

LE RAMONEUR. — Écoutez, il ne peut se taire ! Il me fait enrager, je ne sais comme il me contrarie.

LE VALET. — Je n'ai pas mangé aujourd'hui. De quoi, diable, serais-je plein ?

LE RAMONNEUR.

Tu es remply de faulce envye
Contre moy, qui le tient en vie :
Je prins ce paillart [ratisseur]
A Paris chez ung rotisseur ;
Et n'avoit pas vaillant deux blans,
Et couchoit, dont il est si blans,
Au four à quoy la paille on art.
Brief, je t'ay faict.

LE VARLET.

Quoy ?

LE RAMONNEUR.

Ha ! paillart,
Je t'ay au moins faict tant d'honneur
Que tu es maistre ramonneur,
Passé par les maistres jurez.

LE VARLET.

Pas ne fault que vous en jurez ;
Je n'en donroys pas ung oygnon.
Depuis que je suis compaignon,
Je n'ay pas gaigné mes despens.

LA FEMME.

Par ma foy, à ce que j'entens,
Il ne peult plus lever le boys
Du ramon.

LE RAMONNEUR.

On dit maintes foys
Qu'il a tant faict qu'il n'en peult [mais].
On le doibt bien laisser en pays,
C'est une auctorité commune.

LA FEMME.

Las ! je demeure ainsi comme une
Povre femme, à qui fortune

LE RAMONEUR. — Tu es rempli de fausse envie contre moi *(prenant le public à témoin),* moi à qui il doit d'être en vie. Je recueillis ce gueux de voleur à Paris chez un rôtisseur ; il n'avait pas en poche un franc et il couchait — de là son teint blanc — près du four où l'on brûle la paille. Bref, je t'ai fait.

LE VALET. — Quoi ?

LE RAMONEUR. — Ah ! gueux, je t'ai fait au moins tant d'honneur que tu es maître ramoneur, et passé ramoneur breveté.

LE VALET. — Ne le dites pas sur serment ; je n'en donnerais pas un oignon. Depuis que je suis votre compagnon, je n'ai pas mis d'argent de côté.

LA FEMME, *reprenant part à la conversation.* — Par ma foi, à ce que j'entends, il ne peut plus lever son bâton.

LE RAMONEUR. — On dit souvent qu'il a tant fait qu'il n'en peut mais. Il faut bien le laisser en paix, c'est une maxime commune. *(Il s'éloigne, suivi de son valet.)*

LA FEMME, *restée seule.* — Hélas ! je demeure comme une pauvre femme, à qui Fortune, pour son malheur, ne

Pour sa griefve importune,
Quant mon mary vient en bas.
Puis qu'en si piteulx esbatz
 On l'impugne,
Plus je ne puis par voye aulcune,
Pour argent ne pour pecune,
Avec luy prendre mes esbas.

LA VOYSINE commence.

A qui esse que tu t'esbatz,
Ma voysine et ma doulce amye?

LA FEMME.

Croyez que je ne chante mye,
Mais ay le cueur triste et marry;
Car c'est de mon povre mary,
A qui Dieu bonne mercy face!
Je ne sçay plus que je face,
De grant pitié qui me remort.

LA VOYSINE.

Comment! vostre mary est mort?

LA FEMME.

Tout mort au paradis des chievres.

LE RAMONNEUR.

Et je suis tes sanglantes fiebvres,
Puis qu'il convient que je responde.

LA FEMME.

Il est mort, c'est à dire au monde,
Comme ung Chartreux ou reclus.

LA VOYSINE.

Comment?

LA FEMME.

 Il ne ramonne plus,
Non plus qu'ung enfant nouveau né.

cesse de se rendre importune, quand son mari pointe sur son bas. Puisqu'à si piteux ébats, on l'accule, je ne veux plus, par voie aucune, pour argent et pécune, prendre avec lui mes ébats.

3

LA VOISINE *commence.* — Avec qui est-ce que tu t'amuses, ma voisine et ma douce amie?

LA FEMME. — Croyez que je ne chante pas, car j'ai le cœur triste d'ennui. Et c'est à cause de mon pauvre mari, à qui Dieu donne son pardon! Je ne sais plus ce que je dois faire; j'ai pour lui grande pitié et remords.

LA VOISINE. — Quoi! votre mari est-il mort?

LA FEMME. — Oui, le bouc est mort pour les chèvres.

4

LE RAMONEUR, *revenant avec son valet.* — Que tu aies tes sanglantes fièvres, puisqu'il convient que je réponde!

LA FEMME. — Il est mort, mais seulement au monde, comme un Chartreux ou un reclus.

LA VOISINE. — Comment?

LA FEMME. — Il ne ramone plus, pas plus qu'un enfant nouveau-né.

LE RAMONNEUR.

Ramonner! c'est bien ramonné;
Il n'est homme qui ne s'en lasse
De ramonner si longue espasse
Que j'ay faict, ne par tant d'ans!
Il y a plus de soyxante ans
Que le mestier je commençay!

LA VOYSINE.

Vous n'en povez plus.

LE RAMONNEUR.

Je ne sçay;
Ma femme me le dit ainsi.

LA VOYSINE.

Comment le sçavez-vous ainsi?

LA FEMME.

Je le sçay par ma cheminée,
Qui souloit estre ramonnée
Tous les jours bien cinq ou six foys.
Mais il y a bien troys moys,
Voysine, qu'il n'y voulut penser.

LE RAMONNEUR.

C'est tousjours à recommencer!
Qui fourniroit au residu,
Il vauldroit mieulx estre pendu
Ou estre mis en gallée.

LA VOYSINE.

Vostre peau sera gallée,
Ou vous ferez vostre debvoir.

LA FEMME.

Voysine, vous povez sçavoir
Qu'il ne fera jamais grans fais.

LE RAMONEUR. — Ramoner ! c'est bien ramoné ! Il n'est pas d'homme qui ne se lasse de ramoner aussi longuement que je l'ai fait, ni tant d'années ! Il y a plus de soixante ans que j'ai commencé le métier !

LA VOISINE. — Vous n'en pouvez plus.

LE RAMONEUR. — Je ne sais pas ; mais ma femme le dit.

LA VOISINE, *à la femme*. — Comment le savez-vous ainsi ?

LA FEMME. — Je le sais par ma cheminée que d'habitude il ramonait tous les jours bien cinq ou six fois. Mais il y a bien trois mois, voisine, qu'il n'a plus voulu y penser.

LE RAMONEUR. — Il faut toujours recommencer ! Au reste, pour qui ne cesserait de fournir, il vaudrait mieux qu'il fût pendu ou qu'il fût conduit aux galères.

LA VOISINE. — On vous étrillera la peau, ou vous ferez votre devoir !

LA FEMME. — Voisine, vous pouvez savoir qu'il ne fera jamais d'exploits.

LE VARLET.

Il pert cy ung beau jeu d'ec[h]es;
Bien faict seroit qu'on l'en blamast.

LA FEMME.

Comment?

LE VARLET.

Il est sec et mast,
Puis qu'aultrement ne s'employe.

LE RAMONNEUR.

Ma gaulle ploye
Si tost que l'ouvraige regarde.
Pour Dieu, messieurs, prenez garde,
Qui vous meslez de ramonner,
Qu'à ramonner point on ne tarde
Les cheminées qui ont mestier.
Et pour la cause abreger
Et aussi qu'il ne vous ennuye,
Il est temps de nous en aller.
Adieu toute la compaignie!

Cy fine la farce du ramonneur de cheminées.

LE VALET. — Il perd là un beau jeu d'échecs. Il mériterait qu'on l'en blâmât.

LA FEMME. — Comment cela ?

LE VALET. — Il est « sec et mat », puisqu'il ne sait rien faire d'autre.

Adresse au public.

LE RAMONEUR. — Ma gaule ploie dès que je regarde l'ouvrage. Pour Dieu, messieurs qui vous mêlez de ramoner, prenez grand soin de ne pas tarder à ramoner les cheminées qui en ont besoin. Et pour abréger la chose et de peur qu'on ne vous ennuie, il est temps de nous en aller. Adieu toute la compagnie !

X

LE MEUNIER DONT LE DIABLE EMPORTE L'ÂME EN ENFER

Cette farce était destinée à être un épisode divertissant du *Mystère de saint Martin*, œuvre dramatique écrite par le poète André de La Vigne en l'honneur du patron d'une petite ville de Bourgogne, Seurre, à cette époque très florissante. Le *Mystère* y fut joué en 1496. La Bibliothèque nationale possède, par on ne sait quel miracle, le manuscrit des textes du spectacle, auquel est joint le procès-verbal de la représentation signé de la main même de l'auteur. C'est la seule des farces regroupées ici, dont on ait le manuscrit original, c'est-à-dire dont le texte conservé date du temps même de sa représentation.

Grâce au procès-verbal, on sait que les choses ne se passèrent pas comme prévu. Le dimanche matin 9 octobre, le mauvais temps contraignit les organisateurs à remettre la représentation du *Mystère*. On cherchait comment retenir le public déçu. Heureusement, l'après-midi il y eut une éclaircie ; on en profita, faute de mieux, pour jouer la courte farce du *Meunier*. Ainsi les circonstances firent isoler la farce du *Mystère* dans lequel elle devait s'intégrer au cours de l'après-midi de la « troisième journée ». Bel exemple de l'indépendance acquise peu à peu par le genre farcesque.

Dans sa farce, André de La Vigne adaptait un fabliau de Rutebœuf, *Le Pet au vilain :* un diable va sur terre recueillir l'âme d'un paysan mécréant ; mais il se trompe sur l'orifice par où sort l'âme et ne recueille dans son sac que ce que le paysan, malade d'avoir trop mangé, a évacué de son ventre. Ici, le « vilain » est un meunier ; et André de La Vigne en profite pour décocher quelques traits à une profession réputée pour voler les pauvres paysans.

Cette adaptation du fabliau et cette satire des meuniers ne sont que l'élément majeur de la farce. Pour structurer scéniquement et spécifiquement son œuvre, André de La Vigne reprend de nombreux procédés et thèmes propres à la farce : les coups, les déguisements, la rivalité du mari et de la femme, l'amoureux, qui est ici encore le curé, les thèmes scatologiques, etc. Et ce n'est pas le moins curieux que de voir dans un spectacle édifiant un homme qui soulage son ventre devant le public, et un curé amoureux qui aggrave son cas en ridiculisant le sacrement de la confession !

Mais le Bon Dieu, à cette époque, devait être indulgent à ce genre de choses. Si bien que, lorsque les joueurs et les musiciens, après la représentation de la farce, se rendirent à l'église pour demander au Ciel qu'il fît beau le lendemain pour qu'ils puissent jouer leur spectacle de *Saint Martin*, Dieu les exauça. Et le *Mystère* fut « sereinement » joué les 10, 11 et 12 octobre 1496.

LE MEUNIER
DONT LE DIABLE EMPORTE L'ÂME EN ENFER

FARCE DU MUNYER
de qui le deable emporte l'ame en enffer

Farce
du MEUNIER
DONT LE DIABLE EMPORTE L'ÂME EN ENFER

Cette farce utilisait une partie du plateau et de la décoration du « Mystère de saint Martin », dans lequel elle s'insérait : au centre, la Terre dont un « lieu » sera la demeure du meunier (objets : un lit où est couché le meunier, une table, un siège), et à droite la Gueule d'enfer, d'où sortiront les diables rouges au milieu des flammes et d'une épaisse fumée.

Nous sommes vers la fin du Mystère : l'évêque de Tours va mourir. Il dit adieu à ses chanoines. Pour faire contraste avec la mort du saint et avant qu'un ange ne vienne recueillir l'âme de Martin, figurée peut-être par une colombe en tissu blanc, on suspend l'« action » au milieu du discours du saint : ici devait se jouer la farce, avec le diable Bérith recueillant l'âme du meunier dans son sac rouge.

Les personnages sont : le meunier, sa femme, le curé, Lucifer, Bérith et les diables (dont Satan, Astaroth, Proserpine).

LE MUNYER, couché en ung lit comme malade.

Or suis-je en piteux desconfort
Par maladie griefve et dure;
Car espoir je n'ay de confort
Au grant mal que mon cueur endure.

LA FEMME.

Fault-il, pour ung peu de froidure,
Tant de fatras mectre dessus!

MUNYER.

J'ay moult grant peur, si le froit dure,
Qu'aulcuns en seront trop deceux.
A! les rains!

FEMME.

Sus, de par Dieu, sus!
Que plus grant mal ne vous coppie!

MUNYER.

Femme, pour me mectre au-dessus,
Baillez moy…

FEMME.

Quoy?

MUNYER.

La gourde pie;
Car mort de si tresprès m'espie,
Que je vaulx mains que trespassé.

1

Chez le meunier.

LE MEUNIER, malade[71], couché dans un lit. — Me voilà maintenant dans un pitoyable découragement par une maladie grave et dure. Plus d'espoir, plus de réconfort pour le mal que mon cœur endure.

LA FEMME. — Faut-il, parce que vous vous refroidissez, mettre tant de fatras là-dessus ?

LE MEUNIER. — Je crains beaucoup, si le froid dure, que certains n'en soient très déçus. Ah ! mes reins !

LA FEMME. — Allons, par Dieu, debout ! de peur qu'un plus grand mal ne vous frappe.

LE MEUNIER. — Femme, pour me faire surmonter le mal, donnez-moi...

LA FEMME. — Quoi ?

LE MEUNIER. — La sainte bouteille ; car la mort me guette de si près que je vaux moins qu'un trépassé.

FEMME.

Mais qu'ayez tousjours la roupie
Au nez!

MUNYER.

C'est bien compassé!
Avant que j'aye au moins passé
Le pas, pour Dieu! donnez m'à boire.
A! Dieu, le ventre!

FEMME.

Et voire, voire;
J'ay ung tresgracieux douaire
De vostre corps, quant bien je y pence!

MUNIER.

Le cueur me fault!

FEMME.

Bien le doy croire.

MUNYER.

Mort suis pour toute recompence,
Se je ne refforme ma pence
De vendange delicieuse!
Ne me plaignez poinct la despence,
Femme; soyez moy gracieuse.

FEMME.

Estre vous doybs malicieuse,
A tout le moins ceste journée;
Car vie trop maulgracieuse
M'avez en tous temps demenée.

MUNYER.

Femme ne sçay de mere née,
Qui soit plus aise que vous estes!

LA FEMME. — Faut-il que toujours vous ayez la roupie au nez !

LE MEUNIER. — C'est bien dit ! Mais avant que j'aie franchi le pas, pour Dieu, donnez-moi à boire. Ah ! Dieu, le ventre !

LA FEMME. — Oui, vraiment, quand j'y pense, j'ai un bien agréable avantage de votre corps !

LE MEUNIER. — Le cœur me manque !

LA FEMME. — Je dois bien le croire.

LE MEUNIER. — Pour me dédommager, je n'ai que la mort si je ne me refais pas la panse en buvant un vin délicieux. Ne regardez pas à la dépense, femme ; soyez avec moi aimable.

LA FEMME. — Je dois être avec vous méchante, à tout le moins aujourd'hui ; car vous m'avez toujours fait mener une vie très désagréable.

LE MEUNIER. — Je ne connais pas de femme qui soit plus aise que vous.

FEMME.

Je suis bien la malle assenée,
Car nuyt ne jour rien ne me faictes.

MUNYER.

Aux jours ouvriers et jours de festes,
Je foys tout ce que vous voulez,
Et tant de petis tours.

FEMME.

Parfaictes !

MUNYER.

Haaa !

FEMME.

Dictes tout !

MUNYER.

Vous vollez,
Vous venez, et…

FEMME.

Quoy ?

MUNYER.

Vous allez
Puis chetz Gaultier, puis chetz Martin ;
L'un gauldissez, l'autre gallez,
Aultant de soir que de matin.
Pencez que, dans mon advertin,
Les quinzes joyes n'en ay mye.

FEMME.

L'avez-vous dit, villain mastin ?
Vous en aurez !

Elle fait semblant de le batre.

LA FEMME. — Je suis pourtant la mal lotie, car nuit et jour, à cause de vous, je vis sans le moindre plaisir.

LE MEUNIER. — Aux jours ouvrables, aux jours de fête, je fais tout ce que vous voulez, et beaucoup de bonnes parties.

LA FEMME. — Achevez !

LE MEUNIER. — Ah !

LA FEMME. — Dites tout !

LE MEUNIER. — Vous allez çà et là, vous venez et...

LA FEMME. — Quoi ?

LE MEUNIER. — Vous allez chez Pierre, Paul, Jacques ; vous vous amusez avec l'un, vous faites bonne chère avec l'autre, autant le soir que le matin. Sachez bien que, dans mon tourment, je n'ai pas eu non plus grande joie.

LA FEMME. — Que dites-vous, chien méchant ? Vous en aurez ! (Elle le bat.)

MUNYER.

Dictes, m'amye,
Au nom de la Vierge Marie,
Maintenant ne me batez poinct :
Malade suis.

FEMME.

Tenez, tenez ! (Elle le bat.)

MUNYER.

Qui se marye
Pour avoir ung tel contrepoinct ?
Je ne sçay robe ne pourpoint
Qui tantost n'en fust descousu. (Il pleure.)

FEMME.

Cella vous vient trop bien apoinct.

MUNYER.

A ! c'est le bon temps qu'avez heu,
Et le bien !

FEMME.

Commant ?

MUNYER.

Ho ! Jhesu !
Que gaignez-vous à me ferir ?

FEMME.

Il en est taillé et cousu.

MUNYER.

Vous me voulez faire mourir ?
Mais se je puis ung coup guerir,
Mort bieu ! je fe...

FEMME.

Vous grongnez ?
Encore faictes ?

LE MEUNIER. — Dites, m'amie, au nom de la Vierge Marie, ne me battez pas maintenant: je suis malade.

LA FEMME. — Tenez, tenez[72] ! (Elle le bat.)

LE MEUNIER. — Qui se marie pour se voir battre une telle mesure ? Je n'ai ni habit ni pourpoint qui sous peu n'en soient décousus. (Il pleure.)

LA FEMME. — Cela vous vient tout comme il faut.

LE MEUNIER. — Ah ! c'est le bon temps que vous avez eu, et l'argent !

LA FEMME. — Comment ? *(Elle le frappe encore.)*

LE MEUNIER. — Oh ! Jésus, que gagnez-vous à me frapper ?

LA FEMME. — Il est battu à plate couture.

LE MEUNIER. — Vous voulez me faire mourir ? Mais si je puis un jour guérir, morbleu ! je vous fe...

LA FEMME, *menaçante*. — Vous grognez ? Et vous recommencez !

MUNYER.

Requerir,
Mains joinctes, vous veulx.

FEMME.

Empoignez (Elle frappe)
Ceste prune !

MUNYER.

Or besongnez,
Puis que vous l'avez entrepris !

FEMME.

Par la croix bieu, si vous fongnez !

MUNYER.

A ! povre munyer, tu es pris
Et trop à tes despens repris !
Que bon gré sainct Pierre de Romme…

FEMME.

Vous m'avez le mestier appris
A mes despens ; mais…

MUNYER.

En somme,
De grant despit, vecy ung homme
Mort, pour toute solution.

FEMME.

Je n'en donne pas une pomme.

MUNYER.

En l'onneur de la Passion,
Je demande confession
Pour mourir catholiquement.

FEMME.

Mais plus tost la potacion,
Tandis qu'avez bon santement.

LE MEUNIER. — Les mains jointes, je vous implore.

LA FEMME. — Empoignez cette prune ! (Elle frappe.)

LE MEUNIER. — Allez-y, puisque vous avez commencé !

LA FEMME. — Par la croix de Dieu, vous grondez encore !

LE MEUNIER. — Ah ! pauvre meunier, tu es pris et bien à tes dépens repris ! Que saint Pierre de Rome me...

LA FEMME. — Vous m'avez appris le métier à mes dépens ; mais...

LE MEUNIER. — En somme, voici un homme si méprisé qu'il n'a plus pour solution que la mort.

LA FEMME. — Je n'en donnerai pas une pomme.

LE MEUNIER. — En l'honneur de la Passion, je demande la confession pour mourir en bon catholique.

LA FEMME. — Mais demandez plutôt à boire, tant que votre nez encore vous pique.

MUNYER

Vous vous mocquez, par mon serment!
Quant mes douleurs seront estainctes,
Se par vous vois à dampnement,
A Dieu je feray mes complainctes.

LE CURÉ.

Il y a des sepmaynes mainctes
Que je ne vis nostre munyere.
Pour ce, je m'en vois aux actaintes
La trouver.

MUNYER.

Coustumyere
A ceste extremyté dernyere
Estes trop.

FEMME.

Qu'esse que tu dis?

MUNYER.

Je conteray vostre manyere,
Mais que je soye en paradis.
Avoir tous les membres roidis,
Estre gisant sur une couche,
Et batre ung homme! Je mauldis (Il pleure)
L'eure que jamais, bonne bouche...

FEMME.

Fault-il qu'encore je vous touche?
Qu'esse cy? Faictes-vous la beste?

MUNYER.

Laissez m'en paix! Trop fine mouche
Estes pour moy.

FEMME.

Ho! qui barbecte?
Qui gronde? qui? qu'esse cy? qu'esse?

LE MEUNIER. — Vous vous moquez de moi, je le jure ! Quand mes douleurs auront pris fin, si je n'ai pu me confesser et si par vous je suis damné, je me plaindrai de vous à Dieu.

2

Dans la rue, près de la maison du meunier.

LE CURÉ. — Il y a plusieurs semaines que je n'ai pas vu notre meunière. Aussi, sans attendre, je m'en vais la trouver. *(Il se met discrètement en route sur un côté des tréteaux.)*

3

Chez le meunier.

LE MEUNIER. — Je suis à la dernière extrémité ; vous vous y êtes déjà bien habituée.

LA FEMME. — Qu'est-ce que tu dis ?

LE MEUNIER. — Je conterai vos façons dès que je serai en paradis. Avoir tous ses membres raidis, être gisant sur une couche ; et battre un homme ! Je maudis (il pleure) l'heure qu'un jour, fine bouche...

LA FEMME, *menaçante.* — Faut-il encore que je vous touche ? Qu'est-ce ci ? Faites-vous la bête ?

LE MEUNIER. — Laissez-moi en paix ! Vous êtes pour moi trop fine mouche.

LA FEMME. — Ho ! qui grommelle ? qui gronde ? qui ?

Commant! serai-ge poinct maistresse?
Que meshuy plus ung mot je n'oye!

LE CURÉ.

Madame, Dieu vous doinct lyesse,
Et planté d'escus vous envoye!

FEMME.

Bien venu soyez-vous! J'avoye
Vouloir de vous aller querir;
Et maintenant partir debvoye.

CURÉ.

Pour quoy?

FEMME.

Pour ce que mourir
Veult mon mary, dont j'en ay joye.

CURÉ.

Il fauldra bien qu'on se resjoye,
S'ainsi est.

FEMME.

Chose toute seure.
A son cas fault que l'on pourvoye
Sagement, sans longue demeure.

MUNYER.

Hellas! et fault-il que je meure,
Hon, hon, hon! ainsi meschamment! (Il pleure.)

FEMME.

Jamais il ne vivra une heure.
Regardez!

CURÉ.

A! par mon serment,
Est-il vray? A Dieu vous commant,
Munyer! Baa, il est despesché.

qu'est-ce ci ? qu'est-ce ? Comment ! ne serai-je pas ici la maîtresse ? Qu'aujourd'hui je n'entende plus un mot !

4

LE CURÉ, *entrant chez le meunier*. — Madame, que Dieu vous donne grande joie et qu'il vous envoie plein d'écus !

LA FEMME. — Soyez le bienvenu ! Je voulais aller vous chercher ; et je m'apprêtais à partir.

LE CURÉ. — Pourquoi ?

LA FEMME. — Parce que mon mari va mourir. Voyez, j'en suis toute réjouie.

LE CURÉ. — Oui, s'il en est ainsi, ce sera pour nous grande joie.

LA FEMME. — C'est chose sûre. Il faut qu'on pourvoie à son salut, habilement et sans tarder.

LE MEUNIER *dans son lit, en aparté*. — Hélas ! et faut-il que je meure, hon, hon ! si misérablement. (Il pleure.)

LA FEMME, *au curé*. — Jamais il ne vivra une heure. Regardez !

LE CURÉ. — Ah ! par ma foi, est-ce vrai ? *(A part, et faisant le signe de la croix)* Je vous recommande à Dieu, meunier. Bah ! il est fini.

FEMME.

Curé, nous vivrons gayement,
S'il peult estre en terre perché.

CURÉ

Trop long temps vous a empesché.

FEMME.

Je n'y eusse peu contredire.

MUNYER.

Que mauldit de Dieu, sans peché
Toutesfois le puissé-je dire,
Soit la pu… !

FEMME.

Qu'esse cy à dire ?
Convient-il qu'à vous je revoise ?

CURÉ.

Gauldir fauldra !

FEMME.

Chanter !

CURÉ.

Et rire !

FEMME.

Vous me verrez bonne galloise.

CURÉ

Et moy, gallois.

FEMME.

Sans bruyt.

CURÉ.

Sans noyse.

LA FEMME. — Curé, nous allons vivre gaiement, s'il peut être logé en terre.

LE CURÉ. — Depuis si longtemps qu'il vous serre !

LA FEMME. — Je n'aurais pu m'y opposer.

LE MEUNIER, *toujours dans son lit.* — Que maudit de Dieu — qu'il me le pardonne ! — soit la pu...

LA FEMME, *l'entendant grommeler et se tournant vers lui.* — Que voulez-vous dire ? Faut-il que je retourne vers vous ? *(Mais elle reste avec son curé.)*

LE CURÉ. — Il nous faudra nous amuser !

LA FEMME. — Chanter !

LE CURÉ. — Et rire !

LA FEMME. — Vous me verrez joyeuse compagne.

LE CURÉ. — Et moi, vif et gai compagnon.

LA FEMME. — Sans bruit.

LE CURÉ. — Sans querelle.

FEMME.

Des tours ferons ung million.

CURÉ.

De nuyt et de jour.

MUNYER.

Quelz bourgeoise !
Tu en es bien, povre munyer !

FEMME.

Hon !

MUNYER.

Robin a trouvé Marion ;
Marion tousjours Robin treuve.
Hellas ! pour quoy se marye-on ?

FEMME.

Je feray faire robe neufve,
Si la mort ung petit s'espreuve
A le me mectre d'une part.

CURÉ

Garde n'a que de là se meuve,
Ne que plus en face depart,
M'amye ! (Il l'embrasse.)

MUNYER.

Le deable y ait part
A l'amytié, tant elle est grande !
A ! en faict-on ainsi !

FEMME.

Paix ! coquart.

CURÉ.

Ung doulx baiser je vous demande.
Il l'embrasse.

LA FEMME. — Nous ferons un million de bonnes parties.

LE CURÉ. — De nuit et de jour.

LE MEUNIER, *à part*. — Quelle bourgeoise ! *(La main sur le front, comme s'il avait des cornes)* Tu en as, mon pauvre meunier !

LA FEMME, *ayant toujours l'œil et l'oreille sur son mari*. — Hon !

LE MEUNIER, *d'abord chantonnant :*

Robin a trouvé Marion ;
Marion toujours trouve Robin[73].

Hélas ! pourquoi se marie-t-on ?

LA FEMME, *toujours avec son curé*. — Je ferai faire une robe neuve, si la mort se dépêche un peu de me l'envoyer autre part.

LE CURÉ. — Pas de danger qu'il ne bouge de là ni qu'il se déplace, m'amie ! (Il l'embrasse.)

LE MEUNIER, *en aparté et les regardant*. — Que le diable ait part à cette amitié si grande ! Ah ! agit-on ainsi ?

LA FEMME, *qui l'a entendu*. — Paix ! coquard.

LE CURÉ, *pressant la femme*. — Un doux baiser, je vous demande. (Il l'embrasse.)

MUNYER.

Orde vielle, putain, truande,
En faictes-vous ainsi ! Non mye,
Vecy pour moy trop grant esclandre !
Par le sainct Sang!...

Il fait semblant de se lever, et la fe[mme] vient à luy, et fait semblant de le batre.

FEMME.

Quoy ?

MUNYER.

Rien, m'amye.

FEMME.

Hoon !

MUNYER.

C'est le cueur qui me fremye
Dedens le corps et me fait braire,
Il a plus d'une heure et demye.

CURÉ.

Mais commant vous le faictes taire !

FEMME.

S'il dit rien qui me soit contraire,
Causer le fois à mon devis.

CURÉ.

Vous avez pouvoir voluntaire
Dessus luy, selon mon advis.

MUNYER.

Congé me fault prandre des vifz
Et m'en aller aux trespassez,
De bon cueur et non pas envis,
Puis que mes beaux jours sont passez.

CURÉ

Avez-vous rien ?

LE MEUNIER, *toujours en aparté.* — Vieille salope, putain, truande, c'est ainsi que vous agissez! Cela ne se passera pas comme ça, car c'est pour moi trop grand outrage! Par le saint Sang[74]!... (Il commence à se lever; la femme vient à lui et elle le bat.)

LA FEMME. — Quoi?

LE MEUNIER. — Rien, m'amie.

LA FEMME. — Hon!

LE MEUNIER. — C'est le cœur qui s'agite dans mon corps et me fait crier, il y a plus d'une heure et demie. *(La femme retourne vers son curé.)*

LE CURÉ. — Comme vous le faites bien taire!

LA FEMME. — S'il dit mot qui me soit contraire, je le fais s'expliquer à ma guise.

LE CURÉ. — Vous avez sur lui pouvoir volontaire, c'est mon avis.

LE MEUNIER, *à part.* — Je dois prendre congé des vivants, m'en allant chez les trépassés, de bon cœur et sans répugnance *(la femme prête attention),* puisque mes beaux jours sont passés.

LE CURÉ, *à la femme qui se dirige vers son mari.* — Qu'y a-t-il donc?

FEMME.

Assez, assez!
De cella ne fault faire doubte.

MUNYER.

Qu'esse que tant vous rabassez?

FEMME.

Je cuyde, moy, que tu radoubte.

MUNYER.

Vous semble-il que je n'oy goucte?
Si fois, dea! Qui est ce gallant?
Il vous guerira de la goucte,
Bien le sçay.

FEMME.

C'est vostre parent,
A qui vostre mal apparent
A esté par moy figuré.

MUNYER.

Ce lignaige est trop differant.

FEMME.

Par Dieu! non est.

MUNIER.

C'est bien juré!
Commant, deable! nostre curé
Est-il de nostre parentaige?

FEMME.

Quel curé?

MUNIER.

C'est bien procuré!

FEMME.

Par mon ame!

LA FEMME, *au chevet de son mari.* — Assez, assez ! Eh oui, ils sont passés, il n'y a aucun doute.

LE MEUNIER. — Qu'est-ce que vous rabâchez là ?

LA FEMME. — Je crois, moi, que c'est toi qui radotes.

LE MEUNIER. — Vous semble-t-il que je n'entende pas ? Mais si, diable ! Qui est ce galant ? Il vous guérira de la goutte, je le sais bien.

LA FEMME, *pateline.* — C'est votre parent, que j'ai informé que vous étiez vraiment très souffrant.

LE MEUNIER. — Cette parenté n'est pas vérité.

LA FEMME. — Par Dieu ! elle l'est.

LE MEUNIER. — C'est bien joué. Comment, diable ! notre curé est-il de notre parenté ?

LA FEMME. — Quel curé ?

LE MEUNIER. — C'est bien trouvé.

LA FEMME. — Par mon âme !

MUNIER.

Vous dictes raige.

FEMME.

Hée!

MUNIER.

Ho!

FEMME.

Tant de langaige,
C'est-il à payne d'un escu!

MUNYER.

Sainct Jehan! s'il est de mon lignaige,
C'est du cartier devers le cu!
Je sçay bien que je suis coquu.
Mais quoy! Dieu me doint pascience!

FEMME.

A! paillart, esse bien vescu
De dire ainsi ma conscience?
Vous verrez vostre grant science,
Car je le vois faire venir.
Elle vient au curé.

CURÉ.

Qu'i a-il? quoy?

FEMME.

Faictes scilence!
Pour mieulx à noz fins parvenir,
Bonne myne vous fault tenir,
Quant serez devant mon villain;
Et veillez tousjours maintenir
Qu'estes son grant cousin germain.
Entendez-vous?

CURÉ.

Oy.

LE MEUNIER. — Vous dites des insanités.

LA FEMME. — Hé !

LE MEUNIER. — Ho !

LA FEMME. — Que de paroles ! Cela ne vaut pas un écu.

LE MEUNIER. — Saint Jean ! s'il est de ma parenté, c'est d'un quartier du côté cul ! Je sais bien que je suis cocu. Mais quoi ! Dieu me donne patience !

LA FEMME. — Ah ! gueux, est-ce bien savoir vivre que de prétendre ainsi révéler le fond de mes pensées ? Mais on va voir votre grande science, car je vais le faire venir. (Elle va retrouver le curé.)

LE CURÉ. — Qu'y a-t-il ?

LA FEMME. — Surtout faites silence ! Pour mieux parvenir à nos fins, il vous faut faire bon visage, quand vous serez devant mon vilain ; et veuillez toujours maintenir que vous êtes son cousin germain. Comprenez-vous ?

LE CURÉ. — Oui.

FEMME.

La main
Luy mectrez dessus la poitryne,
En luy affermant que demain
Le doibt venir voir sa cousine;
Et advenra quelque voisine
Pour luy donner alegement.
Mais il vous fault legyerement
De ceste robe revestir
Et ce chappeau.

CURÉ.

Par mon serment,
Pour faire nostre effect sortir,
Si vous ne voyez bien mentir,
Je suis contant que l'on me pende,
Sans plus de ce cas m'advertir.

MUNYER.

A! tresorde vielle, truande,
Vous me baillez du cambouys!
Mais quoy! vous en pairez l'amende,
Se jamais de santé joys.
Qu'esse cy? dea! je m'esbays:
Qui deable la tient? Somme toute,
J'en despescheré le pays,
Par le sang bieu, quoy qu'il me couste!

CURÉ.

Que faictes-vous là?

FEMME.

J'escoute
La complainte de mon badin.

CURÉ.

Il fault qu'en bon train on le boute.
Dieu vous doinct bon jour, mon cousin!

LA FEMME. — Vous lui mettrez la main sur la poitrine, en lui affirmant que sa cousine viendra le visiter demain; et qu'une voisine aussi viendra pour lui donner un allégement. Mais auparavant il faut vite que vous revêtiez cette robe et mettiez ce chapeau.

LE CURÉ, *revêtant des habits de villageois.* — Par mon serment, pour que nous puissions réussir, si vous ne me voyez bien mentir, je suis d'accord pour qu'on me pende sans même m'en dire les raisons.

LE MEUNIER, *les regardant et se parlant à lui-même.* — Ah! vieille salope, truande, vous me jetez boue et cambouis. Mais, quoi! vous en paierez l'amende, si un jour peut-être je guéris. Qu'est-ce là? j'en reste ébahi: qu'est-ce qui, diable! peut la tenir? J'en délivrerai le pays, palsambleu! et quoi qu'il m'en coûte!

LE CURÉ, *à la femme.* — Que faites-vous là?

LA FEMME. — J'écoute la complainte de mon badin.

LE CURÉ. — Il faut qu'on le mette en bon train. *(S'adressant au meunier)* Dieu vous donne bon jour, mon cousin!

MUNYER.

Il suffit bien d'estre voisin
Sans estre de si grant lignaige.

FEMME.

Regardez ce grox lymosin,
Qui a tousjours son hault couraige!
Parlez à vostre parentaige,
S'il vous plaist, en luy faisant feste.

CURÉ.

Mon cousin, quelle est vostre raige?

MUNYER.

Hay! vous me rompez la teste.

FEMME.

Par mon serment, c'est une beste!
Ne pencez poinct à ce qu'il dit,
Je vous en prie.

MUNYER.

Celle requeste
Aura devers luy bon credit.

CURÉ.

Vous ai-ge meffait ne mesdit,
Mon cousin? Dont nous vient cecy?

FEMME.

Sus, sus! que de Dieu soit mauldit
Le villain! Et parlez icy.

MUNYER.

Laissez m'en paix!

FEMME.

Est-il ainsi!
Voire, ne parlerez-vous point?

LE MEUNIER. — Il suffit bien d'être voisins sans ajouter la parenté.

LA FEMME. — Regardez ce gros paysan[75], qui parle toujours fièrement ! *(A son mari)* Parlez à votre parenté, s'il vous plaît, en lui faisant fête.

LE CURÉ — Mon cousin, de quoi souffrez-vous ?

LE MEUNIER. — Aïe ! vous me rompez la tête.

LA FEMME, *au curé*. — Je le jure, c'est une vieille bête ! Ne pensez pas à ce qu'il dit, je vous en prie.

LE MEUNIER, *en aparté*. — Voilà une requête qui aura sur lui bon crédit.

LE CURÉ. — Vous ai-je fait du mal, ai-je dit mal de vous, mon cousin ? D'où nous vient ceci ?

LA FEMME. — Allons, allons ! que ce rustre soit maudit de Dieu ! Parlez-lui.

LE MEUNIER. — Laissez-moi tranquille.

LA FEMME. — Est-ce ainsi ? Vraiment, ne parlerez-vous pas ?

MUNIER.

J'ay de dueil le corps tout transsi.

CURÉ.

Par ma foy ! je n'en doubte poinct.
Où esse que le mal vous poinct ?
Parlez à moy, je vous emprie.

MUNYER.

Las ! mectez moy la teste appoinct,
Car la mort de trop près m'espie.

FEMME.

Parlez à Regnault Croque Pie,
Vostre cousin, qui vous vient voir.

MUNIER.

Croque Pie ?

FEMME.

Oy, pour voir.
Pour faire vers vous son debvoir,
Il est venu legierement.

MUNYER.

Se n'est-il pas !

FEMME.

Si est, vrayment !

MUNIER.

Ha ! mon cousin, par mon serment,
Humblement mercy vous demande
De bon cueur.

CURÉ.

Et puis commant,
Mon cousin, dictes moy, s'amende
Vostre douleur ?

LE MEUNIER. — J'ai le cœur transi de douleur.

LE CURÉ. — Par ma foi, je n'en doute pas. Où est-ce que le mal vous tient ? Dites-le-moi, je vous en prie.

LE MEUNIER. — Hélas ! mettez-moi la tête comme il faut, car la mort de très près me guette.

LA FEMME. — Parlez à Renaud Croque-Goulot [76], votre cousin qui vient vous voir.

LE MEUNIER. — Croque-Goulot ?

LA FEMME. — Oui, vraiment. Pour vous rendre ses devoirs, il est venu rapidement.

LE MEUNIER. — Pourtant, il n'est pas mon cousin.

LA FEMME. — Si, il l'est, croyez-moi !

LE MEUNIER. — Eh bien ! mon cousin, sur ma foi, je vous demande humblement pardon, et de bon cœur. *(Ils lui mettent la tête « comme il faut ».)*

LE CURÉ. — Alors, mon cousin, dites-moi, est-ce que s'apaise votre douleur ?

MUNIER.

Elle est si grande
Que je ne sçay commant je dure.

CURÉ.

Pour sçavoir qui se recommande
A vous, mon cousin, je vous jure
Ma foy, dea! poinct ne me parjure,
Que c'est Bietris vostre cousine,
Ma femme Jehenne Turelure,
Et Melot sa bonne voisine,
Qui ont pris du chemin saisine,
Pour vous venir reconforter.

MUNIER.

Loué soit la grace divine!
Cousin, je ne me puis porter.

CURÉ.

Il vous fault ung peu deporter
Et pencer de faire grant chiere.

MUNIER.

Je ne me puis plus comporter,
Tant est ma malladie chiere.
Femme, sans faire la renchiere,
Mectez acoup la table icy,
Et luy apportez une chiere;
Si se serra.

CURÉ

A! grant mercy,
Mon cousin, je suis bien ainsi;
Et si ne veulx menger ne boire.

MUNYER.

J'ay si tresgrant douleur par cy!

CURÉ.

A! cousin, il est bien à croire.

LE MEUNIER. — Elle est si grande que je ne sais comment je dure.

LE CURÉ. — Pour que vous sachiez qui se recommande à vous, mon cousin, je vous jure ma foi, oui-da, sans que je me parjure, que Béatrice, votre cousine, que ma femme Jeanne Turelure et que Mélot, sa bonne voisine, viennent de se mettre en chemin pour vous apporter leur soutien.

LE MEUNIER. — Louée en soit la bonté divine! car, cousin, je me porte très mal.

LE CURÉ — Il vous faut un peu vous distraire et penser à faire bonne chère.

LE MEUNIER. — Je ne puis plus me soutenir, tant la maladie m'est pesante. Femme, sans faire la renchérie, mettez vite la table ici. Et puis, apportez-lui un siège; ainsi pourra-t-il s'asseoir.

LE CURÉ. — Ah! grand merci, mon cousin, je suis bien ainsi; et je ne veux manger ni boire.

LE MEUNIER, *tenant son ventre*. — Que j'ai grande douleur ici!

LE CURÉ. — Ah! cousin, je veux bien vous croire.

Mais s'il plaist au doulx Roy de gloire,
Tantost recouvrerez santé.

FEMME.

Je vois querir du vin.

MUNIER.

Voire, voire!
Et apportez quelque pasté.

FEMME.

Oncques de tel ne fut tosté.
Seez-vous.

MUNYER.

Cousin, prenez place.

FEMME.

Vecy pain et vin à planté.
Vous serrez-vous?

CURÉ.

Sauf vostre grace.

MUNYER.

Fault-il que tant de myne on face?
Par le sang bieu, c'est bien juré,
Vous vous serrez!

CURÉ.

Sans plus d'espace,
Que vous ne soyez parjuré.

MUNYER

A! si s'estoit nostre curé,
Pas tant je ne l'en prieroye!

CURÉ.

Et pour quoy?

Mais s'il plaît à Dieu, roi de gloire, bientôt vous recouvrerez la santé.

LA FEMME. — Je vais chercher du vin.

LE MEUNIER. — Oui, oui. Et apportez quelque pâté.

LA FEMME *s'en va et revient aussitôt avec un pâté.* — Jamais on n'en a cuit de tel. *(Au curé)* Asseyez-vous.

LE MEUNIER. — Cousin, prenez place.

LA FEMME. — Voici pain, vin à profusion. Vous assiérez-vous ?

LE CURÉ. — Avec votre permission. *(Il hésite. La femme se retire à l'écart.)*

LE MEUNIER. — Faut-il faire tant de façons ? Palsambleu, c'est bien juré, vous vous assiérez.

LE CURÉ, *s'asseyant.* — Sans attendre plus longtemps, pour que vous ne juriez pas en vain.

LE MEUNIER. — Ah ! si c'était notre curé, je ne le prierais pas tant.

LE CURÉ. — Et pourquoi ?

MUNIER.

Il m'a procuré
Aulcun cas, que je vous diroye
Voluntiers, mais je n'oseroye
De peur.

CURÉ.

Dictes hardiment.

MUNIER.

Non feray, car batu seroye.

CURÉ.

Rien n'en diray, par mon serment!

MUNIER.

Or bien donc, vous sçavez commant
Ces prestres sont adventureux!
Et nostre curé mesmement
Est fort de ma femme amoureux.
De quoy j'ay le cueur douloureux
Et remply de proplexité;
Car coquu je suis, maleureux!
Bien le sçay.

CURÉ.

Benedicite!

MUNIER.

Le poinct de mon adversité
Gist illec, sans nul contredit.
Gardez qu'il ne soit recité!

CURÉ.

Jamais.

FEMME.

Qu'esse qu'il dit?
Je suis certayne qu'il mesdit

LE MEUNIER. — Il m'a mis en bel embarras, que je vous dirais volontiers si la peur ne me faisait taire.

LE CURÉ. — Dites-le franchement.

LE MEUNIER. — Impossible, car je serais battu.

LE CURÉ. — Je n'en dirai rien, je vous le jure.

LE MEUNIER. — Eh bien ! donc, vous savez comment ces prêtres cherchent les aventures ! Et notre curé spécialement est fort amoureux de ma femme. J'en ai le cœur tout douloureux et rempli de perplexité ; car je suis cocu, malheureux ! Je le sais bien.

LE CURÉ. — Grand Dieu [77] !

LE MEUNIER. — Le point de mon adversité est là *(montrant son front)*, sans contredit. Mais ne le répétez jamais !

LE CURÉ. — Jamais.

LA FEMME, *revenant vers eux et s'adressant au curé*. — Qu'est-ce qu'il dit ? Je suis certaine qu'il dit

De moy ou d'aulcun myen amy :
Ne fait pas ?

MUNIER.

Non, par sainct Remy !

CURÉ.

Il me disoit qu'il n'a dormy
Depuis quatre ou cinq jours en çà,
Et qu'il n'a si grox c'un fremy
Le cueur ne les boyaulx.

FEMME.

Or çà,
Beuvez de là, mengez de sà,
Mon cousin, sans plus de langaige.

LUCIFFER.

Haro ! deables d'enffer, j'enraige !
Je meurs de dueil, je pers le sens.
J'ay laissé puissance et couraige,
Pour la grant douleur que je sens.

SATHAN.

Nous sommes bien mil et cinq cens
Devant toy. Que nous veulx-tu dire,
Fiers, fors, felons, deables puissans
Pour tout le monde à mal produyre ?

LUCIFFER.

Coquins, paillars, il vous fault duyre
D'aller tout fouldroyer sur terre,
Et de mal faire vous deduyre.
Que la sanglante mort vous serre,
S'il convient que je me defferre
De ceste gouffrineuse lice !
Je vous mectray, sans plus enquerre,
En ung tenebreux maleffice.

du mal de moi ou d'un de mes amis. N'est-ce pas ?

LE MEUNIER. — Non, par saint Rémi.

LE CURÉ. — Il disait qu'il n'a pas dormi depuis quatre ou cinq jours jusqu'aujourd'hui, et que son cœur et ses boyaux ne sont pas plus gros qu'une fourmi.

LA FEMME. — Or donc, buvez de ci mangez de ça, mon cousin, sans dire davantage.

5

Et tandis que le curé mange, sous le regard silencieux du meunier et de sa femme, Lucifer sort de la Gueule d'enfer, à droite sur les tréteaux, dans un nuage de feu et accompagné d'un coup de tonnerre.

LUCIFER, *d'abord seul et appelant les diables.* — Haro ! diables d'enfer, j'enrage. Je meurs de douleur, je perds le sens. J'ai laissé puissance et courage par la grande peine que je ressens. *(Les diables paraissent, faisant cris et hurlements terribles.)*

SATAN. — Nous sommes plus de mille devant toi. Que veux-tu nous dire, nous cruels, forts, vaillants, diables capables de faire du mal à tout le monde ?

LUCIFER. — Coquins, gueux, il faut vous préparer à aller tout foudroyer sur terre et vous divertir à mal faire. Qu'une sanglante mort vous tenaille s'il faut qu'à votre place j'aille hors de ce gouffre béant ! Vous subirez, sans plus de paroles, un de mes ténébreux châtiments.

ASTAROTH.

Chascun de nous a son office
En enffer. Que veulx-tu qu'on face?

PROSERPINE.

De faire nouvel ediffice,
Tu n'as pas maintenant espace.

ASTAROTH.

Je me contente.

SATHAN.

Et je me passe
De demander une aultre charge.

ASTAROTH.

Je joue icy de passe passe,
Pour mieulx faire mon tripotaige.

BERITH.

Luciffer a peu de langaige.
En effer je ne sçay que faire;
Car je n'ay office ne gaige
Pour ma volunté bien parfaire.

LUCIFFER.

Qu'on te puisse au gibet deffaire,
Filz de putain, ort et immunde!
Doncques, pour ton estat reffaire,
Il te fault aller par le monde,
A celle fin que tu confonde
Bauldement ou à l'aventure,
Dedens nostre habisme parfonde,
L'ame d'aulcune creature.

BERITH.

Puis qu'il fault que ce mal procure,
Dy moy doncques legierement
Par où l'ame faict ouverture,
Quant elle sort premierement.

ASTAROTH. — Chacun de nous a son emploi en enfer. Que veux-tu encore qu'on fasse ?

PROSERPINE, *à Astaroth*. — Tu n'as pas le temps maintenant d'entreprendre nouveau travail.

ASTAROTH. — Je fais ce que je fais.

SATAN. — Et moi, je n'ai pas besoin de demander une autre charge.

ASTAROTH. — Je joue ici à passe-passe pour mieux faire mon tripotage.

BÉRITH. — Pour moi, Lucifer parle mal. En enfer, je ne sais que faire. Car je n'ai ni charge ni gage pour bien accomplir ce que je veux.

LUCIFER. — Qu'on puisse te pendre au gibet, fils de putain, sale et immonde ! Eh bien ! pour maintenant t'occuper, il te faut aller par le monde afin que tu jettes, pour l'engloutir, hardiment ou à l'aventure, dans notre caverne profonde, l'âme de quelque créature.

BÉRITH. — Puisqu'il faut que je fasse ce mal, dis-moi donc rapidement par où l'âme fait ouverture quand elle sort aux derniers moments.

LUCIFFER.

Elle sort par le fondement.
Ne faiz le guet qu'au trou du cu.

BERITH.

Ha ! j'en auray subtillement
Ung millier pour moins d'un escu.
Je m'y en voys. (Il s'en va.)

MUNIER.

D'avoir vescu
Si long temps en vexacion,
De la mort est mon corps vaincu.
Pour toute resolucion
Doncques, sans grant dilacion,
Allez moy le prestre querir,
Qui me donrra confession,
S'il luy plaist, avant que mourir.

CURÉ.

Or me dictes : fault-il courir,
Ou se je yray tout bellement ?

MUNIER.

S'il ne me vient tost secourir,
Je suis en ung piteux tourment.
Il se va desvestir et revestir en curé.

BERITH.

Vella mon faict entierement.
Munyer, je vous voys soulager.
L'ame en auray soubdaynement,
Avant que d'icy me bouger.
Or me fault-il, pour abreger,
Soubz son lit ma place cy prandre.
Quant l'ame vouldra desloger,
En mon sac je la pourray prandre.
Il se musse soubz le lit du munier, atout son sac.

LUCIFER. — Elle sort par le fondement. Ne fais le guet qu'au trou du cul.

BÉRITH. — Ah ! j'en aurai subtilement un millier pour moins d'un franc. J'y vais. (Il s'en va. *Il quitte le plateau par le fond et il n'est plus vu du public. Quant aux autres diables, ils rentrent dans la Gueule d'enfer.*)

6

Chez le meunier. La scène reprend où nous l'avions laissée.

LE MEUNIER, *s'adressant avec un sourire narquois au curé, toujours habillé en villageois.* — J'ai vécu si longtemps tourmenté que mon corps est vaincu par la mort. Donc, pour toute résolution, sans délai, allez me chercher le prêtre pour qu'il me donne la confession, s'il lui plaît, avant que je ne meure.

LE CURÉ. — Mais dites-moi, faut-il courir ? ou dois-je y aller tout doucement ?

LE MEUNIER. — S'il ne vient vite me secourir, je suis en pitoyable tourment.

(Le « faux-cousin » va se dévêtir et se revêtir en curé.)

7

BÉRITH *apparaît sur le côté du lit du meunier, sans se faire voir de lui ; il se parle à lui-même.* — Voilà tout à fait mon cas. Meunier, je vais vous soulager. J'en aurai l'âme soudainement, avant que je ne bouge d'ici. Maintenant je dois, pour abréger, prendre ma place sous son lit. Quand son âme voudra déloger, je pourrai dans mon sac la prendre. (Il se cache sous le lit du meunier, avec son sac.)

CURÉ.

Commant, dea! je ne puis entendre
Vostre cas, munyer; qu'esse cy?

MUNIER.

A la mort me convient estandre.
Avant que je parte d'icy,
Pourtant je crie à Dieu mercy,
Devant que le dur pas passer.
Sur ce poinct, mectez vous icy,
Et me veillez tost confesser.

CURÉ.

Dictes.

MUNIER.

Vous devez commancer,
Me disant mon cas en substance.

CURÉ.

Et commant? Je ne puis pencer
L'effect de vostre conscience.

MUNIER.

A! curé, je pers pascience.

CURÉ.

Commancez tousjours, ne vous chaille;
Et ayez en Dieu confience.

MUNIER.

Or çà doncques, vaille que vaille,
Quoy qu'à la mort fort je travaille,
Mon cas vous sera relaté.
Jamais je ne fus en bataille;
Mais pour boire en une boutaille,
J'ay tousjours le mestier hanté.
Aussi, fust d'iver, fust d'esté,
J'ay bons champions frequenté,

8

LE CURÉ, *en surplis et avec son étole; au meunier qui lui tourne le dos dans son lit.* — Comment, diable! je ne puis entendre ainsi votre affaire, meunier; qu'est-ce ci?

LE MEUNIER, *se retournant.* — Je dois m'apprêter à mourir; je vais m'en aller d'ici. Je demande donc à Dieu merci avant qu'il me faille trépasser. A ce point, mettez-vous ici et veuillez vite me confesser.

LE CURÉ. — Dites.

LE MEUNIER. — Vous devez commencer, me disant l'essentiel de mon affaire.

LE CURÉ. — Et comment? Je ne puis savoir ce que vous reproche votre conscience.

LE MEUNIER. — Ah! curé, je perds patience.

LE CURÉ. — Commencez toujours, ne vous en souciez; et en Dieu ayez confiance.

LE MEUNIER. — Eh bien donc, vaille que vaille, et bien que la mort de près me serre, je m'en vais tout vous raconter. Je n'ai jamais fait la guerre; mais pour vider une bouteille, j'ai toujours été le premier. Aussi, l'hiver comme l'été, j'ai toujours eu pour compagnons de bons

Et gourmetz de fine vinée;
Tant que, rabatu et conté,
Quelque chose qu'il m'ait costé,
J'ay bien ma face enluminée.
Apprès, tout le long de l'année,
J'ay ma volunté ordonnée,
Comme sçavez, à mon moulin,
Où, plus que nul de mere née,
J'ay souvant la trousse donnée
A Gaultier, Guillaume ou Colin.
Et en sacs de chanvre ou de lin,
De bled valent plus d'un carlin,
Pour la doubte des adventures,
Atout ung petit picotin,
Je pris de soir et de matin
Tousjours d'un sac doubles moustures.
De cela fis mes nourritures
Et rabatis mes grans coustures,
Quoy qu'il soit, faisant bonne myne,
Somme, de toutes creatures.
Pour surporter mes forfaictures,
Tout m'estoit bon, bran et faryne.

CURÉ.

Celuy qui ès haulx [cieulx] domine
Et qui les mondains enlumyne,
Vous en doint pardon par sa grace!

MUNIER.

Mon ventre trop se determine.
Hellas! je ne sçay que je face;
Ostez vous!

CURÉ.

A! sauf vostre grace.

MUNIER.

Ostez vous, car je me conchye.

champions et de grands amateurs de vins fins. Si bien que, tout compté calculé, et quoi qu'il ait pu m'en coûter, ma face s'est bien enluminée. Ensuite, tout le long de l'année, je me suis entièrement donné, comme vous savez, à mon moulin, où plus que tout homme au monde, j'ai souvent joué mauvais tours à Thomas, Guillaume ou Colin. Dans des sacs de chanvre ou de lin, contenant du blé de bon choix, pour parer aux coups de la fortune, j'ai su toujours soir et matin, à coup de petites mesures, tirer d'un sac double mouture. Avec cela je me suis nourri et j'ai pu mener mes affaires, tirant, quoi qu'il en soit, pour tout vous dire, bon profit de toute créature. Pour favoriser mes forfaitures, tout m'était bon, son et farine.

LE CURÉ, *le bénissant.* — Celui qui dans les cieux domine et qui éclaire les humains, vous donne son pardon et sa grâce !

LE MEUNIER. — Mon ventre est près de se relâcher ! Hélas ! que faut-il que je fasse ? Otez-vous de là !

LE CURÉ. — Ah ! attendez, je vous en prie.

LE MEUNIER. — Otez-vous vite, car je chie.

CURÉ.

Par sainct Jehan ! sire, preu vous face !
Fy !

MUNIER.

C'est merde reffreschie.
Apportez tost une brechie
Ou une tasse, sans plus braire,
Pour faire ce qu'est neccessaire.
Las ! à la mort je suis eslit.

FEMME.

Pencez, si vous voulez, de traire,
Pour mieulx prandre vostre delit,
Vostre cul au dehors du lit :
Par là s'en peult vostre ame aller.

MUNIER.

Hellas ! regardez si voller
La verrez poinct par l'er du temps !

Il mect le cul dehors du lit, et le deable tend son sac, cepend[ant] qu'il chie ded[ens] ; puis s'en va cryant et hurlant.

BERITH.

J'ay beau gauldir, j'ay beau galler !
Roy Luciffer, à moy entens.
J'en ay fait de si maulxcontens,
Que proye nouvelle j'apporte.

LUCIFFER.

Actens, ung bien petit actens !
Je te voys faire ouvrir la porte.
Deables d'enffer, sus, qu'on luy porte
Une chauldiere en ce lieu cy !
Et saichez comme se comporte
Le butin qu'il admayne icy.

Ilz luy apportent une chauldiere ; puis il vuyde son sac, qui est plain de bran moullé.

LE CURÉ. — Par saint Jean, que grand bien vous fasse! *(Détournant la tête)* Fi!

LE MEUNIER. — C'est de la merde fraîche. Sans plus crier, apportez-moi vite cruche ou pot, pour faire ce qui est nécessaire. Hélas! je suis pris par la mort.

LA FEMME, *s'adressant de loin à son mari.* — Afin d'être mieux à votre aise, s'il vous plaît, pensez à tirer votre cul en dehors du lit: par là votre âme peut s'en aller.

LE MEUNIER. — Hélas! Regardez si vous la verrez voler par delà l'air du temps. (Il met le cul en dehors du lit, et le diable tend son sac, tandis que le meunier chie dedans; puis le diable s'en va criant et hurlant.)

9

Le meunier, sa femme et le curé ont disparu derrière le rideau pour laisser place à une « diablerie », à l'entrée de l'enfer.

BÉRITH. — J'ai de quoi me réjouir! j'ai de quoi m'amuser! Roi Lucifer, entends-moi. Si j'ai fait des choses qui t'ont si mécontenté, aujourd'hui c'est une proie nouvelle que je t'apporte.

LUCIFER, *sortant de l'enfer.* — Attends, attends un petit peu! Je vais te faire ouvrir la porte. Eh! diables d'enfer, qu'on lui apporte une chaudière en ce lieu-ci. Et voyons comment se comporte le butin qu'il amène ici. (Les diables lui apportent une chaudière; puis Bérith vide son sac, qui est plein de merde bien faite.)

SATHAN.

Qu'esse là ?

PROSERPINE.

Que deable esse cy ?
Se semble merde toute pure !

LUCIFFER.

C'est mon ! Je la sens bien d'icy.
Fy, fy ! ostez moy celle ordure !

BERITH.

D'un munier remply de froidure,
Voy-en cy l'ame toute entiere.

LUCIFFER.

D'un munyer ?

SATHAN.

Fy ! quelle matiere !

LUCIFFER.

Par où la prins-tu ?

BERITH.

Par derriere,
Voyant le cu au descouvert.

LUCIFFER.

Or, qu'il n'y ait coing ne carriere
D'enffer, que tout ne soit ouvert !
Ung tour nous a baillé trop vert !
Brou ! je suis tout enpuanty.
Tu as mal ton cas recouvert !

SATHAN.

Oncques telz chose ne senty !

SATAN. — Qu'est-ce là ?

PROSERPINE. — Que diable est-ce ci ? Ce me semble merde toute pure !

LUCIFER. — Oui, vraiment, je la sens d'ici. Fi, fi ! ôtez-moi cette ordure.

BÉRITH. — Voici l'âme tout entière d'un meunier rempli de froidure.

LUCIFER. — D'un meunier ?

SATAN. — Fi ! quelle matière !

LUCIFER. — Par où la pris-tu ?

BÉRITH. — Par derrière, voyant son cul à découvert.

LUCIFER. — Or çà, qu'il n'y ait coin ni lieu d'enfer où tout ne soit ouvert ! Il nous a joué un tour pendable. Brou ! je suis tout empuanti. Tu as mal arrangé ton cas.

SATAN. — Je n'ai jamais senti une telle chose.

LUCIFFER.

Sus! acoup qu'il soit assorty
Et batu tresvillaynement.

SATHAN.

Je luy feray maulvais party.
Ilz le batent.

BERITH.

A la mort!

LUCIFFER.

Frappez hardiment!

BERITH.

A deux genoulx treshumblement,
Luciffer, je te cry mercy,
Te promectant certaynement,
Puis que congnoys mon cas ainsi,
Que jamais n'apporteray cy
Ame de munyer ne munyere.

LUCIFFER.

Or te souviengne de cecy,
Puis que tu as grace planyere;
Et garde d'y tourner arriere,
D'aultant que tu ayme ta vie.
Aussi, devant ne de costiere,
Sur payne de haynne assouvye,
Deffens que nully, par envie,
Desormais l'ame ne procure
De munyer estre icy ravie;
Car ce n'est que bran et ordure.

LUCIFER. — Allons ! qu'il soit promptement ligoté et battu plus qu'un paysan !

SATAN. — Je lui ferai mauvais parti. (Ils le battent.)

BÉRITH. — Je me meurs !

LUCIFER. — Frappez hardiment !

BÉRITH. — A deux genoux, très humblement, Lucifer, je t'implore grâce. Je te promets et je te jure, puisque je sais maintenant mon affaire, que jamais je ne rapporterai l'âme d'un meunier ou d'une meunière.

LUCIFER. — Or donc, souviens-toi de ceci, puisque je t'accorde grâce entière. Et garde-toi d'y retourner, si tu aimes encore la vie. Aussi, d'un côté comme de l'autre, sous peine d'une haine absolue, j'interdis que, par un désir malvenu, désormais on ne se procure l'âme d'un meunier et l'amène ici, car ce n'est que merde et ordure.

Et le Mystère reprenait exactement où il avait été interrompu : saint Martin poursuivait son discours d'adieu à ses chanoines.

XI

LE BATELEUR

La farce du *Bateleur* nous est connue par le manuscrit de copiste du recueil La Vallière. Il s'agit d'un texte normand, joué vraisemblablement par la société joyeuse des Conards de Rouen, mais dont la version d'origine a certainement été quelque peu remaniée, notamment par des ajouts de joueurs (que l'étude de la métrique permet souvent de déceler).

Nous n'avons pas là, comme on l'a cru jusqu'ici, une « simple parade » de bateleur, mais une farce sur les bateleurs, et mieux une farce apologétique.

L'auteur met sur les tréteaux des bateleurs forains (un homme, sa femme et un valet) dans l'exercice de leur profession : tours d'adresse pour attirer les badauds, belles paroles pour attirer les acheteurs. Mais ce n'est là que le « décor » de la farce. Car quelle « marchandise » vendent-ils ? des portraits de « badins », c'est-à-dire de joueurs comme eux, d'amuseurs publics et de chanteurs. Ces acrobaties, ces discours, cette marchandise étalée ne sont donc qu'un prétexte pour évoquer tous ceux de la profession, les badins anciens et les badins nouveaux, et pour faire leur éloge : « gens de cœur, pleins de tout plaisir », qui ne jouent et chantent que pour leur joie et pour la gloire de Dieu.

Témoignage unique, pour cette époque, d'amuseurs qui revendiquent, noblement et comme en se riant de leur misère, le droit de vivre hors du commun, pour le seul amour de leur art.

Farce joyeuse
à cinq personnages
c'est asçavoir :
le bateleur, son varlet, Binete et deulx femmes.

LE BATELEUR commence en chantant,
en tenant son varlet.

Ariere, ariere, ariere, ariere !
Venés la voir mourir, venés.
Petis enfans, mouchés vos nés
Pour faire plus belle manyere.
Ariere, ariere, ariere, ariere !
Voecy le monstre des badins,
Qui n'a ne ventre ne boudins,
Qu'ilz ne soyent subjectz au deriere.
Ariere, ariere, ariere, ariere !
Voicy celuy, sans long fretel,
Qui de badiner ne fut tel :
L'experience en est planiere.
Ariere, ariere, ariere, ariere !
Veoicy celuy qui passe tout :
Sus, faictes le sault ! hault, deboult !
Le demy tour, le souple sault !
Le faict, le defaict ! Sus, j'ay chault,
J'ey froid ! Est-il pas bien apris ?
En efect nous aurons le pris
De badinage, somme toute.
Mon varlet !

LE VARLET.

Hau ! mon maistre.

LE BATELIER.

Escoute :

Farce joyeuse
du BATELEUR
à cinq personnages, c'est assavoir : le bateleur, son valet, Binette et deux femmes.

Une place de marché.

1

Le bateleur s'avance avec son valet, et cherche un emplacement pour vendre sa « marchandise », tandis que sa femme Binette reste à l'écart avec les bagages.

LE BATELEUR commence en chantant et en tenant son valet *comme s'il s'agissait d'une bête de foire :*

Arrière, arrière, arrière, arrière !
Venez la voir mourir, venez.
Petits enfants, mouchez vos nez [78]
Pour faire plus belle manière.
Arrière, arrière, arrière, arrière !

(Montrant son valet) Voici le plus prodigieux des badins, dont le ventre, sans fausse bedaine, s'attache net à son derrière.

Arrière, arrière, arrière, arrière !

Voici celui, pour parler peu, qui est l'être le plus merveilleux qu'on trouve dans l'art de badiner ; l'expérience en est exemplaire :

Arrière, arrière, arrière, arrière !

Voici celui qui surpasse tout. Allez, faites le saut ! haut, debout ! demi-tour ! saut périlleux ! en avant, en arrière ! Allons ! j'ai chaud, j'ai froid [79] ! N'est-il pas bien savant ? Pour tout dire, voilà comment nous aurons le prix de badinage. Mon valet ?

LE VALET. — Ho ! mon maître.

LE BATELEUR [80]. — Écoute : il faut bien se montrer

Y fault bien se monstrer abille
Tant qu'on ayt le bruict de la ville;
Car cela nous poura servyr
Pour nostre plaisir asouvyr.
Entens-tu bien?

LE VARLET.

Je vous entens.
Nous ne ferons que pasetemps
Pour resjouyr gens à plaisir.

LE BATELIER.

Les fiebvres vous puisent saisir,
Mon varlet!

LE VARLET.

Mais c'est pour le maistre.

LE BATELEUR.

Mais un estron pour te repaistre:
Ausy bien junes-tu souvent.

LE VARLET.

Je desjunes souvent de vent:
Mon ventre est plus cler que veriere;
Mais sy je lache le deriere
D'avanture, entendés-vous?
Vostre part y sera tousjours.

LE BATELEUR.

Tu me veulx asés souvent bien.
Hau! mon varlet, passe, revien!
Or va querir ma tetinete,
Ma tretoute, ma mye Binete.
Et de bref luy faict asçavoir
Qu'on la desire fort à veoir;
Car icy nous fault employer
De nostre sçavoir desployer.
En efect nous aurons le bruict.

habile pour qu'on ait renommée en ville. Car cela pourra nous servir pour satisfaire notre plaisir[81]. Comprends-tu bien ?

LE VALET. — Je vous comprends. En amusant à volonté les gens, nous ne prendrons que du bon temps.

LE BATELEUR, *qui, pour attirer les badauds, va feindre maintenant de se disputer avec son valet.* — Que la fièvre puisse te saisir, mon valet !

LE VALET. — C'est dit pour le maître !

LE BATELEUR. — D'un étron puisses-tu te repaître, puisque tu jeûnes si souvent !

LE VALET. — Je déjeune souvent de vent : mon ventre est plus clair qu'une verrière ; mais si par hasard j'ai de quoi évacuer mon derrière, entendez-vous ? une part en sera toujours pour vous.

LE BATELEUR. — Tu me veux fort souvent du bien. Ho ! mon valet *(l'invitant à faire un nouvel exercice)*, passe ! reviens ! Maintenant, va me chercher ma tétinette, ma toute mienne, ma mie Binette. Et aussitôt fais-lui savoir qu'on désire beaucoup la voir ; car ici il faut s'occuper de déployer notre savoir. Par là nous aurons renommée.

LE VARLET.

Le bruict aurons sans avoir fruict,
Car les dons apetisent fort.

LE BATELEUR.

Or va.

LE VARLET.

Je feray mon effort
Myeulx que varlet qui soyt en ville.

En chantant:

Je suis amoureulx d'une fille,
Et sy ne l'ose dire,
La toure lourela.
Ma metresse, hau!

BINETE *entre.*

Qui esse là?

LE VARLET.

Venés.

BINETE.

En quel lieu?

LE VARLET.

Tant prescher!
Maintenant convyent desmarcher.
Tant avons troté et marché
Que nous avons trouvé marché
Pour nostre marchandise vendre.

BYNETE

C'est don marchandise à despendre.
Poinct ne profitons aultrement.
Toutes foys alons.

LE VARLET.

Vitement.

Il chante.

LE VALET. — Mais renommée sans bénéfice, car les dons deviennent fort rares.

LE BATELEUR. — Va donc.

LE VALET. — Je vais m'y efforcer mieux qu'un valet de la ville. (Il chante, *en s'éloignant :*)

Je suis amoureux d'une fille;
Et pourtant je n'ose le dire,
La toure lourela.

(Avisant Binette sur un des côtés des tréteaux) Ma maîtresse, ho!

2

BINETTE. — Qu'y a-t-il?

LE VALET. — Venez.

BINETTE. — Où?

LE VALET. — Pourquoi tant parler! C'est le moment de vous mettre en route. Nous avons tant trotté, marché que nous avons trouvé un marché pour vendre notre marchandise.

BINETTE. — C'est donc marchandise qui restera pour nous. Jamais autrement nous n'en profitons. Toutefois, allons.

LE VALET. — Vite. (Il chante :)

El a les yeulx vers et rians,
Et le corps faict à l'avenant.
Quant je la voy, mon cœur soupire;
  Et sy ne l'ose dyre,
  La toure lourela.

BYNETE.

C'est trop chanté; charge cela.

LE VARLET.

Charger? J'ey encor à diner.
J'aymes beaucoup myeulx le trainer.
Ausy bien n'esse que bagage.

BYNETE.

Au moins fais toy valoir.

LE VARLET.

Je gage
Que je feray des tours sans cesse!

LE BATELYER.

Que tantot j'auray belle presse!
Varlet!

LE VARLET.

Hau!

LE BATELEUR.

C'est bruict que de luy.

LE VARLET.

Voyci Binete d'Andely.
Venés, venés à la vollée.

LE BATELEUR.

Venés la voir, la desollée;
Aprochés tous!

Elle a les yeux verts et riants,
Et le corps fait à l'avenant.
Quand je la vois, mon cœur soupire;
Et pourtant je n'ose le dire,
La toure lourela.

BINETTE. — C'est assez chanté. Charge-moi cela. *(Elle lui montre la malle.)*

LE VALET. — Charger? Mais j'ai le ventre vide! J'aime beaucoup mieux la traîner. D'ailleurs, c'est marchandise de rien.

BINETTE. — Alors, au moins, fais-toi valoir.

LE VALET. — Je parie bien qu'il va falloir que je recommence à faire mes tours. *(Ils vont rejoindre le bateleur.)*

3

LE BATELEUR. — Bientôt, que j'aurai grande foule! Valet!

LE VALET, *arrivant en traînant la malle.* — Ho!

LE BATELEUR. — Tu as bonne réputation.

LE VALET, *au public.* — Voici Binette des Andelys [82]. Venez la prendre à la volée.

LE BATELEUR, *toujours pour attirer les badauds, jouant sur les malheurs supposés de sa femme.* — Venez la voir, la désolée; approchez tous!

BYNETE.

A ! mon baron,
Que je soys de vous acollée !

LE BATELEUR.

Venés la voir, la desollée.

LE VARLET.

El est de present afollée :
On le voit à son chaperon.

LE BATELEUR.

Venés la voir, la desollée ;
Aprochés tous !

BINETE.

Et, mon baron !

LE BATELEUR.

Or me dictes qu'on chanteron
Se pendant qu'on s'asemblera.
Mon varlet, qui commencera ?

LE VARLET.

Se sera moy.

BINETE.

Mais moy.

LE BATELEUR.

Mais moy.

LE VARLET.

Mauldict soyt-il qui se sera !

LE BATELEUR.

Mon valet, qui commencera ?

LE VARLET.

Se sera moy.

BINETTE. — Ah ! mon mari, embrassez-moi.

LE BATELEUR. — Venez la voir, la désolée.

LE VALET. — Elle est maintenant endeuillée ; on le voit à son chaperon.

LE BATELEUR. — Venez la voir, la désolée ; approchez tous !

BINETTE. — Eh ! mon mari.

LE BATELEUR. — Dites-moi ce que nous chanterons, pendant que les gens s'assembleront. Mon valet, qui commencera ?

LE VALET. — Ce sera moi.

BINETTE. — Plutôt moi.

LE BATELEUR. — Non, moi.

LE VALET. — Que maudit soit qui ce sera !

LE BATELEUR. — Mon valet, qui commencera ?

LE VALET. — Ce sera moi.

BINETE.

Mais moy.

LE BATELEUR.

Mais moy.

LE VALET.

Sy je vis jusque au moys de may,
Je seray maistre.

BINETE.

C'est là raison.

LE BATELIER.

Chantons et otons ce blason.

LE VARLET.

C'est bien dict. Metresse, chantons.

BYNETE, en chantant.

Or escoustés.

LE BATELYER, en chantant.

Or escoustés.

LE VARLET.

Or escoustés, sy vous voulés,
Une plaisante chansonnete.

BYNETE.

Vos gorges sont trop refoulés.

LE VARLET.

Sans boyre la mienne n'est nete.

Les deulx femmes entrent.
En chantant :

Alons à Binete,
Duron la durete ;
Alons à Binete
Au Chasteau Gaillart.

BINETTE. — Plutôt moi.

LE BATELEUR. — Non, moi [83].

LE VALET. — Si je vis jusqu'au mois de mai, c'est moi qui serai le maître.

BINETTE. — Cela est honnête.

LE BATELEUR. — Chantons; cessons cette discussion.

LE VALET. — C'est bien dit. Maîtresse, chantons.

BINETTE. — Écoutez donc.

LE BATELEUR. — Écoutez donc.

LE VALET. — Écoutez donc, si vous voulez, une plaisante chansonnette. *(Il prélude à sa chanson.)*

BINETTE. — Votre gosier est très éraillé!

LE VALET. — Quand je ne bois pas, il n'est pas net.

4

Deux femmes entrent.

LE VALET, en chantant *une chanson normande de ce temps-là :*

Allons à Binette,
Duron la durette;
Allons à Binette
Au Château-Gaillard.

LE BATELEUR.

Or sus, faictes un sault, paillart,
Pour l'amour des dames. Hault, sus !

LA PREMIERE FEMME entre.

Ces gens là nous ont aperceutz.
Y font quelque chose pour nous.

LE BATELEUR.

Aprochés vous, aprochés vous,
Et vous orés choses nouvelles.

LE VARLET.

Venés voir la belle des belles ;
Ariere, ariere, faictes voye.

LA IIe FEMME.

Y fault bien que cecy je voye,
Car à mon plaisir suys subjecte.

LE BATELEUR.

Aprochés. Qui veult que je gecte ?
Hault les mains !

BYNETE.

L'on vous veult monstrer
Que n'en sceutes un rencontrer
Qui tant fist de joyeuseté.

LE BATELEUR.

G'y ay esté, g'y ay esté,
Au grand pays de badinage.

LA PREMIERE FEMME.

A'vous quelque beau personnage
Pour nous ? Car c'est se qui nous mayne.

LE VARLET.

Tous nouveaulx faictz de la sepmayne,
Des plus beaulx que jamais vous vistes.

LE BATELEUR, *à son valet*. — Allons! faites un saut, paillard, pour l'amour des dames. Haut! sus!

LA PREMIÈRE FEMME, *à sa compagne*. — Ces gens-là nous ont aperçues. Ils font quelque chose pour nous.

LE BATELEUR. — Approchez-vous, approchez-vous, et vous entendrez des choses nouvelles. *(Il sort de la malle les portraits de badins célèbres.)*

LE VALET. — Venez voir la plus belle des choses. Arrière, arrière! laissez passer.

LA DEUXIÈME FEMME. — Il faut que j'aille voir ceci, pour satisfaire mon plaisir.

LE BATELEUR. — Approchez! Qui veut que je lui en jette? *(Il fait semblant de lancer en l'air un portrait.)* Levez les mains!

BINETTE. — On va vous montrer que vous n'avez pu en rencontrer un qui aura autant fait rire.

LE BATELEUR. — J'y ai été, j'y ai été au grand pays de badinage.

LA PREMIÈRE FEMME. — Avez-vous un beau personnage? Car c'est cela ce qui nous amène.

LE VALET. — Ils sont tous faits de cette semaine, et les plus beaux que jamais vous vîtes.

LE BATELEUR.

Valet, sçavous bien que vous dictes?
Qui sera maistre de nos deulx?
Laise moy parler.

LE VALET.

Je le veulx.
Et Binete la desolée,
Fault-il poinct qu'el ayt sa pallée?
Hen!

LE BATELIER.

Pais! que je ne vous esterde.

BYNETE.

Je l'aray.

LE BATELEUR.

Mais plus tost la merde.

LE VARLET.

Mengés la donq, qu'el ne se perde;
Car qui la mengera l'aura.

BINETE.

Je parleray.

LA IIe FEMME.

El parlera.
Femmes ont-il pas leur planete?

LE VARLET.

S'el ne parle, elle afollera.

BINETE.

Je parleray.

LE VARLET.

El parlera.

LE BATELEUR. — Valet, savez-vous ce que vous dites ? Qui sera le maître de nous deux ? Laisse-moi parler. *(Nouvelle scène de querelle pour attirer l'attention d'éventuels acheteurs.)*

LE VALET. — Oui, mais Binette la désolée, ne faut-il pas qu'elle parle aussi ? Eh !

LE BATELEUR. — Paix ! sinon je vous étrille.

BINETTE. — J'aurai mon tour.

LE BATELEUR. — Plutôt de la merde.

LE VALET. — Mangez-la, pour que rien ne se perde ; car qui la mangera, l'aura.

BINETTE. — Je parlerai.

LA DEUXIÈME FEMME. — Elle parlera. Les femmes n'ont-elles pas leurs caprices ?

LE VALET. — Si elle ne parle pas, elle deviendra folle.

BINETTE. — Je parlerai.

LE VALET. — Elle parlera.

LA PREMIERE FEMME.

Dea, s'el ne parle, el vous laira.

LE BATELEUR.

Et la place en sera plus nete.

BINETE.

Je parleray.

LES DEULX FEMMES ensemble.

El parlera.

LE VARLET.

Et leque foure mengera.

LA IIe FEMME.

Femmes ont y pas leur planete ?

LE BATELEUR.

Ouy, quant ilz ont leur haultinete.
Tesmoing mon varlet.

LE VARLET.

Il est vray.
N'est pas donc ?

Ilz chantent.

Qu'en dira Binete,
Qui a le cœur gay ?

BYNETE.

Hau ! qui en veult leve le doy.

LE BATELEUR.

A sept cens frans !

BINETE.

Mais à sept blans.

LA PREMIÈRE FEMME. — Si elle ne parle pas, elle vous abandonnera.

LE BATELEUR. — Et la place en sera plus nette.

BINETTE. — Je parlerai.

LES DEUX FEMMES ensemble. — Elle parlera [84].

LA DEUXIÈME FEMME. — Les femmes n'ont-elles pas leurs caprices ?

LE BATELEUR. — Oui, quand elles ont leur humeur triste. Mon valet en est le témoin.

LE VALET. — C'est vrai. N'en est-il pas ainsi ? (Il chante, avec le bateleur :)

Qu'en dira, Binette,
Qui a le cœur gai ?

BINETTE, *tenant un portrait*. — Ho ! qui en veut lève le doigt !

LE BATELEUR. — A sept cents francs !

BINETTE. — Ou a sept sous !

LE VARLET.

Nous ne sommes pas à sept blans?
Sang bieu, il n'y a croix en France?

LE BATELIER.

J'aymes autant vendre à creance.
Qui en veult? Je les voys remectre.

LE VARLET.

Encor fault-il vendre, mon maistre.

LE BATELIER.

Vendre? Mais trocher c'est le myeulx.
De trocher je seroys joyeulx,
Sy de femme estoys myeulx pourveu.
Et vous n'avés rien veu, rien veu!

LA PREMIERE FEMME.

Vous ne nous monstrés que folye.
Monstrés quelque face jolye
Qui resemble à la creature.

BINETE.

Vous voirés maincte pourtraicture
Des gens de quoy on faict memoyre.

LE VALET.

Et vous n'avés rien veu encore
Depuys que vous estes ceans.
Voecy des badins antiens,
Voecy les ceulx du temps jadis,
Qui sont lasus en paradis
Sans soufrir paines ne travaulx.
Voecy maistre Gilles des Vaulx,
Rousignol, Briere, Peuget,
Et Cardinot qui faict le guet,
Robin Mercier, Cousin Chalot,
Pierre Regnault, se bon falot,
Qui chans de vires mectoyent sus.

LE VALET, *aux éventuels acheteurs.* — Nous n'en sommes pas à sept sous ! Palsambleu ! personne n'a-t-il plus de monnaie ?

LE BATELEUR. — J'aime autant vendre à crédit. Qui en veut ? Je vais les ranger.

LE VALET. — Essayons encore de vendre, mon maître.

LE BATELEUR. — Vendre ? Mais il vaut mieux troquer. *(Regardant malicieusement les femmes)* Je serais heureux de faire un échange si je devais être en femme mieux pourvu. Vous n'avez encore rien vu, rien vu ! *(Il sort de nouveaux portraits de badins.)*

LA PREMIÈRE FEMME. — Vous ne nous montrez que folie. Montrez quelque portrait joli, qui ressemble à l'original.

BINETTE. — Vous verrez maints portraits de gens dont on garde encore la mémoire.

LE VALET. — Et vous n'avez encore rien vu, depuis que vous êtes ici. Voici les badins anciens, voici ceux du temps jadis, qui sont montés en paradis sans souffrir peines ni tourments. Voici maître Gilles des Vaux, Rossignol, Brière, Peuget, et Cardinot qui fait le guet, Robin Mercier, Cousin Chalot, Pierre Regnault, ce bon farceur, eux qui ont remis en honneur les chansons du val de Vire.

LA IIe FEMME.

Est-il vray ?

LE VARLET.

Ilz sont mys là sus ;
Y n'ont faict mal qu'à la boyson.

LE BATELEUR.

Chantres de Dieu sont tous receups.

LA PREMIERE FEMME.

Est-il vray ?

LE BATELIER.

Y sont mys là sus.

LE VARLET.

Myracles en sont aperceups :
Dieu veult qu'on le serve à bon son.

LES DEULX FEMMES ensemble.

Est-il vray ?

BYNETE.

Ilz sont mys là sus ;
Y n'ont faict mal qu'à la boyson.

LE BATELEUR.

Je vous dis que Robin Moyson
De nouveau nous l'a revellé.
Et atend[e]nt nole velle
Pour chanter en leur parc d'honneur :
Un surnommé Le Pardonneur,
Un Toupinet ou un Coquin,
Ou un Grenier, aymant le vin
Pour devant Dieu les secourir.

LE VARLET.

Je ne veulx poinct encor mourir,
Car je m'ayme trop myeulx icy.

LA DEUXIÈME FEMME. — Est-ce vrai ?

LE VALET. — Ils sont là-haut ; ils n'ont fait de mal qu'à la boisson.

LE BATELEUR. — Ils ont tous été admis comme chantres de Dieu.

LA PREMIÈRE FEMME. — Est-ce vrai ?

LE BATELEUR. — Ils sont là-haut.

LE VALET. — De là-haut ils font des miracles ; car Dieu aime qu'on le serve en bonnes chansons.

LES DEUX FEMMES ensemble. — Est-ce vrai ?

BINETTE. — Ils sont là-haut ; ils n'ont fait de mal qu'à la boisson.

LE BATELEUR. — Je vous dis que Robin Moisson nous l'a récemment révélé. Et voici qu'attendent, bon gré mal gré, pour chanter dans leur monde meilleur : un surnommé Le Pardonneur, un Toupinet ou un Coquin, ou un Grenier, tous aimant le vin qui, en attendant Dieu, permet de les secourir.

LE VALET. — Je ne veux pas encore mourir, car je me trouve bien mieux ici.

LE BATELYER.

Voiecy les vivans, voy les sy.
Maintenant je les vous presente.
Voyés!

LA PREMIERE FEMME.

Poinct n'en veulx estre exempte,
Que je n'en aye tout mon plaisir.

LA IIe FEMME.

Veuillés nous les mylleurs choisir,
Afin que nous les achatons.

LE VARLET.

Je les voys choisir à tatons
Jusques au fons de la banete.

LA PREMIERE FEMME.

Et combien?

LE BATELEUR.

Parlés à Binete.
De tout el vous fera marché.

BINETE.

Nous aurons tantost tout cherché
Sans vendre; je n'y entens rien.

LE BATELEUR.

A combien, dames, à combien?
A un liard! Qui en vouldra
Maintenant, dames, on voyra.

LA IIe FEMME.

Poinct n'en voulons.

LE BATELEUR.

Rien n'y entens.
Vous ne voulés que pasetemps
Pour rire en chambres et jardins.

LE BATELEUR. — Voici les vivants, les voici. Maintenant je vous les présente. Voyez !

LA PREMIÈRE FEMME. — Je ne veux pas les manquer ; j'en veux prendre tout mon plaisir.

LA DEUXIÈME FEMME. — Veuillez nous choisir les meilleurs, afin que nous les achetions.

LE VALET. — Je vais les choisir au hasard en puisant au fond de la malle.

LA PREMIÈRE FEMME. — Et combien ?

LE BATELEUR. — Parlez à Binette. Elle vous fera un prix de tout.

BINETTE. — Nous aurons bientôt tout cherché, sans rien vendre. Je n'y comprends rien.

LE BATELEUR. — A combien, mes dames, à combien ? A un sou ! On va bien voir, mes dames, qui en voudra maintenant.

LA DEUXIÈME FEMME. — Nous n'en voulons pas.

LE BATELEUR. — Je n'y comprends rien. Vous n'aimez que le passe-temps pour rire en chambre ou au jardin.

LE VARLET.

Voecy les nouveaulx badins
Qui vont dancer le trihory;
Vecy ce badin de Foury,
Et le badin de Sainct Gervais:
Les voulés-vous?

LA PREMIERE FEMME.

Que je les voye!
Replyés, tout me semble ville.

LE BATELEUR.

Bien. Le badin de Soteville,
Ou le celuy de Martainville,
Les voulés-vous?

LA IIe FEMME.

Et! c'est Pierrot.

LE VARLET.

In Gen, c'est mon, c'est mon frerot;
Ausy Le Boursier et Vincenot,
Sainct Fesin, se mengeur de rost.
Retenés lay, il est gentil.

LE BATELYER.

Que tous aultres soyent au vetil,
Car toutes fachés vous en estes.

BINETE.

Voecy le badin aulx lunetes
Et plusieurs aultres petis badins
Qui vous avalent ses bons vins:
Seront-il de la retenue?

LA PREMIERE FEMME.

Son badinage dymynue,
Pour tout vray; mais ses compaignons
On ne prison pas deulx ongnons,

LE VALET. — Voici les nouveaux badins, qui dansent le trihori[85]. Voici ce badin de Foury, et le badin de Saint-Gervais : les voulez-vous ?

LA PREMIÈRE FEMME. — Que je les voie ! *(Après un temps.)* Repliez, tout me semble inutile.

LE BATELEUR. — Bien. Et le badin de Sotteville, ou bien celui de Martainville[86], les voulez-vous ?

LA DEUXIÈME FEMME. — Mais c'est Pierrot !

LE VALET. — Saint Jean ! bien sûr, c'est mon frérot. Aussi Le Boursier, Vincenot ; Saint-Fessin, mangeur de rôtis : retenez-le, il est aimable.

LE BATELEUR. — Que tous les autres rentrent dans le coffre ! car vous en êtes fatiguées.

BINETTE. — Voici le badin aux lunettes, et plusieurs autres petits badins qui vous avalent de bons vins : allez-vous nous les retenir ?

LA PREMIÈRE FEMME, *à sa compagne et désignant Binette*. — Son badinage s'appauvrit, à vrai dire. Quant à

Car y ne font que fringoter;
Y ne nous feroyent qu'asoter.

LE VALET.

Vous ne voulés rien acheter.
Vous estes asés curieuses
De voir inventions joyeuses.
Mais quant vient à faire payment,
Rien ne voulés tirer, vraiment.
Et se poinct icy retenés:
Chantres et badins sont tennés.
Ainsi, prou vous face, mes dames.

LA IIe FEMME.

De dons ne povons avoir blames:
Nous mesmes voulons qu'on nous donne.

LE BATELEUR.

Ausy honneur vous abandonne.
Vous voulés avoir vos plaisirs,
Vos acomplisemens [de] desirs.
Nous entendons bien vos façons.

LE VARLET.

Sy vient un rompeur de chansons,
Un fleureçon, un babillart
Faisant de l'amoureux raillart,
Qui vienne saisir le costé,
Y sera plus tost escousté
C'une plaisante chansonnete.

LA PREMIERE FEMME.

Dictes-vous?

LE VARLET.

Parlés à Binete.

LA PREMIERE FEMME.

Sy d'avanture on nous gauldit
Ou nostre mary nous mauldit,

ses compagnons, ils ne valent pas deux oignons, car ils ne savent que chanter : ils nous en feraient devenir folles.

LE VALET. — Vous ne voulez rien nous acheter. Vous êtes fort désireuses de voir nos trouvailles joyeuses. Mais quand vient le temps de payer, vrai ! vous ne voulez rien donner. Alors, retenez bien ceci : chantres et badins sont fatigués. Aussi, grand bien vous fasse, adieu, mesdames !

LA DEUXIÈME FEMME. — De ces dons refusés, nous ne pouvons avoir blâme : nous-mêmes, nous avons besoin qu'on nous donne.

LE BATELEUR. — Aussi l'honneur vous abandonne. Vous ne voulez que vos plaisirs, voir accomplir tous vos désirs. Nous comprenons bien vos façons.

LE VALET. — S'il survient un trouble-chansons, un godelureau, un babillard jouant à l'amoureux gai luron, et qu'il vous prenne par la taille, il sera bien mieux écouté qu'une plaisante chansonnette.

LA PREMIÈRE FEMME. — Que dites-vous ?

LE VALET. — Parlez à Binette.

LA PREMIÈRE FEMME. — Si d'aventure on se moque de nous ou si notre mari nous maudit, à qui pourrons-nous

Où prendron-nous nostre recours,
Qui nous veuille donner secours,
Synon d'ouyr quelque sonnete?

LE BATELEUR.

Dictes-vous? Parlés à Binete,
Qui se tient au Chasteau Gaillart.

LA IIe FEMME.

Sy nostre mary est viellart,
Qui ne face que rioter,
Où irons-nous pour gogueter?
De ce voulons estre certaines.

LE VALET.

Sy vous dient: Vos fiebvres cartaines,
Incontinent je vous refere
Que leur debvés responce fere:
Mais vous! car cela est honneste.

LES II FEMMES ensemble.

Dictes-vous?

LE VALET.

Parlés à Binete.

LE BATELYER.

Binete vous en rendra compte.

LA PREMIERE FEMME.

De nous ne faictes pas grand compte;
Mais bien on s'en raporte à vous!

LE VALET.

Ausy ne faictes-vous de nous.
Unne personne de valleur
N'apelle un chantre bateleur
Ne farceur; mais, à bien choisir,
Gens de cœur plains de tout plaisir.
De vos dons riens ne comprenons,

recourir qui veuille bien nous secourir, sans entendre quelque sornette ?

LE BATELEUR. — Que dites-vous ? Parlez à Binette, qui se tient au Château-Gaillard.

LA DEUXIÈME FEMME. — Si notre mari est un vieillard qui ne fait que nous quereller, où irons-nous nous amuser ? Nous voudrions bien le savoir.

LE VALET. — Si vos maris vous disent : « Que la fièvre te prenne ! » j'affirme qu'aussitôt il faut leur répondre : « Plutôt vous ! » C'est ainsi qu'il convient de faire.

LES DEUX FEMMES ensemble. — Que dites-vous ?

LE VALET. — Parlez à Binette.

LE BATELEUR. — Binette vous en rendra compte.

LA PREMIÈRE FEMME. — Vous ne faites pas grand cas de nous ; mais que vaut de s'en rapporter à vous !

LE VALET. — Vous-mêmes, ne faites pas cas de nous. Une personne de valeur n'appelle pas les poètes « bateleurs » ni « farceurs » ; mais, à bien choisir, « gens de cœur pleins de tout plaisir ». Nous n'avons que faire de vos

Mais nostre plaisir on prenons
De chans, pour estre esbanoyés
Sans jamais estre desvoyés.

BINETE.

De Dieu poinct ne vous defiés;
De luy serés glorifiés.
Sy on donne poy, c'est tout un.
Riés, chantés et solfiés,
Jeutz et esbas signifiés,
De jour, de nuict, quand il faict brun.
Subjectz ne soyés au commun.
[N]ostre plaisir nous asouvyt.
Qui plus vit de monde, plus vit.

LE BATELYER.

Recreons nous, chantons subit.

LE VARLET.

Hardiment faisons nous valloir.
Soulcy d'argent n'est que labit.
De petit don ne peult chaloir.
Chantons et faisons debvoir.

Finis

dons ; nous ne prenons plaisir qu'à nos chansons, pour nous divertir, sans jamais nous en départir. *(Les femmes s'éloignent.)*

5

BINETTE. — Gardez toujours confiance en Dieu, par Lui vous serez glorifiés. Qu'importe si l'on nous donne peu ! Riez, chantez et solfiez ; proclamez haut ébats et jeux, de jour, de nuit et à la brune. Ne vous soumettez pas à la chose commune. Notre plaisir seul nous suffit. Qui vit comme il est, mieux il vit.

LE BATELEUR. — Récréons-nous, promptement chantons.

LE VALET. — Par nous-mêmes faisons-nous valoir. Souci d'argent est chose vaine. Que nous importe un maigre avoir ! Chantons, faisons notre devoir !

XII

LES GENS NOUVEAUX

Pour clore ce choix de farces, il a paru utile de donner un texte peu caractéristique du genre farcesque traditionnel : pas de scènes gaillardes ici, pas de scènes de badin, pas de coups de bâton. L'exemple des *Gens nouveaux* n'est pas rare, tant s'en faut. Et on a dit dans l'introduction que le nom de « farce » avait fini par être donné à toutes sortes d'œuvres dramatiques.

Le texte des *Gens nouveaux,* qui appartient au recueil du British Museum, vient d'une édition qu'on pense avoir été faite à Lyon entre 1532 et 1550. Ce n'est sans doute là qu'une nouvelle version d'un texte écrit en 1461 (première année du règne de Louis XI) ou en 1483 (début du règne de Charles VIII). Le sujet est d'une actualité si souvent renouvelée, qu'on comprend qu'on ait pu, à volonté, reprendre un texte par ailleurs facile à adapter aux circonstances.

Cette farce est dite dans le titre « farce moralisée ». Les personnages en sont en effet, comme dans beaucoup de moralités, des personnages allégoriques : le Monde, représentant le petit peuple, objet de la convoitise des ambitieux et réduit par eux à la misère ; et trois Gens nouveaux, types de politiciens sans scrupules, prêts à tout pour « arriver ». La satire politique est évidente. Si bien que nous pourrions même avoir affaire moins à une moralité qu'à une sottie. Certes, les « gens nouveaux » ne sont jamais appelés « sots ». Mais comme dans la sottie où souvent se succèdent les répliques du Premier Sot, du Second et du Tiers Sot, nous avons ici un Premier Nouveau, un Second et un Tiers Nouveau qui discourent l'un après l'autre, en pratiquant les mêmes exercices verbaux que les « sots ». Comme dans la sottie enfin, les personnages une fois introduits ne quittent plus les tréteaux. Cette satire des mauvais conducteurs du peuple peut néanmoins être considérée comme une farce. Le Monde séduit et dupé ne rappelle-t-il pas le Mari berné ? et les Gens nouveaux sont-ils bien différents de la Femme rusée et de l'Amoureux impatient de jouir ?

Un genre complexe donc, et qui méritait d'être d'autant plus connu que le sujet des *Gens nouveaux* reste digne d'intérêt pour nous-mêmes qui avons été si souvent victimes de politiciens. Je le résume : les Gens nouveaux, conseillers d'un nouveau régime, prétendent réformer ce qu'avaient fait leurs prédécesseurs, et assurer par là au Monde un bonheur depuis si longtemps désiré. Mais, malgré promesses et bonnes paroles, ils ne pensent qu'à s'assurer des biens et à satisfaire leur ambition. Et le Monde ira de mal en pis !

LES GENS NOUVEAUX

Farce nouvelle moralisée
des GENS NOUVEAULX
qui mengent le monde et le logent de mal en pire
à quatre personnaiges, c'est assavoir :
le premier nouveau, le second nouveau,
le tiers nouveau et le monde.

LE PREMIER NOUVEAU commence.

Qui de nous se veult enquerir,
Pas ne fault que trop se demente ;
Nostre renom peult on querir,
Com verrez, à l'heure presente.
Des anciens ne vient la sente,
Combien qu'ilz fussent fort loyaulx.
Chascun à par soy se regente.
Somme, nous sommes gens nouveaulx.

LE SECOND NOUVEAU.

A gens nouveaulx nouvel coustume ;
Chascun veult veoir nouvelleté.
Bien sçavons que tel l'oyson plume
Qu'au menger n'est pas invité.
Et, pour vous dire verité,
Nous avons [noms] mignons et beaulx
Pour proceder en equité.
Somme, nous sommes gens nouveaulx.

LE TIERS NOUVEAU.

Du temps passé n'avons que faire,
Ne du faict des gens anciens.
L'on l'a paint ou mys par hystoire ;
Mais, de vray, nous n'en sçavons riens.
S'ilz ont bien faict, il ont leurs biens ;
S'ilz ont mal faict, aussi les maulx.
Nous allons par aultres moyens.
Somme, nous sommes gens nouveaulx.

Farce nouvelle moralisée
des GENS NOUVEAUX
qui mangent le monde et le logent de mal en pire

à quatre personnages, c'est assavoir:
le premier nouveau, le second nouveau,
le tiers nouveau et le monde.

1

Dans un lieu indéterminé, trois Gens nouveaux s'avancent.

LE PREMIER NOUVEAU commence. — Si l'on veut savoir qui nous sommes, inutile qu'on s'en préoccupe beaucoup. On ne peut chercher notre renom, comme vous verrez, qu'à l'heure présente. La voie à suivre n'est pas celle de ceux qui nous ont précédés, même s'ils ont été très loyaux. Chacun se guide par lui seul. Pour tout dire, nous sommes gens nouveaux.

LE SECOND NOUVEAU. — A gens nouveaux, nouvelles coutumes. Chacun recherche la nouveauté. Nous savons que qui l'oison plume, à le manger n'est pas invité. Et, pour vous dire la vérité, notre nom est mignon et beau pour agir avec équité. Pour tout dire, nous sommes gens nouveaux.

LE TIERS NOUVEAU. — Du temps passé nous n'avons que faire, ni de ce qu'ont fait les gens anciens. On les a peints ou mis dans les livres d'histoire; mais nous, nous ne voulons rien en savoir. S'ils ont bien fait, on en a grand bien; s'ils ont mal fait, on en a les maux. Nous marchons par d'autres chemins. Pour tout dire, nous sommes gens nouveaux.

LE PREMIER.

Gouverner, tenir termes haulx,
Regenter à nostre appetit
Par quelques moyens bons ou faulx :
Nous avons du temps ung petit.

LE SECOND.

Les vieulx ont regné, il souffit ;
Chascun doit rener à son tour.
Chascun pense de son proffit,
Car après la nuyt vient le jour.

LE TIERS.

Or ne faisons plus de sejour
Et avisons qu'il est de faire.

LE PREMIER.

Compaignons, il est necessaire
D'aller ung petit à l'esbat.
A nouveaulx gens nouvel estat.
Puis que les gens nouveaulx nous sommes,
Acquerir de bruit si grans sommes,
Que par tout il en soit nouvelles !

LE SECOND.

Faisons oyseaulx voller sans elles,
Faisons gens d'armes sans chevaulx :
Ainsi serons-nous gens nouveaulx.

LE TIERS.

Faisons advocatz aumosniers,
Et qu'ilz ne prennent nulz deniers,
Et sur la peine d'estre faulx :
Ainsi serons-nous gens nouveaulx.

LE PREMIER.

Faisons que tous couars gens d'armes
Se tiennent les premiers aux armes,
Quant on va crier aux assaulx :
Ainsi serons-nous gens nouveaulx.

LE PREMIER. — Gouverner, faire de belles promesses, régenter selon notre humeur par des moyens bons et trompeurs, nous avons quelque temps devant nous.

LE SECOND. — Les vieux ont régné, il suffit; chacun doit régner à son tour. Chacun ne pense qu'à son profit, car après la nuit vient le jour.

LE TIERS. — Ne séjournons pas davantage, et voyons ce qu'il nous fait faire.

LE PREMIER. — Compagnons, il est nécessaire d'aller un peu nous divertir. A gens nouveaux, nouvel état. Puisque nous sommes les gens nouveaux et que nous voulons grande renommée, qu'on ait partout de nos nouvelles !

LE SECOND. — Faisons les oiseaux voler sans ailes, faisons les gens d'armes sans chevaux : ainsi serons-nous gens nouveaux.

LE TIERS. — Faisons les avocats donneurs d'aumônes, et qu'ils ne prennent plus notre argent sous peine de passer pour faux : ainsi serons-nous gens nouveaux.

LE PREMIER. — Faisons que les soldats poltrons se tiennent les premiers au front quand on va crier à l'assaut : ainsi serons-nous gens nouveaux.

LE SECOND.

Faisons qu'il n'y ait nulz sergeans
Par la ville ne par les champs,
S'ilz ne sont justes et loyaulx :
Ainsi serons-nous gens nouveaulx.

LE TIERS.

Faisons que tous ces chicaneurs,
Ces prometteurs, ces procureurs,
Ne seignent plus memoriaulx :
Ainsi serons-nous gens nouveaulx.

LE PREMIER.

Faisons que curez et vicaires
Se tiennent en leurs presbytaires,
Sans avoir garces ne chevaulx :
Ainsi serons-nous gens nouveaulx.

LE SECOND.

Or faisons tant que ces gras moynes,
Ces gras prieurs et ces chanoines
Ne mengeussent plus gras morceaulx :
Ainsi serons-nous gens nouveaulx.

LE TIERS.

Faisons que tous les medecins
Parviennent tousjours en leurs fins
Et qu'ilz guerissent de tous maulx :
Ainsi serons-nous gens nouveaulx.

LE PREMIER NOUVEAU.

Cheminons par mons et par vaulx
En pourchassant nostre aventure.
C'est droict, c'est le cours de nature.
Nostre cours dure maintenant.
Les anciens ont faict devant
Leurs jours; il fault les nostres faire.
Gens nouveaulx ne se doivent taire;
Car nous avons des anciens

LE SECOND. — Faisons qu'il n'y ait plus de sergents, par la ville comme par les champs, qui soient injustes et déloyaux : ainsi serons-nous gens nouveaux.

LE TIERS. — Faisons que tous les chicaneurs, les juges, agents et procureurs ne signent plus de procès-verbaux : ainsi serons-nous gens nouveaux.

LE PREMIER. — Faisons que curés et vicaires se tiennent dans leurs presbytères, sans entretenir garces ni chevaux : ainsi serons-nous gens nouveaux.

LE SECOND. — Faisons tant que tous ces gras moines, ces gras prieurs et ces chanoines ne mangent plus de gras morceaux : ainsi serons-nous gens nouveaux.

LE TIERS. — Faisons que tous les médecins parviennent toujours à leurs fins et qu'ils guérissent de tous les maux : ainsi serons-nous gens nouveaux. *(Ils commencent à se mettre en route.)*

LE PREMIER. — Cheminons par monts et par vaux en poursuivant notre aventure. C'est notre droit, et c'est le cours de la nature. A nous de vivre maintenant ; car les anciens ont fait leur temps, et nous avons le nôtre à faire. Les gens nouveaux ne doivent pas se taire ; car, par

Par succession tous leurs biens,
Quelque part qu'ilz soyent vertiz.

LE SECOND.

Pourquoy ne sont-ilz bien partis?
Ilz en avoyent tant, mere dieux!

LE TIERS.

Ilz sont cachez en trop de lieux,
Voyre qu'on ne sçait où ilz sont.

LE PREMIER.

Massons qui vielles maisons font,
En trouvent souvent à plains potz;
Mais, quant à nous, nescio vos.

LE SECOND.

C'est ung point trop mal assorté.
Les gens vieulx ont tout emporté;
Ilz ont fondé tant de chanoines,
Tant d'abayes, tant de moynes,
Que les gens nouveaulx en ont moins.

LE TIERS.

Que servent ung tas de nonnains
Que mon pere jadis fonda,
Et cinq cens livres leur donna,
Dont j'en suis povre maintenant?

LE PREMIER.

J'en peulx bien dire peu ou tant.
Que peult estre tout devenu
Que nous n'avons le residu?
Il nous devroit appartenir.

LE SECOND.

C'est faulte de sa part tenir.

succession des anciens, c'est à nous que reviennent tous leurs biens, en quelque lieu qu'ils soient passés.

LE SECOND. — Pourquoi sont-ils mal distribués ? Ils en avaient tant, mère de Dieu !

LE TIERS. — Ils sont cachés en trop de lieux, qu'on ne sait vraiment où ils sont.

LE PREMIER. — Les maçons qui cassent les vieilles maisons, en trouvent souvent à pleins pots. Mais quant à nous, nihil, zéro [87] !

LE SECOND. — Tout cela est très mal arrangé. Les vieilles gens ont tout emporté. Ils ont créé tant de chanoines, tant d'abbayes avec tant de moines que les gens nouveaux n'ont plus rien.

LE TIERS. — A quoi servent tant de couvents de nonnains, que le feu roi jadis fonda ? Tout cet argent qu'il leur donna, fait que je suis pauvre maintenant.

LE PREMIER. — Je pourrais presque en dire autant. Que peut être devenu le tout dont nous n'avons plus que les restes ? Il devrait nous appartenir.

LE SECOND. — C'est faute d'avoir eu notre part.

LE TIERS.

Or sus ! ilz sont mors, de par Dieu,
Et si ne sçavons en quel lieu
Estoyent leurs tresors souverains.

LE PREMIER.

Voulentiers, à ses jours derrains,
Ung riche cele sa richesse.

LE SECOND.

Unde locus, mais pourquoy esse ?
Pourquoy n'en ont-il souvenir ?

LE PREMIER.

Ilz cuident tousjours revenir,
Mais esperance les deçoit.
Et par ainsi on apparçoit
Que plusieurs ont esté deceuz.

LE SECOND.

Or prenons ung chemin : sus, sus !
Chascun en son propos se fonde !

LE TIERS.

Il nous fault gouverner le monde,
Vela nostre faict tout conclus.
Aux anciens n'appartient plus ;
C'est nous qui devons gouverner.

LE PREMIER.

Riens ne nous vault le sejourner ;
Allons veoir que le monde faict.

LE MONDE.

Et que sera-ce de mon faict ?
Pourquoy m'a laissé Zephirus ?
Je suis tout destruit et deffaict ;
Tous mes biens sont à Neptunus.
Jamais asseuré je ne fus,

LE TIERS. — Or bien! ils sont morts, de par Dieu; et nous ne savons en quel lieu se trouvaient leurs plus grands trésors.

LE PREMIER. — Volontiers, à ses derniers jours, un riche cache sa richesse.

LE SECOND. — Voilà le hic! mais pourquoi est-ce? pourquoi n'en ont-ils plus souvenir?

LE PREMIER. — Ils pensent toujours revenir, mais l'espérance les déçoit. Et c'est ainsi qu'on s'aperçoit que beaucoup ont été trompés.

LE SECOND. — Mettons-nous donc en route; allons! que chacun s'affermisse dans sa résolution!

LE TIERS. — Il nous faut gouverner le Monde, voilà notre fait tout conclu. Aux anciens, il n'appartient plus; c'est à nous de le gouverner.

LE PREMIER. — Inutile de rester ici; allons voir ce que fait le Monde. *(Ils continuent d'avancer et se dirigent en silence sur le côté des tréteaux.)*

2

Autre lieu indéterminé.

LE MONDE, *s'avançant du côté opposé.* — Et qu'adviendra-t-il de moi? Pourquoi le doux vent du zéphyr m'a-t-il abandonné ainsi? Je suis détruit, anéanti. Et tous mes biens s'en vont à l'eau. Je n'eus jamais ferme assu-

Pource que j'avoye esperance.
Mais maintenant je n'en puis plus;
Le monde vit en grant balance.

LE PREMIER.

Ho! j'ay ouy le monde. Qu'on s'avance!
Il fault tirer par devers luy.

LE SECOND.

Gardons nous de luy faire ennuy.
Traicter le convient doulcement.

LE PREMIER.

Et puis, monde, comment, comment,
Comment se porte la santé?

LE MONDE.

Honneur et des biens à planté
Vous doint Dieu, mes bons gentilz hommes.

LE PREMIER.

Vous ne sçavez pas que nous sommes?

LE MONDE.

Ma foy, je ne vous congnois rien.

LE PREMIER.

Par ma foy, je vous en croy bien.
Monde, nous sommes gens nouveaulx.

LE MONDE.

Dieu vous guarisse de tous maulx,
Gens nouveaulx! Que venez-vous faire?

LE SECOND.

C'est pour penser de ton affaire
Et de ton estat discerner.

LE TIERS.

Nous venons pour te gouverner,

rance, mais du moins j'avais l'espérance. Mais maintenant je n'en puis plus. Le Monde vit en grand danger.

3

LE PREMIER NOUVEAU. — Oh! j'ai entendu le Monde. Avançons-nous. Il faut nous en aller vers lui.

LE SECOND. — Gardons-nous de lui causer ennui. Mieux vaut le traiter doucement. *(Ils rejoignent le Monde.)*

4

LE PREMIER NOUVEAU. — Alors, le Monde, comment, comment, comment se porte la santé?

LE MONDE. — Que Dieu vous donne à profusion honneur et biens, bons gentilshommes!

LE PREMIER. — Vous ne savez pas qui nous sommes?

LE MONDE. — Ma foi, je ne vous connais pas du tout.

LE PREMIER. — Par ma foi, je vous en crois bien. Monde, nous sommes les gens nouveaux.

LE MONDE. — Que Dieu vous protège de tous maux, gens nouveaux! Que venez-vous faire?

LE SECOND. — C'est pour juger de ton affaire et faire le point sur ton état.

LE TIERS. — Nous venons pour te gouverner, pour un

Pour ung temps, à nostre appetit.

LE MONDE.

Vous y congnoissés bien petit.
Dieu ! tant de gens m'ont gouverné
Depuis l'heure que je fus né !
En moy ne vis point d'asseurance ;
J'ay esté tousjours en balance.
Encores suis-je pour ceste heure.
Le peuple trancille et labeure,
Et est de tous costez pillé.
Quant labeur est bien tranquillé,
Il vient ung tas de truandailles,
Qui prennent moutons et poulailles.
Marchandise ne les marchans
N'osent plus aller sur les champs.
Et chascun dessus moy se fonde,
En disant : Mauldit soit le monde !
J'en ay pour retribution
Du peuple malediction.
C'est le salut que j'[en] emporte.

LE PREMIER.

Vous gouverne-on de tel sorte ?
Qui faict cela ?

LE MONDE.

Gens envieux,
Qui sont de guerre curieux
Et vivent tousjours en murmure,
Et jamais de paix n'eurent cure.
Ceulx là ont mon gouvernement,
Sans sçavoir pourquoy ne comment,
Ne à quelle fin il pretendent.
Je ne sçay que c'est qu'ilz attendent
Et [je] ne sçay qu'ilz deviendront.
Je cuide qu'ilz me mengeront,
Si Dieu de brief n'y remedie.

temps, à notre désir.

LE MONDE. — Vous vous y connaissez bien peu ! Dieu ! tant de gens m'ont gouverné depuis l'heure de ma naissance ! Je n'eus en moi pas d'assurance ; j'ai toujours été en danger. Je le suis encore aujourd'hui. Le peuple tressaille et souffre, et est de tous côtés pillé. Quand il travaille paisiblement, il nous vient un tas de truands qui prennent moutons et volaille. Les marchands n'osent plus aller dans les campagnes. Et chacun se jette sur moi, en disant : « Maudit soit le Monde ! » Je ne reçois du peuple que malédiction. C'est le salut que j'en emporte !

LE PREMIER. — Vous gouverne-t-on de telle sorte ? Qui fait cela ?

LE MONDE. — Les gens envieux, qui ne pensent qu'à faire la guerre et vivent toujours en conspirant. La paix est leur dernier souci. Ils ont pris mon gouvernement, je ne sais pourquoi ni comment, ni à quelle fin ils prétendent. Je ne sais pas ce qu'ils attendent, et ne sais ce qu'ils deviendront. Mais je crois qu'ils me mangeront, si Dieu bientôt n'y remédie.

LE SECOND.

Taisés vous, monde, non feront.
Gens nouveaulx vous en garderont,
Quelque chose que l'on vous die.

LE MONDE.

Il vous court une pillerie,
Voyre sans cause ne raison.
Labeur n'a riens en sa maison
Qu'ilz n'emportent; vela les termes.
Et si ne sont mie gens d'armes
Qui soyent mys à l'ordonnance,
Servans au royaulme de France.
Ce ne sont qu'ung tas de paillars,
Meschans, coquins, larrons, pillars.
Je prie à Dieu qui les confonde!

LE TIERS.

Paix! nous vous garderons, le monde,
Et vous deffendrons contre tous.

LE MONDE.

Je seroye bien tenu à vous,
Et le verroye voulentiers.

LE PREMIER.

Monde, il nous fault des deniers;
Et puis après aviserons
Que c'est que de vous nous ferons.
Il n'y a point de broullerie.

LE MONDE.

Vous venez donc par pillerie?
Je ne l'entens pas aultrement.

LE SECOND.

Nous venons, ne vous chault comment.
Tantost vous le congnoistrés bien.

LE SECOND. — Taisez-vous, Monde; ils ne le feront pas. Les gens nouveaux vous protégeront, quoi que l'on puisse vous en dire.

LE MONDE. — Il vous souffle un vent de pillage, vraiment sans cause ni raison. Celui qui travaille n'a rien en sa maison qu'ils n'emportent; voilà les temps! Pourtant ce ne sont pas des gens d'armes, de ceux qu'une ordonnance a faits servants du royaume de France [88]. Ce ne sont qu'un tas de paillards [89], méchants, coquins, voleurs, pillards. Je prie Dieu qu'Il les engloutisse.

LE TIERS. — Paix! nous vous protégerons, le Monde, et vous défendrons contre tous.

LE MONDE. — Je vous en serais reconnaissant et volontiers vous verrais à l'œuvre.

LE PREMIER. — Mais il nous faut, Monde, de l'argent. Et puis après nous aviserons ce que nous pourrons faire de vous. Il n'y a pas à résister.

LE MONDE. — Vous venez donc aussi piller? Je ne le comprends pas autrement.

LE SECOND. — Nous venons, peu vous importe comment. Bientôt, vous le connaîtrez bien. *(Ils font comme s'ils mangeaient le Monde.)*

LE MONDE.

Ne me doit-il demourer rien?

LE PREMIER.

Vivre fault par quelque moyen.
Voycy pour moy.

LE TIERS.

Cecy est mien.
Monde, il fault avoir sa vie.

LE MONDE.

Je prie à Dieu qu'il vous mauldie.
Esse cy le commencement
De vostre beau gouvernement?
Gens nouveaulx sont-ilz de tel sorte?

LE PREMIER.

Monde, plains-tu ce que j'emporte?
Quaquettes-tu? Que veulx-tu dire?

LE MONDE.

Nenny, je ne m'en fais que rire.
J'ay assez plus que tant perdu.

LE SECOND.

Nous ne l'avons pas despendu;
Ceulx qui le diront seront folz.

LE MONDE.

S'ont esté telz gens comme vous.
Ainsi je suis de tous assaulx,
Pillé des vieulx et des nouveaulx.
Je ne sçay quel part je me boute.

LE TIERS.

Ce n'est pas tout.

LE MONDE.

J'en foys bien doubte.

LE MONDE. — Ne me restera-t-il rien ?

LE PREMIER. — Il faut vivre de quelque façon. Voici pour moi.

LE TIERS. — Et pour moi. Monde, il faut vivre sa vie !

LE MONDE. — Je prie Dieu qu'Il vous maudisse. Est-ce là le commencement de votre beau gouvernement ? Les gens nouveaux sont-ils de cette sorte ?

LE PREMIER. — Monde, te plains-tu de ce que j'emporte ? caquettes-tu ? Que veux-tu dire ?

LE MONDE. — Et non, je ne fais que m'en rire. J'ai perdu plus que je n'avais.

LE SECOND. — Nous n'avons pas pris votre bien ; ceux qui le diront sont des fous.

LE MONDE. — Mais ce furent des gens tels que vous. Ainsi, je suis de tous assauts, pillé des vieux et des nouveaux. Je ne sais où je dois me tourner.

LE TIERS. — Ce n'est pas tout.

LE MONDE. — Je le crains bien.

LE PREMIER.

Aussy t'y doibz-tu bien attendre.

LE MONDE.

Au moins, quant n'y aura que prendre,
Vous ne sçaurez que demander.
La[s], je pensoye qu'amender
Il me deust de vostre venue!
Il n'est rien pire soubz la nue
Que gens nouveaulx de maintenant.

LE SECOND.

Nous vous gouvernerons contant.
Monde, cheminez quant et nous.

LE MONDE.

Voyre, mais où me merrez-vous?
Je le vouldroye bien sçavoir.

LE PREMIER.

Taisez vous! nous ferons devoir.
Ne vous soucyez, ne vous chaille.
Nous le faisons pour bruit avoir.

LE MONDE.

Or çà donc, il fault sçavoir
Quelz gouverneurs on nous baille.

LE SECOND.

De vous aurons et grain et paille.

[LE MONDE.]

Par ma foy, je n'en doubte pas.

LE PREMIER.

Cheminez encore deux pas,
Et puis nous vous abregerons.

LE PREMIER. — Aussi dois-tu bien t'y attendre.

LE MONDE. — Mais, quand il n'y aura plus rien à prendre, vous ne saurez que demander. Hélas ! je pensais que mon sort serait meilleur à votre venue. Et il n'est rien de pire sous la nue que les gens nouveaux de maintenant !

LE SECOND. — Nous vous gouvernerons à l'instant. Monde, cheminez avec nous. *(Ils emmènent le Monde vers une nouvelle résidence.)*

5

LE MONDE. — Oui, mais où me mènerez-vous ? Je voudrais bien le savoir.

LE PREMIER. — Silence ! nous ferons notre devoir. Pas de souci et que vous importe ! Nous le faisons pour notre renom.

LE MONDE, *à part*. — Or çà donc, je voudrais savoir quels gouverneurs on va avoir !

LE SECOND. — Nous vous prendrons et paille et grain.

LE MONDE, *toujours à part*. — Par ma foi, je n'en doute point.

LE PREMIER. — Avancez encore de deux pas, et puis nous nous arrêterons.

LE MONDE.

Où esse que nous logerons?
J'en suis grandement en soucy.

LE SECOND.

Ne vous chaille; c'est près d'icy.
Sans cheminer ja plus aval,
Logez vous icy.

LE MONDE.

Je suis mal,
Et à mal m'avez amené.
O povre monde infortuné!
Fortune, tu m'es bien contraire.
Contraire, dès que je fuz né,
Ne fuz qu'en peine et en misere.
Miserable, que doy-je faire?
Faire ne puis pas bonne chere.
Cher me sont trop les gens nouveaux.
Nouvellement sourdent assaulx.
Vivre ne peult le povre monde.
Monde souloye estre jadis;
Jadis portoye face faconde;
Faconde estoye en plaisans dis;
Dis je disoye. Et je larmis
Larmes et pleurs de desplaisance;
Plaisir me fault, douleur s'avance.

LE PREMIER.

Vous estes logé à plaisance,
Monde; c'est le point principal.

LE MONDE.

Gens nouveaulx, soubz vostre asseurance,
Vous m'avez amené à mal.

LE SECOND.

Venez çà. N'estes-vous pas mieulx
Que vous n'estiez anciennement?

LE MONDE. — Où est-ce que nous logerons ? Cela me cause grand souci.

LE SECOND. — Peu vous importe ! c'est près d'ici. *(Ils s'arrêtent bientôt dans un lieu appelé Mal.)*

6

LE SECOND NOUVEAU. — Sans aller plus loin, c'est ici que vous logerez.

LE MONDE, *sur un ton plaintif malgré l'emploi d'un rythme « à queue rimée* [90] ». — Je suis mal. Et à Mal vous m'avez mené. O pauvre Monde infortuné ! Fortune, tu m'es bien contraire. Contrairement à tout attente, dès que je fus né, je ne fus qu'en peine et malheur. Malheureux, que dois-je donc faire ? Faire bonne figure ? Je ne le puis sans argent. Gens nouveaux, vous me coûtez tant ! Tant d'assauts sont livrés maintenant que le pauvre Monde ne peut vivre. Je vivais d'habitude bien paré, jadis ; jadis d'une figure avenante j'étais ; j'étais fécond en joyeux dits ; dits je disais. Et je pleure pleurs et larmes de déplaisir. Plaisir me manque, douleur s'avance.

LE PREMIER. — Vous êtes logé à votre convenance, Monde. C'est le principal.

LE MONDE. — Gens nouveaux je me fiais à vous, et vous m'avez mené à Mal.

LE SECOND. — Venez là. N'êtes-vous pas mieux que vous n'étiez anciennement ?

LE MONDE.

Je regrette le temps des vieulx,
Se vous me tenez longuement.

LE TIERS.

Vous desplaisent les gens nouveaulx?
De quoy menez-vous si grant bruit?

LE MONDE.

Au premier, vous me sembliez beaulx;
Mais en vous n'y a point de fruit.

LE PREMIER.

Vous plaignez-vous pour si petit?
Sommes-nous gens si enragez?

LE MONDE.

Gens nouveaulx, petit à petit
J'ay grant peur que ne me mengez.

LE SECOND.

Il fault que vous vous reclamez,
A vous le dire franc et court.

LE MONDE.

Vous estes si tresaffamez
Que ne povez entrer en court.

LE TIERS.

Vous parlez en parolles maigres;
Dictes vostre desconvenue.

LE MONDE.

Vous mordez de morsures aigres,
Gens nouveaulx, à la bien venue.

LE PREMIER.

Les gens nouveaulx auront leur tour,
Puis que une foys sont esveillez.

LE MONDE. — Je regretterai le temps des vieux, si vous me gardez plus longtemps.

LE TIERS. — Les gens nouveaux vous déplaisent-ils? Pourquoi faites-vous tant de bruit?

LE MONDE. — A l'abord, vous me sembliez beaux; mais vous êtes des arbres sans fruits.

LE PREMIER. — Faut-il vous plaindre pour si peu? Sommes-nous gens si enragés?

LE MONDE. — J'ai grand-peur que petit à petit, gens nouveaux, vous ne me mangiez.

LE SECOND. — Pour vous le dire franc et net, faites donc contre nous appel.

LE MONDE. — Vous êtes des gens si affamés que vous ne m'accorderiez pas de délais.

LE TIERS. — Vous parlez peu explicitement; dites-nous quelle est votre déconvenue.

LE MONDE. — Vous mordez à dents acérées, gens nouveaux, dès que vous arrivez.

LE PREMIER. — Aux gens nouveaux d'avoir leur tour, maintenant qu'ils sont éveillés.

LE MONDE.

En me monstrant signe d'amour,
De nuyt et jour vous me pillez.

LE SECOND.

Il fault que vous appareillez
A nous bailler ung peu d'argent,
Monde.

LE MONDE.

Si souvent, si souvent!

LE TIERS.

Voyre si souvent, plus encor!
Çà, de l'argent.

LE PREMIER.

Çà, çà, de l'or.
Monde, nous vous garderons bien.

LE MONDE.

Or çà, quant je n'auray plus rien,
Sur moy ne trouverez que prendre.

LE SECOND.

Nous sommes encores à prendre;
Monde, endurez ceste saison.

LE TIERS.

Je cuide que ceste maison
Luy ennuye. Changeons luy place,
Affin que soyons en sa grace.
Monde, voulez-vous desloger?
Nous vous ferons ailleurs loger
Honnestement, mais qu'il vous plaise.

LE MONDE.

Je ne suis pas fort à mon aise;
Je suis en mal : c'est grant soucy.

LE MONDE. — Vous me dites que vous m'aimez, et vous me pillez nuit et jour.

LE SECOND. — Il faut que vous vous prépariez à nous donner un peu d'argent, Monde.

LE MONDE. — Si souvent, si souvent !

LE TIERS. — Oui, si souvent, et plus encore ! Allons ! de l'argent.

LE PREMIER. — Allons ! de l'or. Monde, nous vous protégerons bien.

LE MONDE. — Or çà, quand je n'aurai plus rien, sur moi vous ne trouverez que prendre.

LE SECOND. — Nous ne faisons que de commencer. Monde, il vous faut être patient.

LE TIERS. — Je crois que cette maison lui cause quelque tourment. Changeons-le de place pour, auprès de lui, rentrer en grâce. Monde, voulez-vous déménager ? Ailleurs nous vous ferons loger honnêtement, pourvu qu'il vous plaise.

LE MONDE. — Je ne suis pas très à mon aise ; je suis en Mal : c'est mon souci.

LE PREMIER.

Sus, sus! vous partyrez d'icy.
Venez vous en.

LE MONDE.

Dieu me conduye!

LE TIERS.

Pour guerir vostre cueur transy,
Sus, sus! vous partyrez d'icy.

LE MONDE.

Gens nouveaulx, faictes-vous ainsi?

LE PREMIER.

Il est conclus, n'en doubtez mye.
Vecy plaisante hostellerie,
Monde. Logez vous y, beau sire.

LE MONDE.

Ha! Dieu, je vois de mal en pire!
Que me faictes-vous, gens nouveaulx?
Vous m'estes faulx et desloyaulx;
Vous me logez de mal en pire.

LE PREMIER.

Autant vous vault plourer que rire,
Monde; prenez bon reconfort.

LE MONDE.

Que ne descend tantost la mort,
Mordant par diverse poincture!
Privé me sens de tout confort.
Fort et grant le mal que j'endure!
Dure dureté et passion dure!
Dures pleurs me convient getter,
Sans nul espoir, fors regreter
Regretz piteulx, et lamenter
Lamentz mortelz qu'on ne peult dire.

LE PREMIER. — Sus, donc ! vous partirez d'ici. Venez-vous-en.

LE MONDE. — Que Dieu me conduise !

LE TIERS. — Pour guérir votre cœur mort de crainte, sus, donc ! vous partirez d'ici.

LE MONDE. — Gens nouveaux, que faites-vous ainsi ?

LE PREMIER. — C'est décidé, n'en doutez pas. *(Ils s'en vont et arrivent dans un nouveau lieu, appelé Pire.)*

7

LE PREMIER NOUVEAU. — Voici plaisante hôtellerie, Monde. Logez-vous-y, beau sire.

LE MONDE. — Ah ! Dieu, je vais de Mal en Pire ! Que me faites-vous, gens nouveaux ? Vous êtes avec moi faux, déloyaux ; vous me logez de mal en pire.

LE PREMIER. — Il vaut pour vous autant en rire que pleurer, Monde. Consolez-vous bien.

LE MONDE, *même ton plaintif et lyrique que précédemment*. — Pourquoi bientôt ne vient la mort, mordant par diverses blessures ? Je me sens loin de tout réconfort. Fort grand est le mal que j'endure ! Dure dureté et passion dure ! Dures pleurs que je dois verser, sans espoir, n'ayant pour regrets que regrets pitoyables, et pour me lamenter que lamentations mortelles et indicibles, si

D'ire me fault tout tourmenter.
Tourmenté en grant martire,
Tiré suis en logis mauldit.
Gens nouveaulx en font leur edit.
Ha! monde, où est le bon temps
Que tu plaisoys à toutes gens?
Et ores tu es desplaisant.
Peuple, d'avoir bien ne te attens:
Quant gens nouveaulx sont sur les rens,
Tousjours viendra pis que devant.

LE SECOND.

Vous estes en logis plaisant.
De quoy vous allez-vous plaignant?
Vous plaignez-vous de gens nouveaulx?

LE TIERS.

Se plus vous allez complaignant,
Encor aurez pis que devant.
Ce ne sont que premiers assaulx.

LE MONDE.

Or voy-je bien qu'il m'est mestier
De le porter paciemment.
Chascun tire de son cartier
Pour m'avoir, ne luy chault comment.
Vous povez bien veoir clerement
Que gens nouveaulx, sans plus riens dire,
Ont bien tost et soubdainement
Mys le monde de mal en pire.

FINIS.

Farce nouvelle moralisée des
gens nouveaulx qui men-
gent le monde, et le
logent de mal
empire.

blessé que je suis et de colère si tourmenté ! Tourment d'un grand martyre ! tiré je suis dans un logis maudit. Les gens nouveaux font là leur loi. Ah ! Monde, où est le bon temps, que tu plaisais à tous les gens ? Maintenant, tu es déplaisant. Peuple, ne t'attends pas à vivre bien : quand les gens nouveaux tiennent les premiers rangs, toujours ce sera pis qu'avant.

LE SECOND. — Vous êtes dans un logis plaisant. De quoi allez-vous vous plaignant ? Vous plaignez-vous des gens nouveaux ?

LE TIERS. — Si vous devez encore vous plaindre, vous aurez pis qu'auparavant. Ce ne sont que premiers assauts.

LE MONDE. — Je vois bien qu'il m'est nécessaire de tout supporter patiemment. Chacun tire de son côté pour me dominer, peu lui importe comment.

Adresse au public.

LE MONDE. — Vous pouvez voir là clairement que les gens nouveaux, pour ne plus rien en dire, ont bien vite et soudainement mis le monde de mal en pire.

NOTES

LE CUVIER

1. Jeu de mots intraduisible sur *abonny :* 1) rendu meilleur ; 2) rendu bonasse, dompté.

2. *Faire cela* était une des expressions qui désignaient l'acte sexuel. On a là sous une forme indéterminée la revendication traditionnelle des (jeunes) épouses des farces et des contes. Bonaventure des Périers, dans ses *Récréations et Joyeux Devis* (1558), dira qu'une femme raisonnable doit se contenter « de trois fois la nuyct » ; et il ajoutera : « une fois n'est rien, deux font grand bien, troys c'est assez, quatre c'est trop, cinq est la mort d'un gentilhomme sinon qu'il fust affamé ; au-dessus, c'est à faire à charretiers » (Nouvelle 86).

3. Vers 146-151, passage défectueux : vers sans rime correspondante.

4. Le vers 197 est incomplet. Les éditeurs supposent après *Fault-il* : *icy, faire* ou *chercher*.

5. Vers 319 : l'édition répète *sans soucy*. On peut supposer *sans nul sy :* « sans restriction ».

LE CHAUDRONNIER

6. La seconde partie du vers : *ne motz lavos* est incompréhensible.

7. C'est-à-dire : « vous avez l'odeur forte et épicée du girofle ». Pour le vers suivant, le texte est difficilement explicable ; il y aurait peut-être allusion au « grand Galiffre » qu'évoque le Pionnier de Seurdre (voir éd. du *Franc-Archer de Bagnolet,* par L. Polak, p. 78) et qui serait le géant Galaffre de la geste de *Huon de Bordeaux ;* quant à *banda,* ce serait la forme italianisée de *bande :* « troupe ». Mais faut-il donner un sens précis à toutes ces injures ?

8. *Soupe payelle :* « soupe faite dans une poêle » (Fournier).

9. Dans le jeu du *Saint Côme, je te viens adorer,* un joueur faisait le saint, et les autres lui présentaient, en guise d'offrandes, des objets ridicules. Si le saint riait, on lui donnait un gage ; si, au contraire, c'est lui qui parvenait à faire rire son adorateur, ce dernier prenait sa place. Ce jeu, dont il est déjà fait allusion dans le *Jeu de Robin et Marion* (fin du XIIIe siècle), sera encore un des jeux de Gargantua (Rabelais, ch. 22).

10. Éd. : *Haudin*. Il s'agit peut-être de Hesdin, ville picarde ; et ce nom désignerait le lieu de la scène.

LE SAVETIER CALBAIN

11. Les « concubines » des prêtres étaient pourtant fort méprisées.

12. Dans l'édition de 1548, les passages chantés sont présentés avec les mêmes caractères que les passages parlés. C'est pour mieux distinguer les deux éléments que, dans la transcription, je mets les chansons entre guillemets.

13. La *letisse* était, note Fournier, « une étoffe grise, dont on ne se servait qu'en la garnissant de fourrure ». La genette est une sorte de chat sauvage, qu'on recherchait pour sa fourrure.

14. Peut-être Saint-Jean-des-Choux, en Alsace, près de Saverne. Louis XIII enfant chantera encore cette chanson, mais avec la variante : Saint-Jean d'Anjou.

15. Saint Gris désigne François d'Assise, par référence à la robe grise que portaient les religieux de son ordre.

16. On disait la prière du bénédicité avant le repas, et l'on rendait grâce(s) à Dieu après le repas.

17. Chégros : fil enduit de poix, utilisé pour coudre le cuir. — Le bobelin, dont il sera question dans la chanson suivante, peut désigner la chaussure qu'il veut réparer, ou le morceau de cuir qui lui servira à rapiécer une chaussure.

18. C'est une des chansons populaires dont on a conservé la musique ; voir Gaston Paris, *Chansons du XVe siècle,* éd. 1875, p. 41 ; on la retrouvera chantée dans *La Comédie de chansons* (I, scène 6), comédie anonyme, datée de 1639.

LE PÂTÉ ET LA TARTE

19. Saint Maur était invoqué pour guérir de la goutte, et saint Ghislain (ou Guillain) pour guérir de l'épilepsie.

20. Texte : *nicquet.* Cette pièce de monnaie qui avait eu cours sous Charles VI et qui valait un denier et demi, n'était plus employée que pour désigner quelque chose de peu de valeur.

21. A la rime du v. 159, prononcez *queri,* le -r de l'infinitif s'étant en moyen français amuï devant une consonne ou une ponctuation forte ; de même aux v. 173 et 200.

22. Le coquin joue sur le mot *receveur,* qui pouvait déjà désigner une sorte de receveur public, et sur le mot *bos,* qui signifiait « bois » et « coups de bâton ».

23. Texte : *explicit,* mot latin (« il finit ») par lequel l'imprimeur avertit que l'ouvrage est terminé. On trouve ailleurs : *fin, finis, cy fine.*

MAÎTRE MIMIN ÉTUDIANT

24. Il s'agit du four du boulanger (ou four banal), où chacun pouvait venir faire cuire son pain.

25. Maître Mengin n'est pas le nom de l'actuel maître d'école de Mimin, mais celui de son premier « pédagogue ».

26. Longtemps on a proportionné la beauté des femmes et l'intelligence des hommes à la longueur de leur nez. Mais Cléopâtre n'est plus, Cyrano et les Bourbons non plus.

27. Passe que l'élève s'exprime dans un latin macaronique. Mais les latinistes auront remarqué que le maître commence lui-même par un solécisme, en faisant un neutre de l'accusatif du mot « livre » ; il aurait dû dire : quem librum legis ?

28. Il est inutile de traduire, scéniquement, ce latin macaronique, l'auteur, avant chaque lecture, ayant pris soin de faire savoir au public par le magister quel sera le sujet de la lecture. A lui seul d'ailleurs, le jargon latin de Mimin devait et doit encore faire rire.

29. Aliboron se prétendait savant universel ; mais le public du Moyen Age savait que ce personnage n'était qu'un charlatan. La Fontaine donnera son nom à un âne (*Fables,* I, 13).

30. Il y aurait là une parodie du dicton juridique : « Patrem insequitur proles » (les enfants viennent immédiatement après leur père).

31. Texte : *Domine,* vocatif latin signifiant : « maître » et passé dans le langage courant pour désigner un savant, un docteur (avec le plus souvent une nuance ironique). J'ai pensé qu'on pouvait garder le mot. Je l'accentue pour la prononciation. Dans la réplique précédente, il fallait de même prononcer : béné : « bien », mais le mot est assez connu pour qu'on le reproduise tel quel.

32. Texte : *parlez quia* (du latin *quia :* « parce que »). Dans le langage courant, « estre à quia » signifiait : être réduit à toute extrémité, ne pouvoir répondre. L'expression ne signifie pas grand-chose ici, et on pourrait traduire : « parlez clairement ». L'auteur ne s'est amusé à mettre ce mot latin dans la bouche de Lubine que pour amener la réplique de Mimin : « Quia ! vous parlez, vous aussi, latin ! » Comme la réplique de Lubine ne pouvait plus être comprise du public d'aujourd'hui, j'ai adopté pour la transcription un autre mot d'origine latine, connu de tous celui-là. Qu'on me pardonne cette inexactitude.

33. Transcription familière de « deux paires de boissons » (« paire », dans le sens fréquent à cette époque de « sorte, espèce »).

34. Passage altéré.

35. Les femmes galantes passaient pour avoir les fesses molles. Voir encore la contrepèterie de Panurge (*Pantagruel,* ch. 16) : « femme folle à la messe » et « femme molle à la fesse ».

JENIN, FILS DE RIEN

36. Texte : *couplest,* c'est-à-dire : qu(e) (v)ou(s) plaist. Jenin répète sous une forme populaire, le *que vous plaist* de sa mère.

37. Dans le texte, Jenin commence à saluer le prêtre en latin par une formule toute faite ; puis il l'appelle : magister Campos. J'ignore s'il y a pour ce nom référence à une expression correspondant à celle qu'on trouve dans la farce du *Maître d'école* (La Vallière, n° 68) : « Magister,

donnés nous campos », c'est-à-dire : congé, ou s'il fait référence à ce qu'il a dit aux vers 99-100 : « Maître, à qui l'on va donner congé ».

38. Voir la note 15 du *Savetier Calbain*.

39. L'exclamation *Noël!* le plus souvent redoublée, était fréquemment employée à cette époque comme signe de paix et cri de joie.

40. Il faut savoir que « l'huile de reins » désignait le sperme, que Margot était un surnom donné aux femmes faciles et que ribaude désigne une femme débauchée.

41. Allusion au droit de préséance du père ; voir la note 30 de *Maître Mimin*.

42. Passage difficile ; et, si l'on suit le texte, la transcription en français moderne n'est pas scéniquement satisfaisante. Mais le sens est clair : Jenin se dit que physiquement il doit être un homme ; mais il n'en est pas un puisqu'il n'a ni père ni mère. S'il n'est ni Dieu ni diable, il ne peut être qu'un saint. Et il l'affirme (valeur de la double négation). Reste à savoir quel saint il est. Comme il n'est aucun des saints connus, il sera saint Rien.

43. Allusion possible aux nombreux Allemands qui servaient en France et se seraient donnés au plus offrant. Là encore, je respecte le texte ; mais aujourd'hui il faudrait trouver, et on trouverait facilement, un autre point de comparaison.

LE BADIN QUI SE LOUE

44. Chanson populaire, qu'on retrouvera dans la farce du *Bateleur*.

45. Il se pourrait qu'il n'y ait pas de lacune, et que ce vers de trois syllables — on en a d'autres exemples dans ce texte — rime avec *servir,* compte tenu de l'amuïssement du -r final (cf. v. 131-132 et voir la note 21 du *Pâté et la Tarte*).

46. Jeu de mots intraduisible, par confusion entre *balier :* « balayer » et *bailler :* « donner ».

47. Texte : *faire le cas.* Cette expression qu'on retrouve plusieurs fois dans nos farces, est le synonyme de *faire cela,* qu'on a rencontrée dans *Le Cuvier,* v. 141 (voir note 2).

48. Saint imaginaire. Saint Bon (v. 266), saint Bonnet (v. 296), sainte Marande (v. 250), le sont sans doute aussi dans la bouche du badin.

49. L'expression était : « faire la bête à deux dos ». Plus tard (v. 312), le badin jouera de même sur *chasse* et *chausse*.

50. La Bièvre coule dans (aujourd'hui, sous) Paris ; et une vieille rue de Paris porte toujours ce nom. Mais les rimes insolites : revienne — Bievre, ne sont peut-être dues qu'à une représentation parisienne de cette farce. Quant aux boutiques à l'enseigne du « Pot d'estain (étain) », on en trouve un peu partout à cette époque, et aujourd'hui encore à Paris ou ailleurs.

UN AMOUREUX

51. Texte : *Dinan*. Vraisemblablement, Dinant, ville de Belgique, au sud de Namur. La farce est d'ailleurs à peu près sûrement d'origine picarde.

52. Passage défectueux.

53. Il s'agit du « banquet » des amoureux, qui dans nos farces est le traditionnel préliminaire de l'acte d'amour. Le terme désigne, hors de ce cas, tout repas pris en dehors du dîner et du souper ; voir la moralité de *La Condamnation de Banquet,* reproduite dans le recueil Fournier.

54. Les aiguillettes étaient des cordons ferrés qui attachaient la culotte (les chausses) au pourpoint. De là un certain nombre d'expressions où entrait le mot « aiguillette », et qui étaient en rapport avec l'acte sexuel ou la satisfaction des besoins naturels. Il y a peut-être ici un clin d'œil de l'auteur au public, mais il est impossible d'en rendre compte.

55. Le texte original est littéralement intraduisible, le « chaudeau » faisant référence à une boisson réconfortante, composée de lait bouilli, de sucre, de jaunes d'œuf et de cannelle, et qu'on servait particulièrement aux jeunes mariés le lendemain matin de leurs noces.

56. Passage défectueux.

57. Le texte appelle ce vin « gloria filia ». J'ignore à quelle sorte de boisson il est fait référence.

LE RAMONEUR DE CHEMINÉES

58. Il a été impossible de savoir à quelle visite royale il est fait allusion, les rois et la Cour se déplaçant souvent dans les provinces.

59. Expression empruntée au jeu de paume.

60. Les Carmes étaient des religieux qui revêtaient, sur leur robe brun marron, un manteau de laine blanche.

61. Édition : *jehan du houx*. Ce sobriquet du ramoneur vient de son « houssoir », qui était un « ramon » de houx.

62. *Lardée :* « frottée de lard » (onguent), mais aussi, au sens érotique, « percée, piquée ».

63. Jeu de mots sur *bas :* 1) parties sexuelles de la femme ; 2) le bât, selle sur laquelle les bêtes portent des fardeaux. Il y a ici également une plaisanterie par rapprochement, d'origine olfactive, entre « poisson, marée » et le sexe féminin.

64. Allusion aux soupes où trempait du pain imbibé de vin. On disait : ivre comme une soupe.

65. Plaisanterie par référence à Saint-Pourçain, ville d'Auvergne réputée pour son vin.

66. Allusion aux enluminures qui ornaient la première lettre d'une prière dans les psautiers.

67. Cause désespérée, puisque, pour les tribunaux ecclésiastiques, on ne plaide à Rome qu'en dernier recours.

68. Voir la note 2 du *Cuvier*.

69. Passage peu clair.

70. Début d'un psaume chanté aux cérémonies funèbres. Nous dirions : Faites-en votre deuil.

LE MEUNIER DONT LE DIABLE EMPORTE L'ÂME EN ENFER

71. Dans le manuscrit, le mot *comme* de l'indication scénique concerne non le personnage mais le farceur qui joue le rôle ; le meunier est, lui, réellement malade.

72. Pour le v. 50 on a le choix entre supprimer *malade suis* ou tenir pour hors métrique les deux exclamations de la femme. Dans le doute, je transcris le tout.

73. Allusion aux pastourelles qui, depuis le *Jeu de Robin et Marion* (fin du XIIIe siècle), chantaient les amours de Robin et de sa bergère.

74. « Par le saint Sang de Jésus-Christ. » Bruges, en Belgique, possède une basilique du Saint-Sang, dont la fête est l'occasion d'une célèbre procession.

75. Texte : *lymosin* (cette forme s'est maintenue jusqu'au début du XVIIIe siècle). Les gens du Limousin passaient pour être des lourdauds et des mal appris. L'écolier limousin, de Rabelais (II, ch. 6), et surtout le Pourceaugnac, de Molière, hériteront de cette tradition.

76. Texte : *Croque Pie,* sobriquet tiré de l'expression *croquer la pie :* « boire un coup de vin » (de *pier :* boire).

77. Texte : *benedicite*. Dans son édition du *Mystère de saint Martin* (Droz, 1979), A. Duplat a montré que ce mot (voir la note 16 du *Savetier Calbain*) pouvait n'être qu'une « exclamation marquant l'étonnement ».

LE BATELEUR

78. Formule utilisée pour inviter le public à se préparer à écouter.

79. Le bateleur dirige les mouvements de son valet, et il lui impose des attitudes, comme s'il s'agissait de lui-même.

80. Le manuscrit utilise les formes : *bateleur* et *batelier/-yer ;* il se contente souvent aussi d'une abréviation : *bat* (on retrouve le même genre d'abréviation pour les autres personnages : c'est une habitude du copiste). Dans la transcription, je n'ai gardé que la forme contenue dans le titre.

81. Plus ils joueront, plus ils seront heureux.

82. Les Andelys, ville du Vexin normand, au sud-est de Rouen. L'auteur a sans doute choisi ce nom à cause de la chanson populaire dont on chantera plus loin quelques passages. Cette chanson, dont le texte complet est parvenu jusqu'à nous, conte les malheurs de Binette qui, pour avoir refusé l'amour, finira ses jours comme servante à la forteresse de Château-Gaillard.

83. Vers 90-92 et 96-97 : passages vraisemblablement interpolés. Pour les autres passages non signalés et qui ont pu aussi être ajoutés, voir mon édition critique.

84. La réplique qui suit dans le manuscrit et qui est attribuée au valet, doit correspondre à une expression populaire du patois normand, difficilement traduisible (littéralement : Et il mangera une tranche de merde). Ce doit être un nouvel ajout : il n'a pas de place dans le triolet. On peut se dispenser de le transcrire.

85. Le trihori était une danse d'origine bretonne, à trois temps.

86. Parmi les noms mentionnés ici, on reconnaît Saint-Gervais et Martainville, qui sont des quartiers de Rouen, et Sotteville, ville de la banlieue de Rouen. Ces trois noms sont aussi cités dans le monologue normand de *La Fille batelière* (recueil La Vallière) parmi les lieux où celle-ci a vendu ses drogues.

LES GENS NOUVEAUX

87. Texte : *nescio vos,* expression latine tirée de l'évangile de saint Matthieu et signifiant littéralement : « je ne vous connais pas ». Elle s'employait familièrement par dénégation.

88. Le Monde fait une distinction entre les « gens d'armes » qui, par « ordonnance », sont devenus « servans au royaulme de France », et ceux qui vont par villes et campagnes larronner et piller. Fournier avait vu là une allusion à l'ordonnance de Charles VII, datée d'avril 1448, qui, mettant fin aux exactions des soldats sur le territoire, créait les Francs-Archers et réorganisait l'armée. C'est pourquoi il datait cette pièce de 1461, c'est-à-dire de la première année du règne de son successeur, Louis XI.

89. *Paillard,* dans le sens vieilli de « gueux » (qui couche sur la paille), d'« homme méprisable, coquin ».

90. Dans cette tirade, les sonorités d'une fin de vers sont reprises au début du vers suivant. Même chose aux v. 323-334. Ces « jeux » de poésie n'étaient pas, à cette époque, un obstacle au développement d'un thème élégiaque ou tragique.

TABLE DES MATIÈRES

TITRES RÉCEMMENT PARUS

AMADO (Jorge)
Mar Morto (388)

ARIOSTE
Roland furieux. Textes choisis et présentés par Italo CALVINO (380)

BALZAC
Béatrix. Préface de Julien Gracq (327) - Le Chef-d'œuvre inconnu. Gambara. Massimilla Doni (365) - Annette et le criminel (391)

BAUDELAIRE
Les Fleurs du Mal et autres poèmes (7)

BECKFORD
Vathek (375)

CARROLL (LEWIS)
Tout Alice (312)

CAZOTTE
Le Diable amoureux (361)

CARRINGTON
Le Cornet acoustique (397)

*** Code civil (Le). Textes antérieurs et version actuelle. Éd. J. Veil (318)

COLETTE
La Naissance du jour (202) - Le Blé en herbe (218) - La Fin de Chéri (390)

CROS
Le Coffret de Santal - Le Collier de griffes (329)

DESCARTES
Méditations métaphysiques (328)

DIDEROT
Le Neveu de Rameau (143)

DICKENS
David Copperfield 1 (310)-2 (311)

DOSTOIEVSKI
Récits de la maison des morts (337)
L'Idiot 1 (398) - 2 (399)

DUMAS fils
La Dame aux camélias. Roman, théâtre, opéra. *La Traviata* (381)

FLAUBERT
L'Éducation sentimentale (219) - L'Éducation sentimentale. Première version. - Passion et Vertu (339)

GAUTIER
Voyage en Espagne (367) - Récits fantastiques (383)

GOLDONI
La Manie de la villégiature, Baroufe à Chiogga et autres pièces (322)

HAWTHORNE
La Lettre écarlate (382)

HOBBES
Le Citoyen (De Cive) (385)

HOFFMANN
Contes fantastiques 1 (330) - 2 (358) - 3 (378)

HÖLDERLIN
Hymnes-Élégies (352)

HUGO
Les Travailleurs de la mer (341) - L'Homme qui rit 1 (359) - 2 (384)

HUME
Enquête sur l'entendement humain (343)

KAFKA
Le Procès (400)

LA BOÉTIE
Discours de la servitude volontaire (394)

*** Lettres portugaises, Lettres d'une Péruvienne et autres romans d'amour par lettres (379)

*** Lettres édifiantes et curieuses de Chine (315)

MACHIAVEL
Le Prince (317)

MARGUERITE DE NAVARRE
L'Heptaméron (355)

MANN
Mario et le magicien (403)

MAURIAC
Un adolescent d'autrefois (387)

MELVILLE
Moby Dick (236)

MÉRIMÉE
Carmen. Les âmes du purgatoire (263) - La Vénus d'Ille et autres nouvelles (368) - Tamango. Mateo Falcone et autres nouvelles (392)

MIRBEAU
Le Journal d'une femme de chambre (307)

MISTRAL
Mireille (texte provençal et trad. de Mistral) (304)

MORAVIA
Nouvelles romaines (389) - Agostino (396)

NODIER
Smarra, Trilby et autres contes (363)

PETRONE
Satyricon (357)

RONSARD
Les Amours (335)

SCARRON
Le Roman comique (360)

SHELLEY (MARY)
Frankenstein (320)

SIENKIEWICZ
Quo Vadis (362)

STENDHAL
Lucien Leuwen 1 (350) - 2 (351)

STERNE
Vie et Opinions de Tristram Shandy (371)
Voyage sentimental (372)

TOCQUEVILLE
De la Démocratie en Amérique 1 (353) - 2 (354)

VAUVENARGUES
Introduction à la connaissance de l'esprit humain et autres œuvres (336)

VILLIERS DE L'ISLE-ADAM
Contes cruels (340)

GF GRAND FORMAT

CHATEAUBRIAND
Mémoires d'Outre-Tombe. Préface de Julien Gracq (4 vol.)

FORT
Ballades françaises

GUTH
Histoire de la littérature française (2 vol.)

LAS CASES
Le Mémorial de Sainte-Hélène (2 vol.)

Vous trouverez chez votre libraire le catalogue complet de notre collection.

GF — TEXTE INTÉGRAL — GF

10102-1984. — Mame, Tours.
Nº d'édition 10085. — Mars 1984. — Printed in France.